Steffen Möller
Expedition zu den Polen

Steffen Möller

Expedition zu den Polen

Eine Reise mit dem Berlin-Warszawa-Express

Mit 33 Abbildungen und einer Karte

MALIK

Mehr über unsere Autoren und Bücher:
www.malik.de

Der Piper Verlag dankt den Rechtegebern für die Abdruckgenehmigungen.
Da in einigen Fällen die Inhaber der Rechte nicht festzustellen oder nicht
erreichbar waren, bittet der Verlag, rechtmäßige Ansprüche ihm mitzuteilen.

MIX
Papier aus verantwor-
tungsvollen Quellen
FSC
www.fsc.org   FSC® C006701

ISBN 978-3-89029-399-8
7. Auflage Dezember 2012
© Piper Verlag GmbH, München 2012
Fotos im Text: Rafał Kotylak (www.kotylak.pl): S. 125, Olaf Kühl
(www.similitudo.de): S. 108, Narodowe Archiwum Cyfrowe (National
Digital Archives - Poland): S. 217, picture alliance/dpa/PAP: S. 214,
alle anderen: Steffen Möller
Karte: cartomedia, Karlsruhe
Litho: Lorenz & Zeller, Inning am Ammersee
Layout und Satz: Sieveking · Verlagsservice, München
Druck und Bindung: CPI – Ebner und Spiegel, Ulm
Printed in Germany

Inhalt

»Was willst du denn in Asien?« riefen meine entsetzten Eltern, als ich 1994 nach Polen auswanderte. Auch meine neuen Warschauer Nachbarn runzelten die Stirn: »Sind Sie freiwillig gekommen oder werden Sie daheim per Steckbrief gesucht?«

Immer wieder musste ich erzählen, wie es ein Jahr zuvor begonnen hatte: mit einem Plakat an der Uni, einem zweiwöchigen Sprachkurs in Krakau und einem polnischen Kindergedicht, das den Titel »Samochwała – die Angeberin« trug. Und immer wieder erntete ich ein mitleidiges Lächeln. Den Deutschen galt Polen als Land der Autodiebe und Putzfrauen, Polen dagegen assoziierten Deutsche mit Heimwehtouristen und dem Volksbund Deutsche Kriegsgräberfürsorge.

Viele Jahre später schrieb ich meine Geschichte auf. 2008 erschien sie unter dem Titel: »Viva Polonia – als deutscher Gastarbeiter in Polen.«

Die Reaktion war überwältigend. Ich erhielt fast 3000 Mails von Lesern, die das Buch kommentierten oder Fragen zu Polen stellten. Manchmal bekam ich den Eindruck, dass schon halb Deutschland auf gepackten Koffern saß.

Tatsächlich hatte ich, ohne es zu ahnen, einen günstigen Zeitpunkt erwischt. Anfang 2010 wurde vom Statistischen Bundesamt bekannt gegeben, dass Polen im Jahr 2009 das drittbeliebteste Auswanderungsland der Deutschen war, hinter der Schweiz und den USA. Fast 13 000 Menschen waren nach Polen gegangen – und nicht nach Italien, Mallorca oder Großbritannien.

Handelte es sich dabei nur um Aus- und Übersiedler, die auf ihre alten Tage nach Oberschlesien und Masuren zurückwollten?

Nein! Die »Bild«-Zeitung, der Polen-Propaganda wahrlich unverdächtig, ging der Sache auf den Grund und bestätigte: sind auch viele richtige Deutsche dabei! Sie berichtete von einem Rentner, der die Pflegerin seiner Mutter heiratete und mit ihr nach Polen ging. »Außer den Bergen des Schwarzwalds fehlt mir hier nichts. Ich kann mir nicht vorstellen, jemals wieder nach Deutschland zurückzugehen.«

Doch es kam noch besser.

Polen war im Krisenjahr 2009 das einzige der 27 EU-Länder mit einem positiven Wirtschaftswachstum. Während Deutschland eine Einbuße von fünf Prozent hinnehmen musste, konnte Polen immerhin noch 1,7 Prozent Wachstum verzeichnen. Im Vergleich zu den südeuropäischen Mitgliedsländern ist Polen heute eine Art Musterknabe der EU. Der durchschnittliche Bruttomonatslohn, der 1989 noch bei 25 Euro im Monat gelegen hatte, betrug 2010 bereits 900 Euro (in Deutschland 2010: 2650 Euro). Die Arbeitslosigkeit hat sich seit dem EU-Beitritt 2004 halbiert und lag im Sommer 2011 bei 11,7 %, also nur knapp über dem EU-Durchschnittswert. In Großstädten wie Warszawa, Wrocław und Poznań tendiert sie gegen null.

Zur gewaltigen Dynamik, die durch die EU-Agrarsubventionen und Strukturfonds angestoßen wurde, kam noch die Nachricht, dass die Fußballeuropameisterschaft 2012 in Polen und der Ukraine ausgetragen wird. Sie führte in Polen zu einem gigantischen Bauboom. Drei Stadien wurden neu gebaut, ein viertes von Grund auf renoviert. Zählt man die Investitionen in die Infrastruktur des Landes hinzu, kommt man auf ein Gesamtvolumen von fast 20 Milliarden Euro. Wer in den Jahren 2010 und 2011 durch Polen fuhr, sah überall Bahnhofsrenovierungen, Autobahnbagger und nächtlich beleuchtete Gerüste. Seit dem Zweiten Weltkrieg hat es in Europa in keinem Land ähnlich große Baustellen gleichzeitig gegeben. Fazit: Innerhalb weniger Jahre hat sich Polen zu einem stabilen Wirtschaftsstandort in Mittel-Ost-Europa gemausert.

Krönung dieser Entwicklung war für mich eine eher unscheinbare Nachricht. Die Arbeitsämter Brandenburgs starteten 2010 ein Pilotprojekt. Eine Gruppe von Langzeitarbeitslosen wurde zu Schulungen ins polnische Krosno an der Oder geschickt. Die circa zwanzig Hartz-IV-Empfänger lernten zunächst zwei Monate lang Polnisch, um dann in örtlichen Handwerksbetrieben eine Kurzausbildung zu durchlaufen. Das Ziel bestand darin, sie flexibler für den deutschen Arbeitsmarkt zu machen.

Als ich diesen Artikel entdeckte, kamen mir endgültig die Tränen. Nun erst glaubte ich an die Trendwende. Fast zwanzig Jahre lang war ich ein Träumer gewesen, ein naiver Idealist. Von nun an durfte ich mich als Pionier der neuen Zeit betrachten. Ach, wie schön, dass sich die Zeiten ändern!

Noch unmittelbar vor meiner ersten Fahrt nach Polen 1993 hatte mir ein lieber Berliner Freund den folgenden Witz erzählt:

Eine gute Fee kommt zu einem Ossi, einem Wessi und einem Polen und gewährt jedem einen Wunsch. Der Pole wünscht sich, dass jeder seiner Landsleute einen Porsche bekommt.

»Gut«, sagt die Fee. »Der Wunsch ist erfüllt.«

Der Ossi wünscht sich, dass die Mauer wieder aufgebaut wird.

»Gut«, sagt die Fee, »auch dieser Wunsch wird erfüllt. Und du?«, wendet sie sich an den Wessi, »was willst du?« – »Och«, brummt der Wessi zufrieden, »wenn jeder Pole einen Porsche hat und die Mauer wieder steht … einen Cappuccino bitte!«

Knapp zwanzig Jahre später ist alles anders. Die Autodiebstähle innerhalb Polens sind um etwa 75 Prozent zurückgegangen (in Deutschland um etwa 65 Prozent), und Asien liegt heute an der Wupper. Meine Heimatstadt Wuppertal versinkt in Schulden, 2010 lagen sie bereits bei über zwei Milliarden Euro. Das städtische Theater soll geschlossen werden, die Stadtbibliothek bekommt kaum noch Mittel für die Anschaffung neuer Bücher, der Oberbürgermeister hat in seiner Amtszeit nicht ein einziges Mal das Geld für eine Fahrt in die polnische Partnerstadt Legnica auftreiben können.

Und das Schlimmste: Seit etwa zehn Jahren verliert Wuppertal jedes Jahr zwischen 2000 und 4000 Bürger. Von den einstmals 400 000 Einwohnern sind 2010 noch 350 000 übrig geblieben. Wo stecken die fehlenden 50 000 Menschen? Häufiger, als man denkt, lautet die Antwort: in Polen.

Angesichts dieser veränderten Lage kam ich auf die Idee, ein neues Buch zu schreiben, einen Polen-Crashkurs für Auswanderer. Während ich mich in »Viva Polonia« noch wie ein Märchenerzähler fühlte, der Geschichten aus einem exotischen Land am Ende der Welt darbot, wollte ich nun konkret werden, mit Tabellen und Statistiken für Sachbuchleser. Um zunächst einmal die Fragen und Nöte meiner Landsleute kennenzulernen, tourte ich

Haushaltssitzung des Wuppertaler Stadtrats im Jahre 2011

als Emigration Consultant durch Deutschland. Zwischen 2008 und 2012 bin ich einige Hundert Mal zwischen Kiel und München aufgetreten. Die Publikumsmischung war hochinteressant. Meinen Ausführungen über Polen, seine Bewohner und die Kulturschocks, die unter jeder Türschwelle lauern, lauschten nicht nur potenzielle Auswanderer, sondern auch viele deutsche Ehemänner, die sich über die Heimat ihrer polnischen Frauen informieren wollten. Ich hatte keine Ahnung gehabt, wie groß die Zahl dieser deutsch-polnischen Paare ist. Wer von »Hunderttausenden« spricht, dürfte nicht übertreiben. Wie ich erfuhr, erwägt auch so mancher Ehemann inzwischen, seinen Job in Reutlingen oder Bremerhaven aufzugeben und ins Land der Schwiegermutter überzusiedeln, wo die Steuern niedrig und die Investitionsanreize hoch sind.

Daneben gab es aber auch Menschen im Publikum, die noch keine Lust oder keinen Mut hatten, nach Polen zu fahren. Sie wollten einfach nur etwas über ihre polnischen Mitbürger erfahren. Denn auch in Deutschland lebt man ja längst »zwischen den Polen«. Bis zu zwei Millionen Menschen sprechen Polnisch als Muttersprache. Von allen Migranten bilden die Polen, nach den

Türken, mit etwa 11 Prozent die zweitstärkste Gruppe. Im Jahr 2011 sind nach offiziellen Angaben 115 000 Polen nach Deutschland eingewandert, was mit 17 Prozent aller Einwanderer die bei Weitem stärkste Gruppe ausmachte. Es kann vermutlich nicht schaden, einige Informationen über den Aberglauben, die Schimpfwörter oder die Schulbildung der neuen Nachbarn zu bekommen.

»Zwischen den Polen« – so könnte man auch meine eigene Situation beschreiben. Zwar habe ich meine Rolle als deutscher Kartoffelbauer in der polnischen Telenovela »M jak Miłość – L wie Liebe« inzwischen aufgegeben, doch bewohne ich immer noch meine langjährige Wohnung im Warschauer Stadtteil Muranów. Gleichzeitig miete ich eine Arbeitswohnung in Berlin. So kommt es, dass ich jeden Monat mehrmals zwischen Warschau und Berlin, den beiden Polen meines Lebens, hin und her pendele. Auf einer dieser Reisen, die ich stets im bequemen Eurocity absolviere, kam mir die Idee, das neue Polenbuch in Form einer Zugfahrt zu gestalten.

Erstens ist eine Zugreise die ideale Lösung für alle Skeptiker, die immer noch Angst um ihr Auto haben. Während ihr Liebling in der Garage steht, können sie vom Zug aus die Landschaft genießen. Eine bequemere Art des Erstkontakts gibt es nicht. Vermutlich wäre die Zahl deutscher Polenurlauber doppelt so groß, wenn sich herumspräche, wie preisgünstig und attraktiv der Berlin-Warszawa-Express ist.

Zweitens besticht dieser Zug durch seine einmalig schöne Streckenführung. Die Eisenbahntrasse durchschneidet Polen von der Grenze bis Warschau auf einer Länge von fast 500 Kilometern. Wer aus dem Fenster schaut, gewinnt einen phantastischen Eindruck von den drei großen Landschaften Lubuskie (Lebus), Wielkopolska (Großpolen) und Mazowsze (Masowien). Auch an Rekorden mangelt es nicht. So wird unterwegs die Kleinstadt Świebodzin passiert, die mit Europas höchster Christusstatue aufwarten kann. Und in Poznań, das genau in der Mitte der Strecke liegt, befindet sich ganz offiziell der Welt »schönstes Einkaufszentrum mittlerer Größe«.

Drittens kann man in diesem Zug ganz beiläufig die deutsch-polnischen Befindlichkeiten studieren. Zugfahrten zeigen die Menschen von ihrer privaten Seite, über viele Stunden hinweg.

Ob sich im Speisewagen ein Ehepaar streitet oder ein melancholischer Heimaturlauber über sein Leben in Deutschland räsoniert – man erfährt hier Dinge, die nicht in der Zeitung stehen. Mit ein bisschen Glück lassen sich sogar tiefere Bekanntschaften anknüpfen. So mancher deutsche Tourist wurde schon von einem polnischen Mitfahrer nach Hause eingeladen und sparte auf diese Weise die Hotelkosten. Es sollen sogar Bundesbürger in Berlin als Single eingestiegen und in Warschau als Verlobte wieder ausgestiegen sein.

Ich lade also herzlich dazu ein, mich auf einer meiner Reisen von Berlin nach Warschau zu begleiten. Unterwegs werde ich versuchen, ein guter Reiseleiter zu sein und die unvermeidlichen Kulturschocks so abzufedern, dass sie einigermaßen erträglich werden. Doch auch nach fast zwanzig Jahren ist immer noch jede Fahrt mit dem Eurocity Berlin-Warschau ein neues Abenteuer. Ich glaube nicht, dass es in Deutschland einen zweiten Zug mit einer ähnlich prickelnden Passagiermischung gibt. Umso mehr wünsche ich uns, was man sich in Polen vor einer großen Reise wünscht:»Szerokiej drogi – breiten Weg!«

Polizeilich gemeldete Autodiebstähle

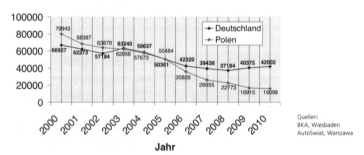

Quellen:
BKA, Wiesbaden
AutoSwiat, Warszawa

Autodiebstähle in Polen sind seit 2000 um etwa 75 Prozent zurückgegangen.

Orte, von denen in Polen im Jahr 2010 die meisten Autos gestohlen wurden:

1. Von Straßen und Wegen: 7 495 Stück; 2. Von Parkplätzen: 6 785 Stück;
3. Von Parkplätzen in Einkaufszentren: 224 Stück; 4. Aus Garagen: 181 Stück;
5. Vor Ein- oder Mehrfamilienhäusern: 122 Stück; 6. Von Tankstellen: 50 Stück

Entfernung: 6 km
Fahrzeit: 10 Minuten
Kulturschock: noch keiner
Wort der Strecke: Rajzefiber

Im Urstromtal

Die letzte Eiszeit in Mitteleuropa war ein Glücksfall für die Eisen-
bahningenieure. Geologen streiten zwar noch darüber, ob die sogenannte »Weichsel-Eiszeit« schon vor 18 000 oder erst vor 10 000
Jahren zu Ende ging, interessant ist aber auf jeden Fall, welche
gigantischen Weichen damals gestellt wurden. Als sich der Kon-
tinent langsam wieder erwärmte, schmolzen einige riesige Glet-
scher ab. Ihr Schmelzwasser konnte infolge fester Landeismassen
im Norden und Süden nur nach Westen, in Richtung Nordsee ab-
fließen. Ein ungeheurer Urstrom entstand und wälzte sich auf einer Breite von zwanzig Kilometern quer durch Mitteleuropa, von
der Umgebung des heutigen Warschaus bis in die Gegend des
heutigen Berlins. Das ausgetrocknete Bett dieses Stroms wird von
Geologen heute als »Warschau-Berlin-Urstromtal« bezeichnet.
Hier konnten im Jahr 1870 bequem die ersten Schienen von Berlin
nach Warschau verlegt werden, 560 Kilometer naturgegebener Eisenbahntrasse, ohne lästige Gebirge oder Seen. Der Gleisunter-
boden war zwar, wie in Flussbetten üblich, überaus sandig (daher
der berühmte »märkische Sand«), doch boten sich den Ingenieu-
ren auf der exakt gleich langen Westroute von Berlin nach Köln
wesentlich unangenehmere Hindernisse, etwa das Harzgebirge. In
Richtung Osten waren nennenswerte technische Konstruktionen
nur bei der Überbrückung von Oder und Warthe erforderlich.

Einen enormen Kontrast zu den geringen geografischen Hindernissen bilden die kulturellen und sprachlichen Hemmschwel-
len. Von den neun deutschen Landesgrenzen dürfte die polnische

Grenze diejenige mit dem größten Schockpotenzial sein. Mit einem Schlag versteht man gar nichts mehr – und ist auch nicht darauf vorbereitet. Von der Geschichte, Dichtung und Kultur des zweitgrößten Nachbarvolkes wird deutschen Schülern so gut wie nichts beigebracht, sieht man von einigen traurigen Schwarz-Weiß-Bildern aus dem Zweiten Weltkrieg ab. Bereits der Kniefall Willy Brandts im Jahr 1970 ist nach meiner Beobachtung der jüngsten Generation nicht mehr vertraut, in Polen übrigens noch weniger als in Deutschland. Bei mir selbst war es kaum anders. Bevor ich mit 24 Jahren erstmals nach Krakau fuhr, hatte ich längst das sonnige Paris, das geheimnisvolle Prag und das fröhliche Kopenhagen besucht. Ins »katholische Polen« hätten mich keine zehn Pferde bekommen; das Land erschien mir, ehrlich gesagt, wie eine einzige Karikatur, bewohnt von schlauen Autodieben, pfiffigen Handwerkern, strubbeligen Putzfrauen, billigen Prostituierten und einem schon zu Lebzeiten legendären Lech Wałęsa. (Natürlich wusste ich auch nicht, dass man ihn »Wawensa« ausspricht.)

Trotz der veränderten Faktenlage hat sich an diesem ungünstigen Image in Deutschland bis heute nicht allzuviel geändert. Polen hätte mal eine richtig professionelle Marketingkampagne verdient. Ein bescheidener Anfang dafür könnte die Zauberformel vom »Warschau-Berlin-Urstromtal« sein. Sie macht noch dem letzten Ignoranten klar, dass eine Reise nach Polen zumindest aus geologischer Perspektive nichts anderes ist als ein Spaziergang von einer Ecke des Wohnzimmers in die andere.

Der Berliner Hauptbahnhof

Alles beginnt am Berliner Hauptbahnhof einige Jahre nach seiner Einweihung im Jahr 2006. Keine Frage: Mit diesem Bauwerk hat Berlin derzeit den prächtigsten Bahnhof des gesamten Urstromtals zu bieten. Doch das war nicht immer so. Bei seiner Fertigstellung im Jahr 1975 trug noch der Warschauer Zentralbahnhof mit seinem kühn geschwungenen Dach den Sieg davon. Bereits in den Achtzigerjahren verfiel das Wunderwerk, Polen stöhnte unter dem Klammergriff des Kriegsrechts. Bahnhöfe sind das Gesicht einer Stadt, auf dem sich alle ihre Erlebnisse widerspiegeln,

Vom Berliner Hauptbahnhof aus kann man tatsächlich rein auf dem Wasserweg nach Warschau gelangen.

und so ergraute der Zentralbahnhof quasi über Nacht. Der sozialistische Alltag machte sich breit, unübertrefflich symbolisiert in den spitzengeklöppelten Gardinchen, die in den Bürofenstern hingen.

Dreißig Jahre später ist Berlin fast uneinholbar in Führung gegangen. Der neue Berliner Hauptbahnhof darf als imposant bezeichnet werden. Weiße Ausflugsdampfer schippern unter ihm hindurch, denn seine Ausläufer schweben auf Riesenpylonen direkt über der Spree, nur einen Steinwurf von Reichstag und Bundeskanzleramt entfernt.

Die Baumaterialien waren, wie üblich in der jungen Berliner Republik, Beton, Glas und Stahl. Ausdrücklich nicht erwünscht war Holz. Der Architekt verbat sich auch jede frohe Bemalung. Sein Werk sollte cool wirken, so grau wie die rings um den alten Reichstag gesetzten Abgeordnetenbüros, so eckig wie der gigantische Vogelkasten des Kanzleramts. Gilt auch hier die Regel, dass ein Bahnhof die Befindlichkeit seiner Stadt widerspiegelt, ja vielleicht sogar der gesamten Berliner Republik? Wir wollen es nicht hoffen und die Verantwortung für all das kahle Grau allein dem Architekten zuschieben. Wer allerdings seinen wunderbar poetischen Namen hört, kann ihm nicht mehr böse sein, denn man sieht plötzlich Farbe auch dort, wo sie eigentlich nicht ist: Meinhard von Gerkan. Glücklich, wer mit einem solchen Namen gesegnet ist. Ein Klaus Löffelke oder Heiko Schulte hätte die Ausschreibung sicherlich nicht gewonnen.

Hier also, in einer lang gezogenen Kurve direkt am Wasser, einem höchst ungewöhnlichen Ort für Bahnhöfe, fahren im Minutentakt die Züge ein und aus, rote Regionalexpresse mit doppelstöckigen Waggons, weiße ICEs mit aerodynamischen roten Seitenstreifen, dazu kantige beige-rote S-Bahn-Züge und gelegentlich mal eine vereinzelte, verirrte Lok, die zur Wartung nach Rummelsburg eilt, dem nächsten Bahnbetriebswerk.

Im Innern des Bahnhofs wurden auf Geheiß Meinhard von Gerkans fünf Ebenen eingezogen. In den oberen Etagen gibt es große Aussparungen im Boden, sodass man fast vierzig Meter hinab in die Halle schauen kann. Da sieht man ruhige Rolltreppen, auf denen die Reisenden hinab- und hinaufgleiten; man sieht gläserne, runde Aufzüge, in denen Mütter mit Kinderwagen wie in Heißluftballons aufsteigen – und man sieht sogar manchmal noch aus vierzig Metern Entfernung, dass diese Mütter vor Wut kochen, da sie auf die hypermodernen, aber hyperlangsamen Kapseln endlos warten müssen.

Was sieht man noch in der riesigen Halle? Man sieht vor allem Menschen, Menschen, Menschen. Sie schwärmen in die Bäckereien und Zeitschriftenläden, in die Apotheke oder den McDonald's, in den Burger King oder Drogeriemarkt, in mehrere Souvenirläden oder Modeboutiquen, ja sogar in einen Fanshop des örtlichen Fußballklubs Hertha Berlin – und alle, alle zahlen die überhöhten Bahnhofspreise klaglos gemäß dem uralten Gesetz, dass Reisenden in ihrer Hektik der Sinn für Cent und Euro abhandenkommt.

Spät abends erst beruhigt sich das Menschengewühl. Wenn nach Mitternacht die letzten Züge eingelaufen sind, bleiben nur noch einige Männer übrig, die auf knallbunten Reinigungsmobilen über die schwarzen Marmorböden gleiten. Auch sie verschwinden schließlich schwatzend in der Nacht – »Auf Wiederhörnchen! Bis dannemannski!« –, und dann bricht eine Art Urwaldstille herein. Letzter Mensch im Gebäude ist der Azubi am Servicepoint. Missmutig schiebt er sich eine Haarsträhne unter seine rote Mütze. Erst gegen fünf Uhr morgens kann er wieder »Moin!« rufen.

Dies ist der Ort, von dem aus jeden Tag fünf Eurocity-Züge nach Polen fahren, vier davon nach Warschau, einer nach Krakau.

Auf dem Bahnsteig

Ich persönlich fahre am liebsten mit dem allerersten Eurocity, morgens um 6.40 Uhr. Sechs Stunden später bin ich dann bereits in Warschau und kann mich zum Lunch mit Freunden treffen. Während sie ihren Vormittag im Bett oder bei Ikea vertrödelt haben, bin ich mit Tempo 160 durch die Lande gebraust und konnte mir einbilden, meine Lebenszeit sinnvoll zu nutzen.

Außerdem liebe ich die frühmorgendliche Stimmung in Berlin Mitte. Meine kleine Wohnung liegt so nah am Hauptbahnhof, dass ich bequem mit dem Fahrrad hinfahren kann. Oranienburger Straße, Friedrichstraße und Regierungsviertel sind um diese Zeit noch still und menschenleer. Ein leichter Morgendunst hängt über der Spree, und unter den Riesenpylonen liegen Backpacker in sandigen Schlafsäcken.

Ich stelle das Rad vor dem Bahnhof ab, springe in Gerkans Wunderbau und kaufe mir im DB-Reisecenter die Fahrkarte.

Sie kostet (im Jahr 2012) in der zweiten Klasse 48,60 Euro. Davon gehen 19 Euro an die Deutsche Bahn. Mit anderen Worten: Für die 80 Kilometer bis Frankfurt/Oder, etwa 15 Prozent der Fahrtstrecke, müssen 40 Prozent des Preises bezahlt werden.

Wer eine Bahncard 50 besitzt, zahlt für die gesamte Strecke nur 31,70 Euro. Er hat nämlich außer seiner 50-prozentigen Ermäßigung innerhalb Deutschlands auch noch Anrecht auf einen Preisnachlass von 25 Prozent auf dem polnischen Streckenabschnitt (Rail Plus).

Mit der Fahrkarte und meinem Köfferchen in der Hand begebe ich mich über die meist gut funktionierende Rolltreppe zum Bahnsteig 11 hinauf. Oben warten bereits einige Reisende. Viele Jahre lang habe ich mich darüber gewundert, dass die frühe Morgenstunde keineswegs allen Leuten anzusehen ist. Manche haben auch um halb sieben schon normal große Augen und schön gekämmte Haare; kein Vergleich zu meiner Zerknautschheit. Mit der Zeit gelang es mir, ihr Geheimnis zu lüften. Es handelt sich um die Angsthasen, die in der Nacht vor der Reise kaum geschlafen haben, aus Angst, den Zug zu verpassen. Für sie ist der Tag deshalb schon mehrere Stunden alt. Sie haben sich den Wecker auf drei Uhr gestellt, anschließend lange geduscht und schön die Haare gekämmt. Ab sechs Uhr stehen sie gestiefelt und gespornt auf dem Bahnsteig und sind so aufgeregt, dass sie ihren verlorenen Schlaf auch auf der Reise nicht nachholen können. Man nennt ihren Zustand Reisefieber, auf Polnisch übrigens ebenfalls: Rajzefiber.

Um mir die Minuten bis zur Einfahrt des Zuges zu vertreiben, mache ich ein kleines Spiel. Ich versuche, die Wartenden in Polen und Deutsche zu sortieren. Noch in den Neunzigerjahren war das ein Kinderspiel. Die Deutschen konnte man an prallen City-Rucksäcken erkennen, die Polen an ausgebeulten karierten Riesentaschen. Deutsche Frauen hatten ihr Haar hochgedreht, abrasiert oder festgesteckt, polnische Frauen trugen es meist offen und lang, oft auch kupferrot gefärbt. Polnische Männer wiederum hatten Schnurrbärte, weil der wild herabgezwirbelte Seelöwenschnurrbart seit Jahrhunderten Erkennungszeichen der polnischen Adligen war.

Mit dem neuen Jahrtausend wurde die Sache komplizierter. Kleidung und Haarmode des Ostens glichen sich der des Westens an. Wie steht es zum Beispiel mit dem jungen Mann da drüben in den hellbraunen Lederschuhen, dem lässigen beigen Cardigan und der schwarzen Designerbrille? Er könnte ein alerter Projektmanager aus Berlin-Mitte sein, vielleicht aber auch ein polnischer Yuppie, der am Freitagabend aus Poznań gekommen ist und sich am Wittenbergplatz ein schönes Wochenende gemacht hat.

In diesem Moment ertönt eine Bahnsteigdurchsage. Der Eurocity verspätet sich um fünf Minuten. Statt mich zu ärgern, nutze ich die Zeit, um noch einmal den modernsten Bahnhof der Welt zu bewundern. Ich beuge mich über das Geländer und spähe adlergleich nach unten. Zwar ist dieser Bahnhof von außen leicht mit dem Hauptsitz der Barmenia-Versicherung in Wuppertal zu verwechseln; von innen aber ist er ein Wunder an transparenter Funktionalität. Ganz unten sehe ich auf der Nord-Süd-Achse einen ICE einfahren, zwei Stockwerke höher eine zierliche Koreanerin, die einen schwarzen Konzertflügel in Stellung bringt, um gleich in der morgendlichen Stoßzeit ein furioses Frühstückskonzert zu geben. Gut möglich, dass heute Abend anstelle der Koreanerin ernste Tänzer in schwarzen Hemden einen argentinischen Tango tanzen werden, auch das ist in diesem Bahnhof schon vorgekommen. Für Berlins drei Komma fünf Millionen Exhibitionisten ist hier wirklich eine schöne neue Bühne entstanden.

Der Zug lässt immer noch auf sich warten. Das gibt mir die Möglichkeit, eine kleine Anekdote loszuwerden, die ich meinen privaten Besuchern gerne erzähle. Nach Abschluss des Bahnhofsbaus klagte der Architekt Meinhard von Gerkan gegen die Deutsche Bahn, weil ihre Ingenieure an der Deckenkonstruktion des Untergeschosses eine von ihm nicht genehmigte Veränderung vorgenommen hatten. Er gewann den Prozess und bekam acht Millionen Euro Schadenersatz zugesprochen. Meine polnischen Gäste finden das unerhört spannend und fangen plötzlich an, Deutschland zu lieben. »Wie bitte? Ein Einzelmensch gewinnt einen Prozess gegen den Staat? In Polen würde der Kerl einen Tritt in den Hintern bekommen.«

So, jetzt wird die Warterei allmählich nervig. Ich trete an den Fahrplan und gucke mir die nächsten Züge an. Um 9.35 Uhr wird der Eurocity »Wawel« nach Krakau abfahren. Mit ebendiesem Zug gelangte ich 1993 zum ersten Mal nach Polen. Zwei Wochen lang verbrachte ich in der mittelalterlichen Stadt mit der ehrwürdigen Jagiellonen-Universität und dem mächtigen Wawel-Burgberg. Dort in Krakau steht meine polnische Wiege, dort habe ich später auch ein ganzes Jahr lang gewohnt. Seitdem ist Krakau kometengleich in die touristische Weltklasse aufgestiegen. Bei einer Abstimmung des Touristenportals Zoover, an der 85 000 Internet-User teilnahmen, landete die Stadt 2011 auf Platz zwei in Europa, direkt hinter Berlin, aber noch vor Barcelona und Rom. In den Kategorien »Atmosphäre« und »Nachtleben« belegte sie sogar Platz eins.

Doch die Fahrt dorthin ist von Berlin aus kein Zuckerschlecken. Die Gleise sind auf dieser Strecke so alt, dass sich der Eurocity im Schneckentempo voranquälen muss. Wer noch nicht wusste, wie groß Oberschlesien ist, wird es auf dieser Reise erfahren. Sie dauert – bei 600 Kilometer Entfernung – ganze zehn Stunden, dazu kommen noch häufige Verspätungen. Dabei geht es unterwegs durch dichte, düstere Wälder, wo jeglicher Handyempfang erstirbt. Die Warschauer Strecke ist fast genauso lang, kostet aber nur sechs Stündlein und führt dabei ganz überwiegend durch lichte Ebenen, und zwar auf einem drei Meter über der Erde schwebenden Bahndamm, sodass die Aussicht hervorragend ist und auch das billigste Handynetz noch perfekten Empfang hat. Nein, wirklich – jedem, der nach Krakau will, kann ich nur freundschaftlich raten, den Zug nach Warschau zu nehmen und dort in den Intercity nach Krakau umzusteigen. Man wird dann immer noch zwei bis vier Stunden eher vor Ort sein als mit dem wälderdüsteren »Wawel«-Express.

Die Befreiung Wiens

Und nun ist es so weit. Der Eurocity fährt ein. Da der Berliner Hauptbahnhof, wie schon gesagt, in einer langgestreckten Kurve liegt, biegen sich die Waggons konvex zum Bahnsteig hin, so als würde der Zug mit der Hüfte kreisen. Vorneweg rollt eine hypermoderne blaue Lokomotive, die man in Deutschland nur selten sehen kann.

Doch das ist kein Grund zur Besorgnis! Es handelt sich um eine von der Firma Siemens gebaute Mehrsystemlok vom Bautyp ES64U4. Die polnischen Staatsbahnen PKP (Polskie Koleje Państwowe) führen sie als Baureihe EU 44 und haben Siemens pro Stück 4,5 Millionen Euro gezahlt. Wegen ihrer silbernen, helmartig abgerundeten Front, bei der die Windschutzscheibe wie ein heruntergeklapptes Visier wirkt, hat die Lok von den polnischen Eisenbahnern den Spitznamen »Husarz« (Husar) bekommen. Das ist eine Anspielung auf die schwer gepanzerten Reiter des Königs Jan Sobieski, die 1683 die türkischen Belagerer Wiens hinwegfegten. Charakteristisch für die Husarenrüstung waren die hoch über den Kopf ragenden Rückenflügel, die beim Angriff bedrohlich klirrten. Die Husarenlok existiert auch in einer Version für die Österreichischen Staatsbahnen, heißt dort allerdings »Taurus«, vielleicht, weil man in Österreich die Anspielung auf

1683 nicht mitmachen will. »Jan Sobieski? Wer war Jan Sobieski? Wien wurde doch von unserem Prinz Eugen befreit!« (Haha! Jeder Pole weiß, dass Prinz Eugen 1683 ein gerade mal zwanzigjähriger Oberstleutnant war! Ohne König Sobieski und seine Husaren wäre Wien heute die Hauptstadt der Türkei!)

Die sechs Waggons hinter der Lok sind weiß und erinnern stark an deutsche Intercity-Waggons. Der wichtigste Unterschied besteht darin, dass sie von einem blauen statt einem roten Seitenstreifen gesäumt werden. In diesen Streifen eingelassen steht der Name des Zuges: »Berlin-Warszawa-Express«.

Eine Bemerkung zu den Eigentumsverhältnissen: Außer der Lok gehören auch die vier Waggons der zweiten Klasse den Polnischen Staatsbahnen. Der für mich persönlich wichtigste Waggon, der Speisewagen WARS, befindet sich zwischen der ersten und zweiten Klasse und gehört der Deutschen Bahn, wird allerdings von der polnischen PKP bewirtschaftet. Hinter dem Speisewagen kommt dann noch ein Erste-Klasse-Waggon. Er gehört ebenfalls der Deutschen Bahn. Also lautet die Waggonformel: erste Klasse Deutschland, zweite Klasse Polen. Ein Schelm, wer daraus irgendwelche Schlussfolgerungen ableitet.

Rein technisch gesehen ist die Waggonmischung der Anlass für immer neue Rangeleien zwischen den beiden Bahngesellschaften. Muss das deutsche Bahnbetriebswerk Rummelsburg auch einen polnischen Waggon reparieren? Wer ist schuld, wenn im ganzen Zug die Air-Condition versagt, Berlin oder Warschau? An manchen Tagen rächen sich die Technikerteams an der jeweiligen Gegenseite, indem sie einen defekten Waggon kurzerhand abhängen oder verplomben, statt ihn gutmütig zu reparieren. Ja, dieser Zug ist ein perfektes Abbild der großen Politik, ein fahrendes Symbol der Völkerverständigung.

Abschied vom Amtsdeutsch

Ich steige ein und marschiere in den Zweite-Klasse-Waggon, in dem sich laut Platzkarte mein Abteil befindet. Es ist glücklicherweise leer. Ich freue mich auf drei Stunden Schlaf. Die grünlich-türkisfarbenen Polstersitze wirken einladend sauber und weich.

Seltsamerweise geht die Fahrt aber noch nicht los. Ich trete wieder hinaus auf den Gang, um durchs Fenster auf den Bahnsteig zu lugen. Das Fenster lässt sich leider nicht öffnen. Im gesamten Zug können nur im Speisewagen zwei Fensterchen heruntergeschoben werden. Plötzlich ist eine Durchsage der Schaffnerin zu hören: Die Abfahrt verzögere sich leider noch um einige Minuten, da auf Anschlussreisende gewartet werden müsse.

Um noch einmal frische Luft zu schöpfen, gehe ich zur offenen Waggontür und spähe unter die Glaskuppel des Bahnhofs. An der riesigen Querfront der Halle hängt eine Dauerreklame der »Berliner Morgenpost«. Der Werbespruch lautet: »Hier ist die Hauptstadt. Wir sind die Zeitung«. Diese Reklame ist ein frommer Wunsch und sollte lauten: »Wir wären gerne die Zeitung.« In Wahrheit liest der Berliner die »Berliner Zeitung«, den »Tagesspiegel« oder die »B.Z.«. In Polen ist dem Axel-Springer-Verlag mehr Glück beschieden. Seine Tageszeitung »Fakt« beherrscht den Markt.

Ich sehe zwei Tauben nach, die über einem einfahrenden Regionalexpress entlangschweben, längst abgehärtet gegen das nervtötende Quietschen der Bremsen.

Plötzlich werde ich angeschnauzt. »Können Sie mal bitte den Eingangsbereich frei machen?« Eine junge Mutter, die ein puterrotes Kleinkind hinter sich her zieht, springt hektisch in meinen Waggon hinein, als wäre ihr der Exmann auf den Fersen. Offensichtlich gehört sie zu den verspäteten Anschlussreisenden, die eben angekündigt wurden. Sie hat sich die blonden Haare im Knoten zusammengesteckt, trägt einen beigen Cordanzug und darunter eine rote Kapuzenjacke. Ihr Töchterchen hat eine Miniaturausgabe der roten Kapuzenjacke an. An ihrem blauen Rucksäckchen baumelt eine Plüschrobbe.

Wie deutsch von der Mutter, dass sie das bürokratische Wort »Eingangsbereich« benutzt hat! Ich interpretiere das zunächst als perfiden Trick: Wer mit Rechtsanwaltsbegriffen um sich wirft, will den Leuten Angst einjagen. Doch, gerührt durch die Plüschrobbe am Rucksack der Tochter, denke ich: Die gehetzte Mutter hat es gar nicht so böse gemeint. Sie übernimmt einfach die vorgegebenen Stanzformen der Deutschen Bahn. Wer hundertmal »Eingangsbereich« statt Tür oder »Zugbegleiter« statt Schaffner gehört hat, sagt es am Ende selbst.

In Polen weht in dieser Hinsicht glücklicherweise ein anderer, freierer Wind. Die Alltagssprache wird viel weniger von technokratischen oder bürokratischen Wörtern verschandelt. Der Schaffner zum Beispiel ist immer noch der »Konduktor«. Daran konnte noch keine Bahndirektion etwas ändern.

Die hektische Frau mit ihrer völlig ausgepowerten Tochter quetscht sich hinter mir in ein Abteil hinein, aber noch immer geht die Fahrt nicht los. An der Tür des Nachbarwaggons verabschiedet sich eine zierliche Polin von ihrem ältlichen deutschen Freund. Sie lehnt sich hinaus und küsst ihn auf die Stirn, er setzt den Fuß auf die Stufe des Waggons, legt beide Arme um ihre Taille und sieht unglücklich zu ihr auf. Sie sagt mit starkem Akzent: »Ich hab dich lieb, Mensch, pass auf dich auf.« Er reißt sich theatralisch los, geht zur Treppe, dreht sich noch einmal um, ruft irgendwie verzweifelt und viel zu laut: »Komm mich mal besuchen, komm mal nach Berlin, komm mal.« Sie guckt pikiert weg. Kein polnischer Mann würde so gefühlsbehindert in der Öffentlichkeit herumschreien.

Und nun endlich ruckt der Zug an. Die Fahrt beginnt.

Ausstieg in Fahrtrichtung links

Aber noch gehe ich nicht ins Abteil zurück. Am Gangfenster stehend, verfolge ich die spektakuläre Reise durch die innersten Bezirke der Hauptstadt. Der Zug schiebt sich auf den Spreeviadukt hinaus. Langsam beschreibt er einen Viertelkreis und taucht alsbald in die intime Welt großer Wohnhäuser ein, sodass man in Arztpraxen und Büros hineinschauen kann. Einmal tut sich zwischen den Riesengebäuden eine Lücke auf; man sieht noch einmal das Kanzleramt, schon grünlich-moosig abgewittert, wie eine viereckige Sphinx, die dem Reichstag gegenüber lagert. Im Jahr unserer Reise residiert hier noch Angela Merkel, doch sind die Beliebtheitswerte ihres Kabinetts derartig abgebröckelt, dass sie an diesem schönen Morgen vermutlich gerne mit nach Polen fahren würde. Der Zug überquert langsam den Viadukt über der Museumsinsel. Und nun macht die Schaffnerin ihre nächste Ansage:

»Guten Morgen, meine Damen und Herren. Wir begrüßen Sie im Eurocity nach Warszawa Wschodnia. In wenigen Minuten erreichen wir den Bahnhof Berlin Ostbahnhof. Ausstieg in Fahrtrichtung links. Ladies and Gentlemen, next stop: Berlin Eaststation.«

Diese Ankündigung macht vermutlich kaum jemanden wirklich nervös. Wer wird denn schon gleich am Ostbahnhof wieder aussteigen? Und wer ist, bitteschön, so blöd, dass er bei der Einfahrt in den Bahnhof nicht mitbekommt, auf welcher Seite sich der Bahnsteig befindet? Unzählige Male habe ich schon darüber gegrübelt, welches Motiv sich hinter dieser Durchsage verbirgt. Vielleicht erhalte ich auf der heutigen Fahrt endlich einen Fingerzeig?

Zunächst einmal möchte ich aber die verbleibenden »wenigen Minuten« dazu nutzen, drei konkrete Fragen zu beantworten, die mir von potenziellen deutschen Auswanderern immer wieder gestellt werden. Wer mit meinen Antworten unzufrieden ist, kann am Ostbahnhof brutal die Reißleine ziehen und sich aus dieser ganzen Polennummer verabschieden – auch auf die Gefahr hin, dass ich ihn als Feigling beschimpfen werde. Lieber Feigling als Romantiker.

Die erste konkrete Frage lautet: Wo liegt Polen eigentlich?

Ich bin weit davon entfernt, über Leute zu lächeln, die mir diese Frage stellen, denn ich habe es selbst nicht gewusst. Als ich vor vielen Jahren am Schwarzen Brett der Berliner FU-Mensa ein Plakat entdeckte, das einen Polnischkurs in Krakau ankündigte, war meine erste Assoziation: An den Ural wolltest du immer schon mal!

Erst vor Ort erfuhr ich dann: Der Ural liegt von Krakau noch etwa 3000 Kilometer entfernt. Polen ist nämlich eins von neun deutschen Nachbarländern. Es hat über 38 Millionen Einwohner und ist mit 312 000 Quadratkilometern flächenmäßig um 14 Prozent kleiner als Deutschland. Damit ist es das siebtgrößte Land Europas.

Sieben ist auch die Zahl der polnischen Nachbarländer. Im Nordosten liegen Litauen und Russland, genauer gesagt: die kleine russische Exklave Kaliningrad; im Osten Weißrussland und die Ukraine; im Süden Tschechien und die Slowakei. Die längste Grenze hat Polen überraschenderweise mit Tschechien (800 km), da sie sich durch das Sudetengebirge hoch und runter zieht. Im Westen grenzt Polen an Deutschland, und zwar auf einer Länge von etwa 470 Kilometern. Damit ist die deutsch-polnische Grenze länger als die deutsch-französische Grenze (446 km).

Die zweite Auswandererfrage lautet meistens: Ist das Leben in Polen billiger als in Deutschland?

Meine Antwort: Ja, ist es, aber nicht so sehr, wie man glauben würde. Das zeigt die folgende Preistabelle. Ich habe die polnischen Preise bereits in Euro umgerechnet. Die polnische Währung »Sloti« wird übrigens im Original »Złoty« geschrieben. Man spricht das ungefähr »Swote« aus. Seit einigen Jahren gilt zwischen Złoty und Euro ein Wechselkurs von 4:1, in Zeiten der Eurokrise tendiert er allerdings in Richtung 5:1

Preisvergleich Sommer 2011	DEUTSCHLAND	POLEN
1 l Benzin	€ 1,62	€ 1,37
1 l Diesel	€ 1,42	€ 1,28
1 Packung Marlboro	€ 4,90	€ 2,95
1 l Cola	€ 0,99	€ 0,99
1 Hamburger bei McDonald's	€ 1,00	€ 1,00
1 kg Weißbrot	€ 3,60	€ 1,00
1 l Milch	€ 0,60	€ 0,60
1 kg Zucker	€ 1,00	€ 0,86
250 g Butter	€ 1,15	€ 1,10
1 Ei	€ 0,23	€ 0,11
1 Brief Porto	€ 0,55	€ 0,39
Tageskarte öffentlicher Nahverkehr	Berlin (BVG) € 6,30	Warschau € 2,25
Flasche Wodka 0,7 L	€ 5,00	€ 7,50

Fazit: Lebensmittel sind in Polen etwas billiger als in Deutschland, ebenso Benzin und Dienstleistungen. Alkohol und Drogeriewaren sind hingegen in Deutschland günstiger.

Alles in allem liegen die polnischen Preise etwa auf 80 Prozent des deutschen Niveaus.

Und damit zur dritten Frage: Wie hoch sind die Steuern in Polen? Das polnische Steuersystem ist angenehm einfach. Unternehmer können sich für eine 19-prozentige Pauschalsteuer entscheiden. Außerdem gibt es in Polen keine Gewerbesteuer. Diejenigen, die sich mit ihrer Gemeindeverwaltung gutstellen, bekommen fünf Jahre lang Steuererleichterungen bei der Immobiliensteuer, in einigen Gemeinden sogar zehn Jahre lang. Alles hängt von der Anzahl der Mitarbeiter und dem Stand der Arbeitslosigkeit in der jeweiligen Region ab.

Die Einkommensteuer für Privatpersonen hat nur zwei Steuersätze. Wer pro Jahr weniger als 85 528 Złoty brutto verdient (ca. 21 000 Euro), zahlt 18 Prozent Steuern. Wer über dieser Schwelle liegt, zahlt 32 Prozent Steuern, aber zu dieser Gruppe zählen nur knapp zwei Prozent der polnischen Bevölkerung. Praktisch ganz Polen zahlt pro Jahr also 18 Prozent Steuern.

Zum Vergleich: In Deutschland gelten progressive, also stufenweise anwachsende Steuersätze. Besserverdienende müssen mühelos bis zu 30 Prozent, Spitzenverdiener sogar 48 Prozent ihres Einkommens abgeben.

Zum Schluss noch eine besonders erfreuliche Nachricht. Die Zinsen für Sparguthaben liegen in Polen zwischen vier und acht Prozent pro Jahr. In Deutschland bekommt man kaum zwei Prozent.

Schluss mit Monaco, auf nach Polen!

Wer dennoch enttäuscht ist, kann jetzt aussteigen beziehungsweise das Buch zuklappen. In diesem Moment läuft nämlich die letzte Bedenkfrist ab. Der Zug rollt in den ersten Bahnhof ein.

Entfernung: 81 km
Fahrzeit: 49 Minuten
Kulturschock: *negative thinking*
Wort der Strecke: Stara bieda

Meine Abteilnachbarn

Der Berliner Ostbahnhof ist ein Allerwelts-Bahnhöfchen, das zu DDR-Zeiten noch »Hauptbahnhof« hieß. Auf dem Bahnsteig steht eine bunte Horde von Reisenden, die zu den Waggons drängen. Ich beobachte sie vom Gangfenster aus. Wie sie da so massenweise die Eingangstüren stürmen, entwickle ich Aggressionen gegen sie. Gleichzeitig weiß ich natürlich, dass dies ein trauriger Reflex ist. Wie soll Migrantenintegration funktionieren, wenn man schon die Neueinsteiger eines Zuges hasst?

Indem ich diesen selbstanklägerischen Gedanken nachhänge, begehe ich einen verhängnisvollen Fehler. Ich bleibe am Fenster kleben, statt mich igelhaft in mein Abteil zurückzuziehen. Die Horde schiebt sich an mir vorbei durch den Gang – und als ich unzählige Koffermenschen gutmütig an mir vorbeigelassen habe und mein Abteil betreten will, sehe ich bestürzt: Es ist nicht mehr leer. Ein Paar hat Platz genommen, ein circa 65-jähriger Mann und eine circa 50-jährige Frau. Und sie haben natürlich die Fensterplätze besetzt.

Unanjenehm. Ich wollte eigentlich Schlaf nachholen. Daraus wird jetzt nichts mehr, da ich zu denjenigen Menschen gehöre, die sich in Gegenwart Fremder schämen, wenn ihnen sabbernd die Kinnlade herunterklappt. Ich murmle unhörbar »Morgn« und setze mich mit verschränkten Armen auf einen Eckplatz. Der Mann sagt ebenfalls »Morgn«, die Frau sagt nichts.

Der Zug rollt an. Erneute Durchsage: »Wir begrüßen die neu eingestiegenen Fahrgäste. Welcome on Eurocity to Warsaw.«

Es ist nun das dritte Mal innerhalb von 15 Minuten, dass wir die Stimme unserer Schaffnerin vernehmen.

Meine Abteilnachbarn haben eine positive Seite. Sie entweihen den frühen Morgen nicht durch Geschwafel. Die Frau öffnet schweigend eine Tupperdose, holt Butterbrote und zwei gekochte Eier heraus. In einer zweiten Tupperdose hat sie zwei Tomaten und sauber geschälte Apfelstückchen. Sie reicht ihrem Mann ein Butterbrot, ein Ei, ein Stück Apfel und eine Tomate. Sie hat sogar an ein Salzfässchen gedacht. Schweigend frühstückt das Paar.

Der Zug wird nun eine Stunde lang ohne Halt gen Osten nach Frankfurt rollen, für die meisten Deutschen vermutlich gefühlte 2000 Kilometer, in Wirklichkeit sind es gerade mal achtzig.

Als der Mann fertig gegessen hat, nimmt er ein Buch und einen Bleistift heraus. Beim Lesen macht er Anstreichungen wie ein Professor. Einmal versteht er ein polnisches Wort nicht und fragt seine Frau: »Hier steht państwowa akademia nauk und państwowa wyższa szkoła …Wer ist denn nun der offizielle Repräsentant der polnischen Wissenschaft?« Offensichtlich ist seine Frau Polin und soll ihm Rede und Antwort stehen. In seiner Frage schwingt eine gewisse Aggression mit, so, als würde ihn das polnische Begriffschaos schon zum hundertsten Mal nerven.

Doch die Frau schweigt eisern. Sie pellt ihr Ei.

Er liest weiter. Plötzlich ist er begeistert. »Das ist hochinteressant. Der älteste Überlebende aus Hamburg erzählt von den englischen Bombenangriffen …«

Er liest also offensichtlich ein Kriegsbuch. Seine Begeisterung für den ältesten Überlebenden wirkt allerdings schon wieder anklägerisch, so, als hätte seine Frau damals eigenhändig die englischen Bomber auf Hamburg gesteuert, ja mehr noch: so, als wäre es eine Sauerei gewesen, Hitler-Deutschland überhaupt zu bombardieren. Zum Glück sagt sie wieder nichts, rein gar nichts. Sie pellt nur das Ei.

Ich stehe auf und verlasse das Abteil. Mit Schlafen wird das wohl nichts mehr.

Als ich unschlüssig zum Gangfenster hinausstarre, geht nebenan die Abteiltür auf. Die junge Mutter von vorhin tritt heraus, ihr

Töchterlein hinter sich. Sie stellen sich neben mich und schauen zum Fenster hinaus, die Kleine sehr neugierig, die Mutter sehr stumpf. Zweifellos ist diese Mutter ziemlich hübsch, aber ihre Augen blicken so leer, als hätte ihr die Hetze am Bahnhof für die nächsten Stunden sämtliche Lebenskräfte geraubt. Das ist ein merkwürdiger Kontrast zu ihrer Aufgeregtheit vorhin im »Eingangsbereich«.

»So, darf ich mal bitte ganz schnell da durch?« Von hinten ist unsere Schaffnerin mit ihrem kecken DB-Halstüchlein herangeschossen und tippt ungeduldig dem Töchterchen auf die Schulter. Sie ist im Dienst und kann hier keine Rücksicht auf kleine Kinder nehmen. Die Mutter zieht stumm ihr Töchterchen beiseite. Das energische »So!« hat erfolgreich Stress und Dienststimmung hervorgerufen. Das kleine Wörtchen mit seiner spezifisch deutschen Stimmung lässt sich absolut nicht ins Polnische übersetzen.

Der Zug rattert aus Berlin hinaus. Es ist schwer, den Moment abzupassen, in dem die Stadtgrenze passiert wird. Der Moloch dehnt sich unendlich aus. Es gibt immer noch einen Parkplatz, eine Kühlhalle, eine Schrebergartensiedlung, ein Dieselölsilo. Vielleicht kann man sagen, dass das Stadtgebiet endgültig auf der Höhe des kleinen Bahnhöfchens Hirschgarten aufhört. Die Kleinstadt Erkner ist dann schon die letzte Menschensiedlung vor dem großen Wald. Und nun haben wir ihn erreicht, tauchen hinein, die Baumstämme rücken bis an die Glasscheibe heran. Es ist nämlich ein wirklich dichter Wald. In Westdeutschland, zum Beispiel entlang der Zugtrasse von Wuppertal nach Berlin, wüsste ich keinen einzigen vergleichbaren Wald; auch sonst fällt mir, obwohl Vielfahrer, kein solches Stämmedickicht ein. Sollte dieser Wald ein typisch ostdeutscher Wald sein? Einziges Zeichen der Zivilisation sind schnurgerade Wege, die sich rechts und links durch den Wald ziehen, vielleicht Patrouillenwege, die hier zu DDR-Zeiten angelegt wurden, um mit dem Jeep neben dem Zug her rasen und sofort alle Reisenden verhaften zu können, die ohne Visum aus dem Fenster springen wollten.

Um nicht weiter saublöd neben der stummen Mutter zu stehen, gehe ich in den Speisewagen, an lauter Abteilen mit schlafenden Passagieren vorbei. Einmal sitzen da vier Männer in schwarzen

Heavy-Metal-T-Shirts und nietenbesetzten Lederklamotten. Alle vier schlafen, zweien davon ist der Unterkiefer heruntergeklappt, der Sabber läuft ihnen aus dem Mundwinkel. Jeder Mensch braucht eine Obsession, meine ist der Schlafsabber.

Der WARS

Und jetzt schiebe ich die Tür zum Speisewagen auf. Das Ambiente ist gemütlich, ein moderner dunkler Teppich mit einem Muster von winzigen grauen und blauen Quadraten schluckt meine Schritte. Eisenbahn-Vielfahrer erkennen sofort den Speisewagen der deutschen Intercity-Züge wieder. Im Berlin-Warszawa-Express wird aber eine umgebaute Version eingesetzt, ohne die klobigen halbrunden Sitzecken. Hier wirkt alles frei, luftig, modern, mit hellen Naturholztischen, die an der Wand befestigt und mit einem einzelnen Stahlbein zum Gang hin abgestützt sind. Wichtigster Farbakzent sind die blauen Stühle, deren Lehnen ebenfalls aus hellem Naturholz sind. Das Ganze atmet die Atmosphäre eines erfolgreichen Vorstadtcafés.

Ich bin nicht der erste Gast. An einem Einzeltisch sitzt ein junger Asiate, vermutlich ein Japaner. Er hat eine riesige schwarze Brille auf der Nase, durch die er mich flüchtig mustert. Dann schaut er unruhig und irgendwie irritiert zur Seite, als würde er fieberhaft darüber brüten, ob er im richtigen Zug sitzt. Vielleicht hat er deswegen auch gar nicht erst seine schwarze Jacke ausgezogen. Vor dem Bauch trägt er einen prallen Rucksack, als wäre er Fallschirmspringer und müsste jeden Moment abspringen.

Hinter ihm, an einem Vierpersonentisch, sitzt ein großer, korpulenter Mann um die sechzig Jahre. Im Gegensatz zu dem Japaner wirkt er sehr entspannt. Vor ihm steht ein großer Cappuccino. Er trägt ein eng anliegendes lila T-Shirt, unter dem ein strammes Bäuchlein hervorquillt, und hat sich, nach Golfersitte, einen weißen Pullover um die Schultern gelegt. Auf sein graues Haar hat er sich eine Sonnenbrille geschoben. Er mustert mich irgendwie arrogant und schaut dann wieder zum Fenster hinaus. Schwer zu sagen, ob er Deutscher, Pole oder Russe ist. Er wirkt ein bisschen wie Arnold Schwarzenegger auf Heimaturlaub in der Steiermark.

Der deutsche Speisewagen im Berlin-Warszawa-Express. Mittlerweile fährt oft auch ein polnischer IC-Speisewagen mit.

Hinten, an einem Einzeltisch, sitzt noch ein dritter Passagier. Er ist für mich am leichtesten einzuordnen. Ziemlich sicher handelt es sich um einen deutschen Geschäftsmann, das schließe ich aus der rosa Krawatte, dem grauen Anzug, der Goldbrille, dem ganzen Habitus des seriösen Traditionsmenschen. Er studiert gerade angespannt die Speisekarte. Vor Konzentration kräuselt sich seine Nase, sodass ihm mehrmals die Brille herunterrutscht und er sie wieder hochschieben muss.

Die Szenerie wird außer mir noch von zwei Kellnern beobachtet, die neben der Bar stehen und diskret ihre Hände hinter dem Rücken verschränkt haben. Sie lächeln mich an. Das wirkt sehr nett und hat eine kaum zu überschätzende Wirkung. Ich fühle mich willkommen. Als ein Bekannter nach Tschechien auswandern wollte, scheiterte alles nur daran, dass ihn ein tschechischer Kellner im Eurocity nach Prag sofort nach Betreten des Speisewagens mürrisch anherrschte: »Sie können gerne einen Tee haben. Aber später müssen Sie etwas zu essen bestellen!« Mein Bekannter stieg in Dresden sofort wieder aus und hat seitdem nie mehr einen Gedanken an Auswandern verschwendet.

DIE WARS-Kellner sind in den polnischen Landesfarben gekleidet: weiß-rot.

Dieser Speisewaggon wird im Auftrag der Staatsbahnen PKP von einem privaten Warschauer Pächter betrieben. Die Betreibergesellschaft heißt WARS, was von »Wagony Restauracyjne i Sypialne« (Speise- und Schlafwagen) kommt. Ein Pole denkt aber bei dem Wort WARS sofort an den Gründungsmythos der Stadt Warschau. Diese Legende gibt es in verschiedenen Versionen. Eine davon geht so: An der Weichsel lebte ein Fischer namens Wars, der einem auf der Jagd verirrten Piastenfürsten namens Siemomysł ein Nachtlager anbot. Zur Belohnung schenkte der Fürst dem Fischer und seiner Frau Sawa das Gebiet des heutigen »Wars-sawa«.

Leider kann Berlin nicht mit einer ähnlich starken Gründungssage aufwarten. »Berlin« hat nichts mit »Bär« zu tun, sondern kommt von dem altslawischen Wort »Brl«, und das heißt ganz prosaisch »Morast« oder »Sumpf«.

Zurück in den WARS-Speisewagen. Der Pächter muss an die Polnischen Staatsbahnen jeden Monat eine immens hohe Pacht entrichten; es wird von 15 000 Euro gemunkelt. Außerdem muss er natürlich auch noch das vierköpfige Kellnerteam bezahlen. Interessant ist die klare Hierarchie dieses Teams. Ich würde sie als »katholisch« bezeichnen. In einem deutschen ICE-Speisewagen herrscht Protestantismus, Gleichberechtigung, die Vorform der Demokratie. Jeder Kellner darf alle Arbeiten machen, Bestellungen aufnehmen, Fertiggerichte in die Mikrowelle schieben oder Rechnungen ausstellen, so wie ja in der protestantischen Kirche sogar ganz normale Gemeindeglieder die Kanzel erklimmen und predigen dürfen.

Im WARS ist alles anders. Es fängt damit an, dass die Kellner nicht modern-funktionale, sondern altertümlich-feierliche Berufskleidung tragen. Sie sehen in ihren weißen Hemden, roten Westen und schwarzen Hosen wie elegante Ober eines traditionellen Wiener Cafés aus. Manchmal finde ich sogar, dass sie im Verhältnis zum schlichten Ambiente etwas overdressed wirken.

In der Hierarchie ganz oben steht der Oberkellner, immer verbindlich und höflich. Er geht an die Tische der Gäste, nimmt ihre Bestellungen entgegen und gibt sie dem zweiten Kellner weiter, der hinter der Bar steht, Gläser abtrocknet und der Laufkundschaft kleine Snacks verkauft. Dieser wiederum richtet sie dem Koch aus, der in einer echten Bratpfanne rührt, ein weißes Mützchen auf dem Kopf. Über die Tiefkühlkost der deutschen ICE-Speisewagen rümpft er die Nase. Bei ihm wird das Essen noch frisch zubereitet! Mit den Passagieren hat er keinerlei Kontakt, wirft ihnen höchstens von Zeit zu Zeit einen glühenden Blick zu, nämlich immer dann, wenn ihm von den Kollegen ausgerichtet wird, dass eine Speise nicht gemundet habe.

Schließlich gibt es noch das vierte Teammitglied, den dritten Kellner. Er zwängt sich auch noch hinter die Bar, muss aber ein Mal pro Stunde herauskommen und einen Imbisswagen durch den Zug schieben. Im Speisewagen selbst kann man bei ihm nichts bestellen. Er wehrt dann immer ängstlich ab: »Mein Kollege kommt gleich.« Je weiter er sich aber mit seinem Wägelchen vom Speisewagen entfernt, desto lockerer wird er. Im vorletzten der sechs Waggons lacht er sogar gelegentlich schon.

Ich nehme Platz. Der Chefkellner kommt mit der Speisekarte auf mich zu und sagt: »Dzień dobry.«

Das heißt zu Deutsch: »Guten Tag.« »Dzień« bedeutet »Tag« und »dobry« gut. Ein Hinweis für Französischkenner: Der Strich über dem »ń« von »Dzień« ist keineswegs ein accent aigue, sondern ein Weichheitszeichen. Das weiche »ń« kann man am besten aussprechen, indem man sich dahinter ein winziges »j« denkt. »Dzień« muss klingen wie »dschenj«.

»Dzień dobry« heißt also wörtlich »Tag guten«. Das ist etwas sonderbar. In allen anderen slawischen Sprachen ist die Reihenfolge von Substantiv und Adjektiv »richtigherum«, zumindest aus deutscher Sicht. Auf Tschechisch zum Beispiel heißt es »dobrý den«, auf Serbisch »doberdan«. Sonderbarerweise grüßen sich die Polen abends dann ebenfalls »richtigherum«, nämlich mit »dobry wieczór – guten Abend«. Also nicht analog zu »dzień dobry« mit »wieczór dobry – Abend guten«. Das ist eine Inkonsequenz, die ich bis heute nicht aufklären konnte.

Als Deutscher erwartet man um diese frühe Stunde – es ist sieben Uhr! – vielleicht eher ein kerniges »Guten Morgen« statt »guten Tag«. Das würde auch in allen anderen slawischen Sprachen so erfolgen, doch nicht im Polnischen. Es gibt hier, ähnlich wie im Französischen, kein »Guten Morgen«. Man sagt von frühmorgens bis spätnachmittags »dzień dobry«. Danach kommt »dobry wieczór«, und dann folgt auch schon »dobranoc – gute Nacht«.

Ich antworte dem Oberkellner mit einem sehr höflichen »Dzień dobry«. Da der Eurocity so etwas wie meine dritte Heimat ist, sehe ich die Kellner häufiger als viele meiner Freunde und bin an nachhaltig guten Kontakten mit ihnen interessiert.

Leider habe ich aber morgens um sieben Uhr noch keine Idee für eine wirklich tief schürfende Konversation. Deswegen beschränke ich mich auf ein harmloses »Wie geht's?«

Diese Frage kleide ich auf Polnisch in die Worte: »Jak tam?« Dabei handelt es sich um eine umgangssprachliche Version, die eigentlich »wie dort?« bedeutet. Man könnte auch »jak leci?« sagen, was wörtlich »wie fliegt es?« bedeutet.

Meine Frage hat Zauberwirkung. Der große Kellner mit den lachenden Augen und den kurz geschorenen Haaren, der bei

»Tag guten« noch über das ganze Gesicht gestrahlt hat, verwandelt sich in ein Bild des Elends. Er schneidet eine gequälte Grimasse, als schmerze ihn sein Backenzahn, und sagt: »Stara bieda«, wörtlich übersetzt: »Die alte Armut!«

Hiermit kommen wir zum ersten Kulturschock unserer Reise. Auf die unverbindliche Frage »Wie geht's?« erwarten wir in der Heimat ein routiniertes »Gut!« oder sogar ein begeistertes »Super!« Selbstverständlich wüssten wir dann, dass dem Sprecher in Wahrheit gerade erst das Haus abgebrannt und der Hund gestorben ist, doch nehmen wir ihm die Heuchelei nicht übel. Wir erwarten ganz einfach keinen authentischen Bericht, sondern eine kurze, möglichst gut gelaunte Antwort, denn wir sind so tief vom amerikanischen *positive thinking* geprägt, dass wir sogar noch aus dem Sarg heraus die Finger zum Siegeszeichen spreizen werden.

In Polen ist das Keep-Smiling-Gebot erfreulicherweise noch nicht angekommen. Auf die Frage »jak tam?« wird eine aufrichtige Auskunft erwartet, und da Polen fast fünfzig Jahre lang vom Kommunismus geprägt wurde, ist sogar eine leichte Tendenz in die Gegenrichtung festzustellen. Vielleicht sollte man statt einer leichten Tendenz besser von einem starken Drive sprechen. Um es klipp und klar zu sagen: In der Öffentlichkeit gilt konsequentes *negative thinking*, und das heißt: schonungsloser Realismus mit einer kräftigen Prise Depression.

Man kennt eine ähnlich skeptische Griesgrämigkeit auch aus dem Ruhrgebiet. Wenn man dort fragt: »Na, wie isset?«, bekommt man die mürrische Antwort: »Et muss!« In Polen ist die Skepsis aber noch um einen Zacken schärfer. Das lang gezogene »stara bieda« des Kellners muss dem Sinn nach übersetzt werden mit: »Beschissen wäre geprahlt«. Das würde der Kellner übrigens auch dann noch sagen, wenn er gestern im Lotto den Hauptgewinn abgeräumt hätte.

Ein deutscher Ehemann hat mich einmal bezüglich »stara bieda« gefragt, warum es in der deutschen Übersetzung »die alte Armut« drei Wörter gebe, im polnischen Original aber nur zwei. Mit anderen Worten: Wo bleibe denn, bitteschön, im Polnischen der Artikel »die«? Die Antwort lautet: Es gibt im Polnischen keine Artikel. »Der, die, das« fehlen, ebenso wie »ein, eine, ein«. Das ist als Vorteil anzusehen. Polnische Bücher haben auf diese Weise im Allgemeinen etwa fünf Prozent weniger Wörter als ihre deutschen Übersetzungen. Und das bedeutet: weniger Papierbedarf, weniger Druckerschwärze, weniger Belastung für Flüsse und Grundwasser – Polnisch ist einfach ökologischer.

Zurück zum *negative thinking*. Westlichen Touristen ist in Polen allen Ernstes anzuraten, ihre gute Laune ausnahmsweise einmal nicht zur Schau zu stellen. Wenn jemand lächelt oder gar fröhlich pfeift, ist das für die Leute ein Zeichen dafür, dass er ein Spinner ist und sich in psychiatrische Behandlung begeben sollte. Er hat eine Grundtatsache nicht kapiert, nämlich dass Polen ein furchtbares Land ist, in dem man am besten das Steuernzahlen verweigern sollte, da man vom Staat auch keinerlei Gegenleistung geboten bekommt. Die Schulen sind schlecht, die Straßen sind schlecht, die Politiker ebenso, und die Zuckerpreise haben schon wieder angezogen.

Diesen polnischen Fatalismus darf man keinesfalls mit schopenhauerischem Fundamentalpessimismus verwechseln. Es geht nicht um das irdische Jammertal als solches, sondern um nationale Selbstkritik. Nicht die Welt, nein: Polen ist schlecht. Genauer gesagt: der real existierende polnische Staat. Polen als reine Idee dagegen – Polska! – ist heilig und des letzten Blutstropfens wert. Ein Amerikaner wird diesen Unterschied nicht ohne Weiteres kapieren. Für ihn symbolisiert die Flagge beides: Staat und Heimat. Wenn aber ein Pole im Fußballstadion seine weiß-rote Fahne schwenkt, meint er selbstverständlich nur »Polska«. Kaum hat er das Stadion verlassen, will er mit »Polska« im Sinne eines organisatorischen Gebildes nichts mehr zu tun haben. Denn der Staat gehört den anderen, den schlauen Exkommunisten, den korrupten Millionären, den feisten Bischöfen oder brutalen Mafiosi.

Als Beweis für die Miserabilität ihres realen Staates führen die Leute unzählige Beweise an, mitunter auch kuriose. Eine Polin aus Neuss schrieb mir, dass sie die Deutschen für ihren praktischen Sinn bewundere. Sie freue sich immer, wenn sie beim Fahrradfahren bemerke, dass die deutschen Gulligitter quer zur Straße lägen. In Polen hingegen seien die Dinger idiotischerweise meistens in Fahrtrichtung angeordnet, sodass die Fahrradfahrer stecken bleiben und sich überschlagen würden.

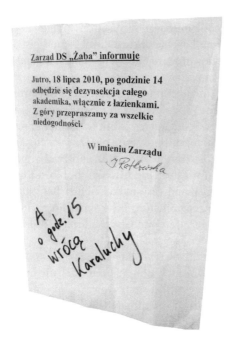

Ein klassisches Beispiel für polnisches negative thinking ist dieser Aushang an der Tür eines Warschauer Studentenwohnheims: »Morgen ab 14 Uhr kommt der Kammerjäger.« Kritzelei eines Studenten: »Und um 15 Uhr kommen die Kakerlaken zurück.«

Eine Frau aus Danzig sagte mir, dass globale Konzerne wie Nestlé, Unilever oder Kraft für den polnischen Markt qualitativ schlechtere Lebensmittel anböten als für den deutschen. »Ich kaufe mein Persil nur noch in Deutschland, denn das polnische Persil hat aggressivere Seifenflocken.«

Ist es eine Folge von *negative thinking*? In Polen gab es im Jahr 2009 die hohe Zahl von 6474 Selbstmorden. Bei etwa 38 Millionen Einwohnern bedeutet das: Auf 100000 Einwohner kommen fast 17 Suizide. In Deutschland gab es 2009 nur 7770 Suizide. Das entspricht bei 81800000 Einwohnern einer Quote von 9,5 Suiziden pro 100000 Einwohnern.

Die glücklichsten Europäer

Im Jahr 2010 kam es zu einer faustdicken Überraschung. Mitten in die beschauliche polnische *negative thinking*-Idylle schlug eine Bombe ein, und zwar in Gestalt des international renommierten

Philips Index. Diese amerikanische Organisation führte in 23 Ländern eine Umfrage zum Lebensstandard durch. Auch in Polen wurden 983 repräsentativ ausgewählte Menschen zu diversen Themen befragt. Heraus kam skandalöserweise, dass in Polen die glücklichsten Menschen Europas wohnen, weltweit nur übertroffen von den Untertanen der Vereinigten Arabischen Emirate und Saudi-Arabiens. Hinter den Polen folgten Chinesen, Amerikaner, Franzosen, Spanier – und danach erst kamen die Deutschen. Am zufriedensten waren die Polen mit ihren familiären Beziehungen (97 Prozent), anschließend folgten psychisches Wohlbefinden, Freizeitkontakte mit Freunden und Verwandten, physisches Wohlbefinden, Körpergewicht, Arbeit und Karriere. Immerhin noch 48 Prozent waren zufrieden mit ihrem Monatsgehalt, zehn Prozent mehr als in Deutschland oder England.

Wie ist dieses Glücksgefühl zu erklären – in einem Land, in dem die Gehälter durchschnittlich drei bis vier Mal niedriger sind als in Deutschland?

Ich persönlich reime es mir so zusammen: Glück ist relativ; es entsteht durch Vergleichen. Die jungen Polen haben einen solchen Vergleich mehrmals in der Woche, nämlich immer dann, wenn sie mit ihren zumeist ziemlich armen Eltern telefonieren. Während im Westdeutschland der 1980er-Jahre das Wohlstandsphänomen »Generation Golf« entstand – Vater und Sohn fahren das gleiche Golf-Modell, tragen die gleichen Jeans, wählen die gleiche Partei –, gibt es in Polen noch gigantische Unterschiede zwischen den Generationen. Wer 1989 höchstens dreißig Jahre alt war, hat sein gesamtes Erwachsenenleben als eine Erfolgsgeschichte erlebt. Innerhalb kurzer Zeit konnte er Dinge erreichen, von denen seine Eltern nur zu träumen wagten: Urlaub in Ägypten, japanisches Auto, eigene Firma.

Auch äußerlich befindet sich Polen – und die Medien werden nicht müde, es zu wiederholen – in der glücklichsten Phase seiner tausendjährigen Geschichte, staatlich souverän, wirtschaftlich einigermaßen saniert, militärisch mit den Stärksten verbündet. Niemand könnte darob verwunderter sein als sie selbst.

Doch Sitten und Gebräuche halten nicht Schritt mit dem rasenden Tempo des wirtschaftlichen Aufstiegs. Was in den Medien verkündet wird, darf auf der Straße und im Büro (noch) nicht nachgeplappert werden. In der Öffentlichkeit muss man immer schön ein verdrossenes Gesicht schneiden. Leidtragende sind westliche Touristen, die zum Beispiel am Infoschalter eines polnischen Flughafens von einer jungen Mitarbeiterin sehr unwirsch abgefertigt werden: »I don't know.« Die junge Frau praktiziert einfach nur acht Stunden pro Tag *negative thinking*. Nach Feierabend ist sie vermutlich fröhlich, optimistisch und hilfsbereit. Ehe sich der Verhaltenskodex einer Gesellschaft ändert, müssen nicht zwanzig, sondern vierzig Jahre vergehen. Bis dahin wird man mittags im Büro weiterhin die »alte Armut« beklagen und sich nachts unter der Bettdecke auf den nächsten Urlaub in Portugal freuen.

Zum Trost darf daran erinnert werden, dass sich die Bewohner anderer Länder noch viel mehr verstellen. Der italienische Mimikcode zum Beispiel verlangt in der Öffentlichkeit eine absolut glatte Stirn. Zeige dich in Mailand vor deiner Lieblingsbar nie anders als freudig, strahlend, herzlich! Es gilt ein striktes Verbot von Problemwälzen und Schimpfen in der Öffentlichkeit. Die Teufelsfratze darfst du dir erst gestatten, wenn du die Wohnungstür zugemacht hast. Das ist für uns Deutsche noch schwerer durchzuhalten als das härteste *negative thinking*. Nichts tun wir ja lieber, als unserem Gesprächspartner skeptische Blicke zuzuwerfen oder kritisch die Augenbrauen hochzuziehen. Wer solches in einem italienischen Restaurant tut – und sei es nur, dass er die Stirn furcht! –, ist garantiert ein Österreicher oder Deutscher. Er sollte sich alle dreißig Minuten mit dem Finger glättend über die Nasenwurzel streichen.

Teekultur

Nach dem obligatorischen »Stara bieda!« fragt unser Chefkellner freundlich weiter: »Kawa czy herbata – Kaffee oder Tee«? Das Wörtchen »czy – oder« sieht bedrohlich aus. Man spricht es »tschö« aus.

Ich antworte: »Herbata – Tee«. Den typischen filterlosen Kaffee, auch türkischer Kaffee genannt, wo auf dem Wasser krümelig das Pulver schwimmt, muss ich mir morgens nicht unbedingt antun.

»Herbata. Dobrze.« Der Kellner entschwindet zur Bar und gibt meinen Wunsch an den Kollegen weiter.

»Dobrze« ist ein wichtiges polnisches Wort. Es bedeutet »gut« oder auch »okay«. Die Buchstabenkombination »rz« wird wie das »J« von »Jalousie« ausgesprochen. Es heißt also: dobsche.

Während der Barkellner meinen Tee zubereitet, schaue ich durch die insgesamt elf breiten Speisewagenfenster in die Morgendämmerung hinaus. Wie schön ist der Oderbruch am Morgen, wenn die Sonne über die Endmoränen lugt. Völlig unverständlich, dass die meisten Zugreisenden niemals den Speisewagen betreten und stattdessen ihre gesamte Reise im Abteil verbringen, sei es aus Geiz, sei es aus Angst vor Diebstahl. Es genügt ihnen anscheinend völlig, den Sonnenaufgang nur im Ausschnitt eines einzigen Fensters zu sehen. Eine ältere Polin gab mir allerdings einmal zu bedenken, dass sie als allein reisende Dame den Speisewagen meide, weil es sich nicht schicke, allein ins Restaurant zu gehen!

Der Kellner bringt meinen Tee zusammen mit einem frisch geschnittenen Zitronestück, einem Zuckersäckchen, einem Knabbergebäck und einem extra Schälchen für das ausgewrungene Teebeutelchen. Ja, Polen hat eine junge Kaffee-, aber eine uralte, ausgefeilte Teekultur. Viele Deutsche wundern sich über die frische Zitrone und haben auch keine Ahnung, dass man das Teebeutelchen beim Herausnehmen mithilfe des Teelöffels auswringen muss. Eine meiner ersten Deutschschülerinnen in Warschau war entsetzt, als sie sah, dass ich mein Teebeutelchen beim Herausnehmen lediglich abtropfen ließ und dann weglegte. Liebevoll zeigte sie mir, wie man das Beutelchen auf den Löffel bettet und mit der Schnur so fest umwickelt, dass das Wasser restlos herausgepresst wird. Und wehe, man legt das Teelöffelchen anschließend wieder in die Tasse zurück! Wer sein Löffelchen nicht zum Trinken aus der Tasse nimmt, outet sich als totaler Kulturbanause. Polnische Touristen in Deutschland gucken sich diesbezüglich irritiert um. Sie wundern sich auch in den meisten Restaurants, dass man ihnen den Tee ohne Zitrone serviert. »Barbaren!«

Wir donnern mit fast 160 Stundenkilometer durch Brandenburgs Wälder. Manchmal tutet unsere Husarenlok durchdringend. Das tut sie immer dann, wenn ein Bahnübergang passiert wird. Im Hintergrund stellt der Koch seine Pfanne auf den Herd und dreht eine riesige Gasflamme auf. Es ist gemütlich.

Polen und Russen

In diesem Moment betritt ein älterer deutscher Passagier den WARS-Speisewagen. Er setzt sich nicht an einen der Tische, sondern möchte an der Bar ein schnelles Getränk kaufen. Der Barkellner schaut ihn fragend an. Der Deutsche sagt freundlich lächelnd:»Isvenitse paschalsta, adna Cola ...«

Das bedeutet auf Russisch:»Entschuldigen Sie bitte, eine Cola.«

Doch der Barkellner guckt ihn weiterhin fragend an und scheint tatsächlich nichts zu verstehen. Schon eilt besorgt sein Chef herbei.

Der ältere Deutsche, der mit seinem blauen Holzfällerhemd und der braunen Cowboy-Weste vielleicht Politik- oder Geschichtslehrer sein könnte, wiederholt unsicher:»Isvenitse paschalsta, adna Cola ...«

Der Chefkellner, der bisher zu allen Gästen freundlich war, macht plötzlich eine strenge Miene. Er ignoriert die rührende Tatsache, dass hier ein Mensch gerade zum ersten Mal seit dreißig Jahren sein Leipziger oder Rostocker Schulrussisch reaktiviert. Knallhart sagt er:»Przepraszam?«

Hä? Diesmal ist es der Deutsche, der nichts versteht, verlegen mit den Schultern zuckt und resigniert auf Englisch umschwenkt.»One Coke, please.« Er kriegt seine Cola. Wortlos tippt der Chefkellner auf seinem Taschenrechner die Bezahlsumme ein und hält dem Gast den Rechner hin. Der Deutsche tritt einen Schritt zurück, liest die Summe ab, bezahlt und verschwindet wortlos, sichtlich bedröppelt.

Ich wundere mich nicht über ihn.»Przepraszam« ist für einen Ausländer das schwerste polnische Wort, und zwar über Wochen hinweg. Viele Polen machen sich das nicht klar und quälen ihren ausländischen Gast zusätzlich noch mit teuflischen Zungenbrechern. Dabei genügt ihm eigentlich schon »przepraszam«. In Krakau gab es einen Amerikaner, der in der Hosentasche stets einen zerknüllten Zettel mit sich führte, den er zehn Mal am Tag hervorzog. Wenn er zum Beispiel im Bus einer Frau aus Versehen auf den Fuß trat, kramte er sofort den Zettel heraus und las stockend ab: »Przepraszam!« Das bedeutet »Entschuldigung!« Aussprechen tut man es »pschepchascham«.

Was denkt wohl der arme Cowboy, der gerade zurück in sein Abteil schleicht? Vermutlich wundert er sich darüber, dass die beiden Polen kein Russisch verstanden haben. Sind es nicht beides slawische Sprachen? Heißt der berühmte Trinkspruch nicht in beiden Sprachen ähnlich, auf Polnisch »na zdrowie« und auf Russisch »za zdorowye« – zu Deutsch in beiden Fällen: »zum Wohl«?

Tja, das stimmt. Russisch und Polnisch haben unzählige gemeinsame Wörter, vor allem Urworte wie Ohr, Fluss oder Brot. Doch der gemeinsame slawische Quell entsprang vor mehr als 1500 Jahren, und das Wasser ist seither in ganz verschiedene Richtungen geflossen. Es ist wie mit Deutsch und Holländisch: Beim ruhigen Lesen versteht man viel, doch wenn schnell gesprochen wird, versteht man nur noch Bahnhof. Außerdem gibt es viele false friends, Wörter, die scheinbar vertraut sind, leider aber oft das Gegenteil bedeuten. »Uroda« heißt auf Polnisch »Schönheit«, im Russischen aber »Hässlichkeit«. »Zapominać« heißt auf Polnisch »vergessen«, auf Russisch aber »sich erinnern«.

Nachdem Russisch bis 1990 an den Schulen ähnlich wie in der DDR eine ungeliebte Pflichtsprache war, ist es in den Neunzigerjahren stark verkümmert. Inzwischen lässt sich eine gewisse Renaissance beobachten. Im Jahr 2011 wählten etwa 5 Prozent aller Abiturienten Russisch als Prüfungsfach. Damit liegt Russisch hinter Englisch und Deutsch auf Platz drei der meistgelernten Fremdsprachen Polens.

Außer rein sprachlichen Hindernissen gibt es auf polnischer Seite allerdings auch psychologische Aversionen. Der arme Deutsche bekam es an der unwirschen Reaktion des Chefkellners zu spüren. Der verstand vielleicht tatsächlich fast nichts, *wollte* es aber auch gar nicht verstehen. Wäre ein Portugiese oder ein Eskimo gekommen, hätte er zumindest fragend *gelächelt*.

Die Gründe für diese Aversion liegen zum Teil in den historisch-politischen Spannungen zwischen Polen und Russen begründet. Da ist zum einen das immer noch heiße Eisen Katyn. Die sowjetische Verantwortung für das Massaker an polnischen Offizieren im Wald von Katyn 1940 wurde bis in die Zeiten von Borys Jelzin massiv geleugnet und den Deutschen in die Schuhe geschoben. Wer daran zu zweifeln wagte, wurde hart bestraft. Außerdem erinnern sich die Älteren natürlich noch sehr deutlich an die sowjetische Besatzung, die von 1944 bis 1992 andauerte – mit der Drohung einer bewaffneten Intervention im Jahr 1981. Die Stadt Legnica/Liegnitz war die größte Garnisonsstadt der Roten Armee außerhalb Russlands, mit Zehntausenden von Soldaten, die völlig abgeschlossen von der polnischen Bevölkerung lebten. Polen bewacht heute die Ostgrenze von EU und NATO und sieht sich als Warner vor russischer Energiepolitik und russischen Expansionsgelüsten. Im Georgienkonflikt 2008 schwang sich der damalige Präsident Lech Kaczyński zum Wortführer einer antirussischen Allianz auf und eilte als Zeichen der Solidarität mit einigen anderen Präsidenten nach Tiflis. Noch heute, Jahre nach Kaczyńskis Geste, sind Polen in Georgien deshalb so beliebt, dass man sie überschwänglich, bisweilen sogar mit Tränen in den Augen begrüßt.

Russland revanchiert sich mit Nadelstichen. Mit staatlichen Zuschüssen wurde im Jahr 2007 ein deftig antipolnischer Film produziert. Hintergrund: Im Jahr 2004 wurde der Feiertag der Roten Armee vom 7. Oktober um einen Monat nach hinten verschoben und umbenannt in »Tag der Einheit des Volkes«. Diesen Feiertag hatte es einst im Zarenreich gegeben, und zwar zur Erinnerung an die Invasion und schließliche Vertreibung eines polnisch-litauischen Heeres nach Moskau im Jahr 1612. Die Zwölf-Millionen-Euro-Megaproduktion »1612« wärmte die uralte Geschichte mit viel Gift und hetzerischem Ressentiment noch einmal auf. Kein Wunder, dass viele Polen während des Films empört das Kino verließen. Die polnischen Soldaten agieren darin wie verkleidete Nazis, töten Kinder, vergewaltigen Frauen und zünden Dörfer an. Dazwischen sieht man in mystischen Sequenzen immer wieder eine schwarze Viper, die durch den Wald zischelt (eine hämische Anspielung auf die Zischlaute der polnischen Sprache), ehe sie von einem strahlend weißen Einhorn zertreten wird. Und dieses Einhorn symbolisiert natürlich die tapferen russischen Bauern, die den Aggressor schließlich mit vereinten Kräften aus dem Land werfen.

Doch selbst wenn die russische Regierung sämtliche Filmkopien dieses Machwerks vernichten, sämtliche KGB-Archive öffnen, auf den Knien nach Warschau rutschen und doppelseitige Entschuldigungsanzeigen in sämtlichen polnischen Tageszeitungen schalten würde – man würde dem »Ruski« (wie es abfällig auf Polnisch heißt) auch weiterhin die kalte Schulter zeigen. Man empfindet Russland als asiatischen Moloch, als unberechenbaren großen Bruder, als unbequeme Erinnerung an die widersprüchliche Doppelgestalt Polens: einerseits slawisch, andererseits katholisch zu sein, also mit lateinischer Schrift statt Kyrillisch, mit einem Papst in Rom statt einem Metropoliten in Moskau. Kein slawisches Land identifiziert sich weniger mit seinem Slawentum als Polen. Ich habe es immer wieder erlebt, etwa als ich einmal in Italien sah, wie eine serbische Eisverkäuferin freudestrahlend zu zwei Polinnen sagte: »Oh, ihr seid Polinnen? Dann müsst ihr nichts zahlen! Wir Slawen halten doch zusammen!« Die Polinnen brummten »grazie« und verzogen sich schnell.

Die Deutschen gelten demgegenüber als das kleinere Übel, weil sie, so das Klischee, Disziplin und Kultur besitzen. Immer wieder haben mir ältere Polen versichert, wie erträglich die deutsche im Vergleich zur sowjetischen Okkupation gewesen sei. Und fast genauso oft kam dann der Witz: »Wer hat das Fahrrad erfunden? Ein Russe. Und zwar bei einem Deutschen auf dem Speicher.«

Ein anderer Ruski-Witz geht so: Zu Lech Wałęsa kommt eine gute Fee, die ihm drei Wünsche freistellt. Als Erstes wünscht Wałęsa sich, dass die chinesische Volksarmee in Polen einfällt. Die Fee ist verwundert, erfüllt ihm aber den Wunsch. Als Zweites wünscht er sich, dass die chinesische Volksarmee noch einmal in Polen einfällt. Und auch der dritte Wunsch lautet: Die chinesische Volksarmee solle eine dritte Invasion in Polen machen. »Warum äußerst du diesen Wunsch, lieber Lech?«, fragt die Fee erstaunt. »Tut es dir nicht leid um Polen?« – »Doch«, antwortet Lech Wałęsa. »Aber wenn die chinesische Volksarmee drei Mal in Polen einfällt, muss sie insgesamt sechs Mal durch russisches Gebiet marschieren.«

Gerade haben neue Gäste den Speisewagen betreten. Es handelt sich um ein hübsches junges Pärchen, beide noch keine dreißig Jahre alt. Aus irgendeinem Grund sehe ich, dass sie Polen sind. Ja, woran genau ist das zu erkennen? An Kleidung und Frisur nicht mehr, sie haben sich westlichen Normen angeglichen. Die junge Frau hat sich ihre blond gefärbten Haare zu einem Pferdeschwanz gebunden, trägt eine weiße schulterfreie Bluse und eine dunkelgrüne Military-Hose. Ihr braun gebrannter, muskulöser Partner hat sich die Haare sportlich kurz geschnitten und trägt ein beiges T-Shirt und eine dunkelbraune Kampfhose. Auf die Stirn hat er sich eine windschnittige Iron-Man-Sonnenbrille geschoben. Beide könnten aus einer Fitness- oder Bikerreklame entsprungen sein, trotzdem errät man irgendwie doch noch, dass sie keine Deutschen sind. Es liegt wohl am vertrauten Blick, mit dem sie sich hier im polnischen Speisewagen umschauen. Sie freuen sich offensichtlich, nach langem Auslandsaufenthalt wieder Landsleute zu sehen. Sind sich die Kellner eigentlich bewusst, dass sie für viele Polen, die monatelang im Ausland waren, eine Art Willkommenskomitee bilden? Wenn ja, lassen sie es sich nicht anmerken. *Negative thinking!*

Meine Vermutung bestätigt sich, als das Pärchen Platz nimmt und zum Chefkellner »dzień dobry« sagt. So routiniert kriegt es auch der geübteste deutsche Auswanderer nicht hin. Sie genießen sichtlich die Sicherheit der Muttersprache, erkundigen sich umständlich nach Details, nach denen sie vermutlich auf Deutsch oder Englisch nicht fragen würden. Der Kellner ist leicht genervt und vergewissert sich mehrfach, ob er alle Sonderwünsche richtig verstanden hat.

Als er gerade zur Bar zurückeilen will, winkt ihn der deutsche Geschäftsmann zu sich.

»Hallo!«

Der Kellner eilt hin und sagt: »Proszę?« Das bedeutet »Bitte«. (Das Häkchen unter dem »ę« ist eine Nasalierung, wie im Französischen die Silbe »aint«, etwa im Wort »Saint«. Für einen Franzosen müsste man das polnische Wort »Proschaint« schreiben. Dann könnte er es wunderbar aussprechen, würde es allerdings fälschlicherweise auf der letzten Silbe betonen. Im Polnischen werden aber so gut wie alle Wörter auf der vorletzten Silbe betont. Man sagt also »Gor-BA-tschow« statt »GOR-batschow«!)

»Eine Apfelschorle bitte!«, sagt der Geschäftsmann gut gelaunt.

Der Kellner fragt schnell: »Bawarka?«

Der Deutsche nickt. »Apfelschorle!«

Der Kellner sieht sich nach dem jungen Pärchen um. Er ahnt, da stimmt etwas nicht. Und tatsächlich: Hier liegt ein Missverständnis vor. »Bawarka« ist keineswegs die Übersetzung von Apfelschorle.

Das Phänomen Apfelschorle ist in Polen nicht bekannt, allenfalls in grenznahen Gebieten. Wenn man partout nicht darauf verzichten will, muss man sich Wasser und Apfelsaft getrennt bestellen. In Deutschland wiederum weiß niemand, was ein Pole mit dem Wort »Bawarka« meint. Dabei handelt es sich um einen schwarzen Tee mit einem kräftigen Schuss Milch, wie man ihn in England oder vielleicht auch in Ostfriesland trinkt. Polen verorten diesen Teetrunk dagegen in Bayern und glauben, dass es sich dabei um die übliche Art des deutschen Teetrinkens handelt. Mit diesem seltsamen Deutschlandmythos, der vermutlich in keinem anderen Land existiert, werden sie schon im Säuglingsalter konfrontiert, wenn nämlich irgendein Onkel ihren stillenden Müttern rät, zur Ankurbelung der Milchproduktion viel »Bawarka« zu trinken.

Wer im polnischen Wikipedia nachschaut – im deutschen Wikipedia gibt es zum Thema »Bawarka« bezeichnenderweise nicht einmal einen Eintrag – der erfährt: Die Bezeichnung kommt aus Paris. Als dort im Jahr 1689 der Sizilianer Francesco Procopio sein Kaffeehaus »Café Procope« eröffnete, schauten häufig bayerische Prinzen vorbei, die ihren Tee mit einem süßen Zusatz bestellten. Daher also »bawarka/bavaroise, bayerisch«. Franzosen exportierten den Mythos dann nach Polen weiter. Polen wiederum glauben, dass »Bayern« umstandslos mit ganz Deutschland gleichgesetzt werden darf. Alle Deutschen sind Bayern, und alle Bayern trinken gerne Tee mit Milch.

Nun greift das polnische Military-Pärchen ein. Sie haben die Situation vom Nachbartisch aus hellwach beobachtet. »Eine Schorle wollen Sie?«, sagt die junge Frau zu dem Geschäftsmann, in akzentfreiem Deutsch.

»Ja, eine Apfelschorle bitte!«

Sie erklärt es dem Kellner, woraufhin der »dziękuję – danke« sagt und eine Flasche Mineralwasser und ein Fläschchen Apfelsaft bringt. Der Deutsche sagt überschwänglich »danke« zu Kellner und Polin. Auch der Kellner freut sich, dass alles in Ordnung ist und sagt wieder »dziękuję.« Die allgemeine Bedankerei ist so laut, dass sich der Arnold-Schwarzenegger-Mann mit dem weißen Pullover über der Schulter missbilligend umdreht. Nur der Japaner reagiert nicht. Er sitzt immer noch gestresst auf seinem Einzelplätzchen, den Rucksack vor sich wie einen Bauchlatz.

Während der Geschäftsmann glückstrahlend seine Schorle mixt, erlaube ich mir, die Bawarkageschichte zum Anlass für eine unvollständige Liste zu nehmen:

Polnische Vorurteile gegenüber Deutschen

Die Deutschen

1. … sind Protestanten;
2. … halten ihr Wort, sind vertrauenswürdig. Man kann mit ihnen Verträge schließen;
3. … sind reich. Einem deutschen Auftraggeber sollte man deshalb eine doppelt so hohe Rechnung stellen;
4. … trinken gerne Bier und haben keine Ahnung von Wodka;
5. … sind Kollektivisten, die immer an einem Strang ziehen und dadurch auch Großprojekte stemmen können, etwa Autobahnen, während wir Polen leider Individualisten sind und uns schon bei einer blöden Mieterversammlung hoffnungslos zerstreiten;
6. … sind obrigkeitshörig, während wir Polen sympathische Anarchisten sind. Deutsche bleiben an einer roten Fußgängerampel stehen, Polen ignorieren sie;
7. … sind pragmatisch, während wir Polen romantisch sind. Eine Polin fragt nach dem ersten Kuss: »Liebst du mich?«. Eine Deutsche fragt: »Kannst du auch Öl wechseln?«;
8. … fühlen sich allen anderen Nationen überlegen, während wir Polen an Minderwertigkeitskomplexen leiden;
9. … erziehen ihre Kinder zu Mut und Selbstvertrauen, während wir Polen von unseren feigen Eltern nach dem Prinzip »kleine Schrittchen und nicht aus der Reihe tanzen!« erzogen werden;
10. … sind geizig, im materiellen und emotionalen Sinn;

11. ... sind humorlos, verstehen keine absurden Witze;
12. ... biedern sich bei den Russen an, weil sie insgeheim die Macht des Kriegsgewinners bewundern und nichts von der gefährlichen russischen Mentalität kapiert haben;
13. ... vermeiden das Thema Hitler/KZ und wissen nichts über deutsche Gräueltaten in Polen, weil ihre angebliche Vergangenheitsbewältigung nur für Sonntagsreden taugt;
14. ... hören alle Beethoven
15. ... oder Rammstein;
16. ... haben eine harte, logische, aber schwierige Sprache – so wie auch ihre Mentalität ist;
17. ... haben hässliche Frauen, die sich nicht schminken können, mit Haaren auf den Zähnen und unter den Achseln. Warschauer Taxifahrerwitz: »Woran erkennt man, dass man in Deutschland ist? Daran, dass die Kühe schöner als die Frauen sind«;
18. ... können nicht tanzen oder singen, sind generell unkünstlerisch, dafür aber gute Techniker und Ingenieure;
19. ... sind uncharmant, unhöflich, laut, direkt, vulgär;
20. ... gucken im Fernsehen am liebsten oberbayerische Softpornos;
21. ... sind eiskalte Profitdenker. Ein Gastronom aus Gorzów sagte mir: »Ein deutscher Wohltätigkeitsklub finanziert ein Hilfsprojekt in meiner Stadt. Dahinter muss ein Vorteil stecken, sonst würden die Deutschen es nicht machen.«;
22. ... sind Technokraten, können solide Autos und Kühlschränke bauen. Ein polnischer Reiseunternehmer aus Poznań erzählte mir, früher habe er Ausflüge zur Bundesgartenschau oder zu eleganten Golfhotels angeboten – erfolglos. Heute akzeptiere er, dass Deutschland in Polen mit Hightech gleichgesetzt werde. Er biete jetzt höchst erfolgreich Ausflüge zu folgenden drei Zielen an: Allianz-Arena in München (die polnische Gruppe macht im leeren Stadion la Ola), Besichtigung der Schiffswerft in Papenburg sowie Autofahren in einem stillgelegten Salzbergwerk bei Erfurt, wo man 600 Meter unter Tage mit abgesägten VW-Käfern durch die Flöze heizen könne.

Nachdem der deutsche Geschäftsmann seine Apfelschorle genossen hat, ruft er noch einmal den Kellner heran. Er versucht, ihm mit dem Zeigefinger auf der Speisekarte klarzumachen, dass er jetzt gerne das englische Frühstück bestellen würde, allerdings ohne Schinken. Er sei eigentlich zwar kein Vegetarier, fahre heute aber zum ersten Mal nach Polen und wolle einfach nicht riskieren, vom Rinderwahnsinn angesteckt zu werden. Man wisse ja nie! – Dazu kichert er unterdrückt und schielt zu dem jungen Pärchen am Nachbartisch hinüber.

Der Kellner hat kein Wort verstanden, schaut ihn an wie ein Marsmännchen und wendet sich wieder hilfesuchend an die junge Frau. Sie übersetzt es ihm, wobei sie den langen Sermon auf ein bloßes »er will Rührei, aber ohne Schinken« verkürzt. Der Kellner atmet sichtbar auf, sagt diesmal nicht »dziękuję«, sondern »dzięki Boże«, was »Gott sei Dank« bedeutet. Dann gibt er die Bestellung an die Küche weiter.

Auch der Deutsche ist hocherfreut und streckt der jungen Frau quer über den Mittelgang die Hand hin: »Vielen Dank! Sie haben mich jetzt schon zum zweiten Mal gerettet. Wie heißt es auf Polnisch: dschä …?«

Das »Englische Frühstück« im WARS. Nicht im Bild sind die beiden Calineczki-Würstchen.

»Dziękuję! – Kein Problem!«

»Sie sprechen ja akzentfrei Deutsch! Sind Sie überhaupt Polin?«

»Ja.«

»Wahnsinn! Glaubt man gar nicht. Die meisten Polen haben ja so einen harten Akzent, aber bei Ihnen hört man einfach gar nichts.«

»Ich bin in Deutschland in die Schule gegangen.«

»Ach, ehrlich? Wo denn?«

»In Dorsten.«

»In Dorsten? Ja Mensch, und ich dachte schon, Sie sind eine Ossi! Lieber Polin als Ossi, ne?«

Er lacht herzlich. Die Frau lacht mit. Ihr Mann guckt etwas sauertöpfisch.

Nun kommen die drei ins Gespräch. Ich spitze die Ohren und erfahre: Das junge Pärchen heißt Dorota und Tomek, Dorota arbeitet als Cutterin in einer kleinen Filmfirma, ihren Mann Tomek hat sie vor zwei Jahren in Polen kennengelernt, er ist vor einem Jahr zu ihr nach Dorsten gezogen, derzeit arbeitslos. Sie fahren gerade nach Posen, wo seine Eltern wohnen. Sie wollen sich dort eine Wohnung kaufen und müssen in den nächsten Tagen mehrere Objekte besichtigen.

Der Geschäftsmann heißt Doktor Harald Schwechtersheimer, kommt aus Krefeld und ist Prokurist einer deutschen Schokoladenfirma. Er fährt heute nach Zielona Góra, um dort eine polnische Firma zu besichtigen, die ebenfalls Schokolade produziert. Seine Firma denkt über ein Joint Venture nach, um in Polen eventuell Schokoladen-Euro-Stücke herstellen zu lassen – vorausschauend für den Tag, an dem auch Polen den Euro übernimmt. Die Schoko-Euros sollen an Tankstellen verkauft werden, als Gag für die Kinder. Doktor Schwechtersheimer wiegelt allerdings sofort ab: Nach den jüngsten Euro-Turbulenzen glaube er persönlich ja nicht mehr, dass die Polen den Euro übernehmen würden. »Die wären ja schön blöd, ihren stabilen Złoty aufzugeben.« Seine Reise sei deswegen schon von vornherein ein bisschen absurd. Er lacht herzlich. »Hätte man auch nie gedacht, dass der Złoty mal stabiler als der Euro ist. Du meine Güte! Wissen Sie, was polnischer Triathlon ist?«

»Nein«, sagt der muskulöse junge Tomek neugierig.

»Zu Fuß ins Schwimmbad und mit dem Fahrrad nach Hause.«
Doktor Schwechtersheimer lacht laut. Tomek und Dorota lachen höflich mit.

Schwechtersheimer sagt: »Finde ich toll, dass Sie da auch drüber lachen können. Bisschen Spaß muss sein! Wir Niederrheiner lachen ja gerne.«

Während das Dreiergespann so über den Mittelgang hinweg plaudert, halte ich den Zeitpunkt für günstig, einige Fakten zum Thema »Polen in Deutschland« zu präsentieren.

Die zweitgrößte Migrantengruppe

Die wichtigste Frage bleibt dabei ungeklärt: wie viele Polen gibt es eigentlich in Deutschland? Und wer gilt als »Pole«? Die vorhin erwähnte Zahl, dass Polen mit etwa elf Prozent aller Migranten nach den Türken die zweitgrößte Gruppe stellen, kann leicht bezweifelt werden. Wie steht es etwa mit der netten Dorota hier im Zug? Ist sie bei diesen elf Prozent mitgezählt worden? Sie hat vermutlich einen deutschen Pass, ist in Deutschland aufgewachsen und spricht besser Deutsch als Polnisch. Aber ist sie deshalb keine Polin mehr?

Das Problem der Zählweise besteht darin, dass sich in Deutschland verschiedene Auswandererschichten übereinanderlegen, angefangen von Auswanderern, die schon zu Beginn des 20. Jahrhunderts ins Ruhrgebiet kamen, bis hin zur größten Auswandererwelle, die in den Siebziger- und Achtzigerjahren des 20. Jahrhunderts kam. Seit der EU-Erweiterung 2004 läuft jetzt die dritte oder auch – wenn man die Aufhebung der Arbeitsbeschränkungen am 1. Mai 2011 als nächsten Meilenstein ansieht – schon die vierte Welle.

Man kann sich das statistische Verwirrspiel am Beispiel Wuppertals klarmachen. Die Gesamtzahl der Einwohner lag 2010 bei 350 000 Menschen. Der offizielle Anteil der Menschen mit Migrationshintergrund lag mit 100 860 Menschen bei 28,8 Prozent. Davon wiederum war der mit gut 22 Prozent größte Teil türkischer Herkunft. Gleich danach folgten mit 18,1 Prozent die Migranten aus Polen. Zu diesen als »Migranten« geführten Menschen muss man allerdings eine mindestens doppelt so hohe Zahl von polnischsprechenden Wuppertalern mit deutschem Pass hinzuzählen, die teilweise schon seit Jahrzehnten in der Stadt leben. Ein Geistlicher der katholischen St.Antoniusgemeinde, wo sonntags die polnische Messe abgehalten wird, sagte mir, dass in Wuppertal seinen Schätzungen zufolge fast 60 000 Menschen Polnisch als Muttersprache sprechen, das wäre mehr als ein Sechstel der Gesamtbevölkerung.

Innerhalb der neuesten Auswandererwelle (seit 2004) unterscheidet man drei Typen.

Die »Störche« sind Saisonarbeiter, zum Beispiel Studenten, die als Spargelstecher oder Tellerwäscher arbeiten, jedes Jahr an denselben Arbeitsplatz zurückkehren und sich anschließend in Polen das ganze Jahr davon über Wasser halten.

Die »Hamster« kommen nur ein einziges Mal, um hart zu arbeiten und sich davon anschließend in Polen ein Auto zu kaufen oder das Badezimmer zu renovieren.

Die »Lachse« übersiedeln dauerhaft in das neue Land, arbeiten sich langsam hoch, wollen mittelfristig aber wieder ihren in der Heimat erlernten Beruf ausüben oder sich am besten noch höher qualifizieren.

Dolski

Bei einer Minderheit, die, je nach Zählweise, mehr als zwei Millionen Menschen umfasst, bildet sich logischerweise eine eigene Sprache, ein eigener Slang heraus. Vor allem die jungen Leute verwenden in ihrer Muttersprache immer mehr deutsche Wörter, deklinieren und konjugieren diese Wörter dann aber lustigerweise streng nach der polnischen Grammatik. Als Bezeichnung für diesen Mischmasch bietet sich der Ausdruck »Dolski« an, eine Kreuzung aus »Deutsch« und »Polski« und zugleich eine kleine Referenz an Deutschlands bekanntesten Polen, Lukas Podolski. (Die Alternative »Peutsch« klingt nicht wirklich sexy.) Deutsche sprechen »Denglish«, Polen sprechen »Dolski«.

Dolski

Idę do Arbeitsamtu	– Ich gehe zum Arbeitsamt.
Mam boka na piwo	– Ich habe Bock auf Bier.

Ja to skundiguję	– Ich kündige.
Zaszpeicherować	– speichern.
Ja to schaffnę	– Ich schaffe das.
Ja lubię szpinować	– Ich spinne gerne herum.
Ja stałem w stale	– Ich stand im Stau.
To na pewno klapnie	– Das klappt ganz sicher.
Schreibnij to!	– Schreib mal auf!
No i szlus!	– Und Schluss!
Telewizor jest kaputt	– Der Fernseher ist kaputt.
Szybko to machnij!	– Mach das schnell!
Nie mam ahnungu	– Ich habe keine Ahnung.
Wiele z moich koleżanek to Hartzerki.	– Viele meiner Freundinnen sind Hartz-IV-Empfängerinnen. (Wortspiel mit »harcerki – Pfadfinderinnen«)
Załóż jacke	– Zieh die Jacke an.
No już jest fertig.	– So, schon fertig!
On bastluje	– Er bastelt.
Jaka z niej wredna hexa!	– Bo, ist das eine fiese Hexe!
Kupiłem tę vasę na flohmarkcie.	– Ich habe diese Vase auf dem Flohmarkt gekauft.
W niedzielę zakupy zrobisz tylko na tankstelli.	– Am Sonntag kannst du nur an der Tankstelle einkaufen gehen.

(Ergänzungen bitte an info@steffen.pl)

Schluss mit obrigkeitshörig

»Den Fahrschein bitte!«

Plötzlich steht die Schaffnerin vor mir. Hach, wie blöd!

»Entschuldigung, aber meine Fahrkarte ist im Abteil geblieben …«

Die Schaffnerin – nein: Zugbegleiterin heißt es auf Wichtigtuerisch – schaut mich strafend an.

»Dann holen Sie sie bitte. Aber Beeilung. Wir sind gleich in Frankfurt.«

»Ja, Beeilung«, knurre ich und stehe auf, um den »Fahrschein« zu holen.

»Ich warte hier, Mister!«, ruft die Schaffnerin mir hinterher.

Ich fühle mich sofort wie ein mieser Schwarzfahrer. In Deutschland muss man permanent ein schlechtes Gewissen haben. Aber damit wird es in Polen vorbei sein. Dort ist es sogar umgekehrt: Der Schaffner hat ein schlechtes Gewissen, wenn er seine armen Mitmenschen schikanieren muss.

Ich stromere gegen die Fahrtrichtung zurück in meinen Waggon. Als ich ankomme, sehe ich die junge Mutter. Sie steht immer noch auf dem Gang. Und sie starrt tatsächlich immer noch durchs Fenster, erschreckend apathisch. Ihr Töchterchen liegt im Abteil und schläft.

Ich ziehe die Tür meines Abteils auf. Weder der deutsche Professor noch seine polnische Frau nehmen von mir Notiz. Sie lesen. Ich krame heftig in meiner Jacke und murre: »Na, wo ist denn diese blöde Fahrkarte!« Der Professor guckt auf. »Waren Sie im Speisewagen?«

»Ja.«

»Maria, wir könnten ja auch mal da hin. Junger Mann, würden Sie so lange auf unsere Sachen aufpassen?«

»Ich muss leider ganz schnell dahin zurück.«

»Warte!«, sagt die Frau namens Maria mit ziemlich starkem Akzent. »Dann passt niemand auf unsere Sachen auf.«

»Ja, hast recht«, erwidert ihr Mann kraftlos.

Ich verdrücke mich schnell und eile zurück zum Speisewagen. In diesem Moment erfolgt eine Durchsage der Schaffnerin: »Meine Damen und Herren, in wenigen Minuten erreichen wir Frankfurt an der Oder. Ihre nächsten Reisemöglichkeiten ersehen Sie aus dem Faltblatt, das an Ihrem Platz ausliegt. Im Namen der Deutschen Bahn darf ich mich von Ihnen verabschieden. Ausstieg in Fahrtrichtung rechts. Ladies and gentlemen, next stop: Frankfurt.«

Die »wenigen Minuten« waren eine reine Floskel. Kaum hat sie ihre Durchsage beendet, rollt der Zug auch schon in den Frankfurter Bahnhof ein.

Ich erreiche schwer atmend den Speisewagen. Die Schaffnerin ist bereits ausgestiegen. Ich sehe sie auf dem Bahnsteig davongehen. Meine ganze Rennerei war überflüssig. Wieder einmal bin ich meiner Obrigkeitshörigkeit aufgesessen. Auch nach 18 Jahren Polen steckt sie mir noch tief in den Knochen. Statt abgeklärt im

Abteil zu warten, bis die Schaffnerin aussteigt, bin ich tatsächlich brav durch den ganzen Zug gespurtet, um mich vom Verdacht des Schwarzfahrens reinzuwaschen.

Draußen auf dem Bahnsteig läuft die apathische Mutter mit ihrem Töchterchen vorüber. Sie ist aber gar nicht mehr apathisch und zieht das Mädchen plötzlich wieder sehr energisch hinter sich her, so eilig, dass man ins Grübeln kommen könnte. Ist diese Frau nun apathisch oder cholerisch? Menschenbeobachtung in Zügen ist wie ein 1500-Teile-Puzzle, von dem 1400 Teile fehlen. Na, sagen wir mal: 750.

Entfernung: 23 km
Fahrzeit: 22 Minuten
Kulturschock: Keine Schäden melden
Wort der Strecke: No i co?

Frankfurt an der Oder

Die Namensgleichheit zwischen den Städten Frankfurt an der Oder und Frankfurt am Main ist die prominenteste in Deutschland und dürfte zu den zehn Ur-Verwunderungen altkluger Kinder zählen. Wieso erlaubt die Polizei, dass es zwei gleiche Städte gibt?

Hier wohnen 60 000 Menschen. Vom Bahnhof der Stadt aus sieht man das Wahrzeichen der Stadt, ein neunzig Meter hohes DDR-Hochhaus namens »Oderturm«.

In Polen ist Frankfurt vor allem dank seiner altehrwürdigen Viadrina-Universität bekannt, die seit den frühen Neunzigerjahren in besonders großzügiger Weise polnische Studenten aufnimmt. Die Meinungen sind gespalten, ob in den Vorlesungen und Wohnheimen zwischen Deutschen und Polen wirkliche oder fadenscheinige Integration abläuft. Die Anziehungskraft der Uni auf polnische Studenten ist jedenfalls stark gesunken, seit Polen überall in der EU studieren können.

Der prominenteste Punkt der Stadt ist die Oderbrücke, die Frankfurt mit der polnischen Seite verbindet. Nach 1945 entstand aus der ehemaligen »Dammvorstadt« die eigenständige polnische Stadt »Słubice«, gesprochen: Swubitze. Tausende neugieriger Brandenburger rollen jeden Tag über diese Brücke nach Polen hinein. Die meisten sättigen ihre Neugier allerdings rasend schnell und kommen schon nach wenigen Minuten zurück in die Heimat, mit einem vollen Tank und zwei Zigarettenstangen; Benzin ist, wie schon gesagt, in Polen um etwa 30 Prozent billiger als in

Deutschland. Manche bleiben allerdings auch länger als zwei Stunden drüben. Sie fahren zum großen »Polenmarkt« am Rand der Stadt. Und wer auch nach drei Stunden noch nicht zurück ist, sitzt im Wartezimmer eines polnischen Zahnarztes.

Um dem grenznahen Materialismus ein bisschen Kultur entgegenzusetzen, hat ein deutscher Visionär namens Michael Kurzwelly die virtuelle Stadt »Slubfurt« ausgerufen. Er hat für seine unsichtbare Stadt ein Museum eingerichtet und sie sogar im europäischen Städteregister eintragen lassen. Seit der Osten Deutschlands sich immer weiter entvölkert, wird »Slubfurt« handgreifliche Realität, zum Beispiel in der deutsch-polnischen »Kita Bambi« oder der »Euro-Kita«. Weil immer mehr Polen auf die deutsche Seite der Oder ziehen, wurden die 250 Plätze der »Euro-Kita« im Verhältnis von 50:50 zwischen Deutschen und Polen aufgeteilt. Hier sagen sich dreijährige deutsche und polnische Kinder vor dem Essen abwechselnd »smacznego« und »guten Appetit«.

Auf der berühmten Frankfurter Brücke fand auch der Showdown des TV-Films »Polen für Anfänger« statt, in dem Berlin-Neuköllns bekanntester Bewohner Kurt Krömer die Hauptrolle spielte. Dafür hatte sich die Regisseurin eine große symbolische Geste ausgedacht. Krömer musste in hohem Bogen einen gelben Benzinkanister in die Fluten der Oder schleudern. Damit sollte er demonstrieren, dass alle deutschen Vorurteile über Polen zum Wegschmeißen seien. Das Unglück wollte es allerdings – und das wird im Film nicht mehr gezeigt – , dass just in diesem Moment ein Motorbötchen die Oder herunterschoss. Der eifrige deutsche Kapitän und seine noch eifrigere Bootsfrau sahen den gelben Kanister auf dem Wasser schwimmen, fischten ihn heraus und brachten ihn glückstrahlend an die Kaimauer zurück, wo Krömer ihn sauer grinsend wieder in Empfang nehmen musste. Umweltschutz geht über TV-Symbolik.

Maso-Schaffner Mirek

Am Frankfurter Bahnhof findet der Schaffnerwechsel statt. Die beiden polnischen Schaffner warten bereits auf unseren Zug, und zwar in einem speziellen Kabuff, das sich hoch über dem Bahnsteig befindet. Wenn der Zug aus Berlin einfährt, steigen sie die Treppe zum Bahnsteig herunter und streichen an ihren deutschen Kollegen wie scheue Katzen vorbei. Zu mehr als einem leise gemurmelten Gruß, der wie »Guten dobry« klingt, kommt es auf beiden Seiten meist nicht. Es ist schade, dass die Sprachbarriere längeres Fachgesimpel verhindert. Angehörige desselben Berufsstandes haben auf der ganzen Welt ähnliche Charaktere. Sie könnten eigentlich ein schönes Schwätzchen halten, schöner als manche Blutsverwandte, die sich außer »frohe Weihnachten« nicht viel zu sagen haben.

Unter den beiden Schaffnern, die in Frankfurt zusteigen, befindet sich häufig mein Lieblingsschaffner Pan Mirek. Von allen deutschen und polnischen Schaffnern, die ich kennengelernt habe, ist er die bei Weitem schillerndste Persönlichkeit. Sobald er bei der Fahrkartenkontrolle einen deutschen Passagier sieht, begrüßt er ihn mit einem überschwänglichen »Guten Morgen« und beginnt ein kleines Pläuschchen. Schaffner Mirek ist nämlich der größte Deutschlandfan unter der Sonne und betont das gerne und bei jeder Gelegenheit. Die Sache hat allerdings einen Haken. Er ist Deutschlandfan, weil er den realen polnischen Staat verabscheut. Ohne eigentlich etwas Konkretes über die Gegend zwischen Flensburg und München zu wissen, ist Deutschland seine Projektionsfläche für alles erdenkliche Gute unter der Sonne. Polen hingegen und ganz besonders die Hauptstadt Warschau ist für ihn eine einzige Ganovenansammlung. Ohne Bestechungsgeld, wiederholt er mantraartig, kannst du in diesem Land nichts erreichen. Wie er betont, spricht er dabei aus eigener Erfahrung: Obwohl Inhaber zweier Diplomtitel (Flugzeugbau und Maschinenbau), wollte ihn niemand einstellen, nicht einmal die Verkehrspolizei. Angeblich wurde ihm zwei Mal von den Personalchefs bedeutet, dass er 2000 bis 3000 Euro Bestechungsgeld zahlen solle. Das aber wollte er nicht, und so landete er schließlich als Schaffner bei den Polnischen Staatsbahnen, die in Polen kein hohes Prestige genießen. Diese Lebensniederlage wird er seinem Vaterland niemals verzeihen.

Doch schon seine Ausgangslage war fatal. Aufgewachsen ist er in Oberschlesien, wo sein Vater zu kommunistischen Zeiten einen Kleinbus hatte, mit dem er Arbeiter von Katowice aus nach

Westdeutschland fuhr, meist ins Ruhrgebiet nach Essen. Anschließend kehrte der Vater mit seinem Bus allein nach Katowice zurück. Pan Mireks Lieblingswitz geht deshalb so: »Welche Polen fuhren damals zur Arbeit nach Deutschland? Die Hungrigen, die Schmutzigen und die Dummen! Die Hungrigen fuhren nach Essen, die Schmutzigen nach Baden-Baden und die Dummen hin und zurück, so wie mein Vater! Das werde ich ihm niemals vergessen. Um ein Haar wäre ich in Deutschland aufgewachsen!«

Man kann seine Polen-Schimpferei nicht mehr als das gängige *negative thinking* bezeichnen; sie hat sich zu einem sportlichen Masochismus radikalisiert. Er kritisiert das eigene Land und steigert sich dabei in lustvolle Ekstase hinein.

Sein Traum ist es, am Goethe-Institut in Bonn einen Sommerkurs zu machen. Warum gerade in Bonn? Weil er diese Stadt am stärksten mit der goldenen, alten Bundesrepublik assoziiert. In Bonn ist die Welt noch in Ordnung. Nach Leipzig oder Rostock würde er niemals fahren. »Dort sind noch die alten Kader an der Macht, so wie bei uns in Polen!«

Und warum will er den Sprachkurs machen? Nicht etwa, weil er nach Deutschland auswandern möchte. Nein, das will er keineswegs, denn dann könnte er ja nicht mehr auf sein hassgeliebtes Polen schimpfen. Sein Ziel ist vielmehr, das Böse vor Ort zu bekämpfen. Konkret heißt das: Er möchte eines Tages im Eurocity Berlin-Warschau seine Durchsagen in perfektem Deutsch machen, um seine Landsleute für die deutsche Sprache und damit für deutsche Disziplin und Ehrlichkeit zu begeistern.

Einmal bat er mich in sein Schaffnerabteil und ersuchte mich, ihm eine solche Ansage auf Deutsch zu entwerfen. Nach seinem Diktat übersetzte ich:

»Herzlich willkommen im Eurocity nach Warszawa. Mein Name ist Mirek. Ich bin Ihr Schaffner. Wir begrüßen die zugestiegenen Fahrgäste. Bitte stellen Sie das Rauchen ein und hören Sie auf, Ihren Nachbarn zu betrügen. In wenigen Minuten verlassen wir den abendländischen Kulturkreis und kommen nach Polen. Der nächste Halt ist Rzepin. Für Ihre Gesundheit wäre es am besten, wenn Sie dort aussteigen und nach Deutschland zurückkehren.«

Oft schon habe ich versucht, seine Deutschlandbegeisterung zu dämpfen. Er solle aufhören mit der Verklärung und sich, was Korruption betrifft, mal bitte in Wuppertal umhören, wo vor einigen Jahren das gesamte Baudezernat aus der Mittagspause heraus verhaftet wurde. Solche Einwände wischt er aber nur mit einer ungeduldigen Geste beiseite: »Eeeeee!«

»Eeeeee!« (mit sechs »e«) ist sein Lieblingswort. Es heißt so viel wie »Quatsch!« oder: »Bagatelle!«. Und dann fügt er hinzu: »Klar gibt es Korruption überall auf der Welt. Der Unterschied zwischen Deutschland und Polen ist aber der: Bei euch werden sie verhaftet. Bei uns regieren sie das ganze Land!«

Ja, wenn jemand zu bezweifeln wagt, dass Polen die schlimmste Korruptionshölle unter der Sonne sei, reagiert Pan Mirek ungehalten. Einmal erzählte ich ihm, dass mein Bruder in einem honduranischen Dorf am hellichten Tag mit einer Machete bedroht worden sei. Ein klein gewachsener Indio schrie: »Give me ten bucks, Gringo, or I'll kill you!« Mein Bruder stammelte erschrocken: »I'm not American, I'm German!« – »German? Okay, give me five bucks!«

Pan Mirek sagte: »Eeeeee! Ihr Bruder war schön blöd. Er hätte sagen sollen: ›I'm from Poland.‹ Der Machetenmann hätte ihm aus Mitleid noch fünf Dollar geschenkt!«

Wirklich verstört hat Pan Mirek die Nachricht, dass Polen zum Mitveranstalter der Fußballeuropameisterschaft 2012 erkoren wurde. Bis dahin lebte er in der festen Überzeugung, dass Polen für den Rest der Welt komplett uninteressant sei – und zwar zu Recht. Nun aber, statt sich zu freuen, macht er sich Sorgen, dass die Welt nach Polen kommen und dort das ganze Elend bemerken werde. Zwei Jahre lang war seine einzige Hoffnung, dass die Stadien nicht rechtzeitig fertiggestellt würden. »Warten Sie ab!«, sagte er zu mir, laut und vernehmlich, sodass der ganze Speisewagen mithören konnte. »Die EM wird in letzter Minute doch wieder nach Deutschland wandern. Ich wette mit Ihnen: Das Eröffnungsspiel wird in Frankfurt an der Oder ausgetragen!« Diese Stadt ist für ihn eine Art Bonn 2, weil er hier immer auf den Eurocity aus Berlin wartet, gerne Einkäufe tätigt und die Bewohner »als Einzige aus der DDR« in sein Herz geschlossen hat.

Wenn man Pan Mirek fragt, was ihn außer der Korruption in Polen sonst noch stört, sagt er, wie aus der Pistole geschossen: »Unsere Mentalität!« Damit meint er nur eine einzige Eigenschaft, nämlich die »uneigennützige Missgunst«, polnisch: bezinteresowna zawiść. Diese Formel wird in Polen stets genannt, wenn man das schlimmste nationale Laster benennen will. Der Standardwitz geht so: »Während ein amerikanischer Bauer abends betet: ›Herr, gib mir bitte auch so eine schöne Kuh wie die, die mein Nachbar hat!‹, betet ein polnischer Bauer: ›Herr, ich halte es nicht mehr aus. Lass bitte auf der Stelle die Kuh meines Nachbarn eingehen!‹«

Der nachbarschaftliche Neid dürfte tatsächlich stärker sein als in Deutschland, wo immer noch ein relativ zufriedener Mittelstand existiert. Ein reicher Mann erklärte mir einmal, warum die Polen vergleichsweise wenig Geld für wohltätige Zwecke spenden: Weil sie sich damit vor ihren missgünstigen Nachbarn als reich outen würden. Wer aber viel Geld spendet, wird nicht etwa gelobt, sondern dafür kritisiert, dass er nicht noch viel mehr gibt.

Im Jahr 1900, zu einer Zeit, als es den Staat Polen schon seit über hundert Jahren nicht mehr gab, veröffentlichte der Dichter Władysław Bełza einen Gedichtband für Kinder, den er den »Katechismus eines polnischen Kindes« nannte. Die Gedichte waren patriotisch-religiös, und eines davon lernt noch heute jedes Grundschulkind auswendig. Die ersten Verse lauten: »Wer bist du? – Ein kleiner Pole. – Was ist dein Erkennungszeichen? – Ein weißer Adler.« Das Gedicht gipfelt in der Frage: »Was bist du Polen schuldig? – Mein Leben.«

Im Jahr 2002 wurde dieses Gedicht in einem der vermutlich masochistischsten Filme aller Zeiten parodiert. Die tiefschwarze Komödie, an der sich bis heute Millionen Polen diebisch erfreuen, heißt »Dzień Świra« (Tag eines Spinners) und ist einer der wenigen polnischen Filme nach 1989, die Kultstatus erlangt haben. Er beschreibt den kaputten Alltag des frustrierten Polnischlehrers Adaś Miauczyński (gespielt von Schauspielerlegende Marek Kondrat, der inzwischen der Schauspielerei abgeschworen und eine Weinhandlung gegenüber der Warschauer Oper eröffnet hat). Miauczyński hasst alle: die Kirche, die Schule, die dicken Frauen, die ihn im Zug darum bitten, ihren schweren Koffer hochzuwuchten, oder die presslufthämmernden Bauarbeiter vor seinem Wohnblock. Im Grunde genommen verabscheut er alle übrigen Polen. Die beste Szene des Films zeigt eine typische Hochhaussiedlung in der Abenddämmerung. Auf jedem Balkon stehen einige Menschen und senden ihr »Abendgebet eines Polen« in den Himmel. Ihr Gemurmel vereinigt sich zu einem monotonen Singsang:

> Wenn der Abend niedersinkt
> Und ich mein Haupt daniederlege,
> send' ich mein Gebet empor,
> zu Gottvater und dem Sohn.
> Scheißt den Nachbarn kräftig ein!
> Für mich selber bitte ich um nichts,
> nur ihm sollt ihr kräftig in die Suppe scheißen.
> Wer bin ich?
> Ein kleiner Pole! Klein, gemein und neiderfüllt!
> Was ist mein Zeichen? Blut'ge Augäpfel!
> Dies soll mein Gebet zu Gott, Maria und dem Sohn sein:
> Zerstört diesen Hurensohn,
> Meinen Landsmann, Nachbarn, Feind, die Natter!
> Dass man ihm die Garage ausräume,
> dass ihn seine Alte betrüge,
> dass man ihm seinen Laden abfackele,
> dass ihm ein Ziegelstein auf den Schädel falle,
> dass seine Tochter mit einem Neger
> und es ihm selber dreckig gehe!
> Dass er AIDS und Krebs habe –
> Das ist das Gebet eines Polen!

Pan Mirek findet diesen Film großartig. Im Übrigen ist er aber, gemeinsam mit vielen anderen Leuten, der Meinung, dass die im Kommunismus produzierten Filmkomödien besser als die neueren waren. Auch das ist ein subtiler Masochismus. Er will damit sagen: Die angebliche Demokratie, auf die gewisse Medien und Gewinner so stolz sind, ist in Wahrheit doch nicht so toll. Auch der Kommunismus hatte seine guten Seiten. Kommunismus, Kapitalismus – eeeeee! Alles die gleiche Soße!

An dieser Stelle ist ein kleiner Einschub nötig. Mehrmals war jetzt schon die Rede von »Pan Mirek«. Mancher ältere Deutsche dürfte sich bei dem Wort »Pan« sofort an »Pan Tau« erinnert fühlen, den eleganten, stummen Gentleman aus der tschechischen Kinderserie, der die Fähigkeit besaß, sich durch ein Tippen an die Krempe seiner Melone in eine westentaschengroße Puppe zu verwandeln. Auch ich habe als Kind diese Serie geliebt und den geheimnisvollen Namen »Pan« immer für einen tschechischen Vornamen gehalten. Die Wahrheit ist aber ganz simpel: »Pan« heißt auf Tschechisch »Herr«, genauso wie auf Polnisch. Der Titel der Serie lautete also »Herr Tau«. Wie der Melonenmann mit Vornamen hieß, wurde kein einziges Mal erwähnt. »Pan« heißt Herr, und »Pani« heißt »Frau«.

Doch auch hinter dem Vornamen »Mirek« versteckt sich eine wichtige Eigenheit der polnischen Sprache. Alle Welt nennt ihn »Herr Mirek«, weil niemand seinen Nachnamen kennt. Denn Nachnamen spielen in Polen generell keine große Rolle. Man redet sich mit Vornamen an, auch wenn man sich siezt. Mit Nachnamen redet man sich nur bei sehr offiziellen Gelegenheiten an, etwa wenn man sich dem neuen Arbeitgeber vorstellt. Sobald man sich aber etwas besser kennenlernt, redet man sich mit Pan/Pani und dem Vornamen an. Eine Schuldirektorin spricht ihren neuen Mathematiklehrer Piotr Kowalski am ersten Tag noch mit »Pan Kowalski« an, ab dem zweiten Tag aber bereits mit »Pan Piotr«. Man muss in manchen Situationen genau hinhören, wie man angeredet wird. Wenn ein Polizist sich von einem Verkehrssünder den Führerschein zeigen lässt und ihn dann offiziell mit »Pan Kowalski« anredet, weiß der Sünder, dass er es mit einem knallharten Hüter des Gesetzes zu tun hat. Wenn der Polizist hingegen nach einem Blick in den Führerschein versöhnlich »Pan Piotr« sagt, ist für den Sünder ein Türchen geöffnet, um bei diesem Polizisten um Gnade zu winseln.

Doch die Anredeformen werden noch komplizierter.

Die anderen Lehrer werden ihren neuen Kollegen, den Mathematiklehrer Pan Piotr, schon nach wenigen Tagen duzen. Die deutsche Unart, dass auch langjährige Arbeitskollegen sich noch siezen, ist in Polen streng verpönt. Spätestens nach zwei

Stunden werden sie ihn allerdings nicht mehr »Piotr« nennen, sondern bei seinem Kosenamen »Piotrek« rufen. Von nun an bis zur Pensionierung wird er seinen offiziellen Namen »Piotr Kowalski« nie wieder hören. Bei »Pan Mirek« liegt ein ähnlicher Fall vor. In seinem Personalausweis steht »Mirosław«. Seinen Nachnamen hat er nach zehn Dienstjahren vermutlich schon selber vergessen.

Um den Kosenamen zu ermitteln, gelten folgende Regeln: Bei Männern wird die Silbe »-ek« angehängt. Aus Piotr wird »Piotrek«, aus Tomasz »Tomek«, aus dem deutschen Uwe folglich »Uwek«, und aus Karl-Heinz wird »Karl-Heinzek«.

Bei Frauen wird die Silbe »-ka« angehängt. Aus Sabine wird »Sabinka«, aus Emilia »Emilka«, aus Frauke wird »Fraukeka«, aus Helga »Helgaka«. Manche Namen haben allerdings Verkleinerungsformen, die sich von der ursprünglichen Ausgangsform so weit entfernt haben wie Joschka Fischer von den Grünen. Aus »Aleksandra« wird »Ola«, aus »Jakub« wird »Kuba«, aus »Jerzy« wird »Jurek«.

Doch mit einem einzigen Kosenamen ist es nicht getan. Fast jeder polnische Vorname hat drei bis fünf Verkleinerungsformen. Es gilt die Regel: Je mehr man einem Menschen seine Zuneigung zeigen will, desto mehr muss man seinen Namen verkleinern. Das erinnert an russische Babuschkas, aus denen man immer noch eine kleinere Babuschka herausholen kann. Nach einem Monat heißt Lehrer Piotr Kowalski bei seinen Kollegen nicht mehr »Piotrek«, sondern »Piotruś«, Pan Mirek wiederum wird von seiner Frau vermutlich »Miruś« genannt, in besonders zärtlichen Momenten vielleicht auch »Mireczek«. Eine Deutsche, die »Anna Meister« heißt, wird in Polen ihr blaues Wunder erleben. Am ersten Tag ist sie noch »Pani Meister«, am zweiten schon »Pani Anna«, am dritten beginnen die Kosenamen. Anna, der häufigste polnische Frauenname, bietet dabei besonders viele Variationen für subtile und subtilste Zärtlichkeitsbeweise: Ania, Ancia, Anka, Aneczka, Anulka, Anula, Anucha, Anuszka. Sollte Frau Meister gegenüber ihren polnischen Kolleginnen stur auf »Anna« beharren, wird sie alsbald gemobbt, weil sie den Polen vorkommt wie eine karrieregeile Einzelgängerin, die sich von der Gruppe abgrenzen will.

Umgekehrt erlebt ein Pole in Deutschland voller Schreck, dass die Kollegen ihn sogar in der Kneipe nach Feierabend noch mit seinem Nachnamen anreden. »Schön, dass Sie gekommen sind, Herr Kowalski!« Er denkt sofort: »O Gott, sind die hier steif.«

Im öffentlichen Raum ist es in Polen allerdings mit den Kosenamen schlagartig vorbei. Man könnte sogar sagen, dass die süße Verkleinerei in ihr Gegenteil umschlägt, in eine unangenehme Titelsucht, fast so schlimm wie in Österreich. Ein Deutscher rief einmal eine staatliche polnische Institution in Deutschland an und wollte den Direktor sprechen; taufen wir ihn hier auf den häufigsten polnischen Nachnamen: Nowak. Die polnische Rezeptionistin antwortete: »Der Herr Direktor ist gerade nicht da.« – »Wo ist Herr Nowak denn?« – »Der Herr Direktor ist zu Tisch. Ich werde dem Herrn Direktor aber ausrichten, dass Sie angerufen haben.« Der Deutsche war so abgestoßen von dieser Titelmanie, dass er nie wieder anrief.

Noch eine Bemerkung zu den weiblichen Nachnamen:

Frauenvornamen enden im Polnischen stets auf »a«. Auch weibliche Nachnamen bekommen das »a« angehängt. Falls der Ehemann »Olszewski« oder »Lewandowski« heißt, ist seine Frau die »Olszewska« oder die »Lewandowska«. (Einige Namen stellen Ausnahmen dar. Beispielsweise bleibt die Ehefrau von Herrn Nowak unverändert »Pani Nowak«.) Sobald Pani Olszewska oder Pani Lewandowska in westliche Staaten fahren, bekommen sie oft Probleme auf den Ämtern. Von einem deutschen Sachbearbeiter werden »Olszewski« und »Olszewska« als zwei verschiedene Namen empfunden. Viele Polinnen in Deutschland lassen sich deshalb der Einfachheit halber ebenfalls als »Frau Olszewski« eintragen. Das bringt ihnen dann allerdings wiederum in der Heimat Probleme ein. Man wirft ihnen dort missgünstig vor, sie passten sich butterweich an westliche Gebräuche an – vermutlich, weil sie sich von der polnischen Heimat distanzieren wollten!

Wir fassen zusammen: Ein polnischer Personalausweis oder Reisepass zeigt den Vor- und Zunamen nur in seiner theoretischen Gestalt. In der Praxis ist der Pass kaum das Papier wert, auf das er gedruckt ist. Überspitzt könnte man sagen: Ein Pole hört seinen offiziellen Namen nur drei Mal im Leben, bei der

Kommunion, bei der Trauung und bei der Scheidung. Beim vierten Mal hört er ihn nicht mehr.

Am Nullpunkt

Inzwischen hat der Eurocity das schöne Frankfurt verlassen und bewegt sich auf die Grenze zu. Pan Mirek, unser Schaffner, ist noch nicht zu sehen. Er beginnt mit der Ticketkontrolle meist im Großraumwagen, ganz am Ende des Zuges.

Ich nehme wieder Platz im Speisewagen und freue mich auf den Anblick des Grenzflusses, der gleich zwischen den Bäumen aufglitzern wird.

Nach einigen Minuten passiert etwas Sonderbares: Der Zug fährt immer langsamer und bleibt schließlich auf offener Strecke stehen. Der Japaner, der in Frankfurt überraschenderweise nicht ausgestiegen ist, sondern nur den Rucksack abgeschnallt und auf einen Stuhl neben sich gelegt hat, schaut unruhig auf. Was ist los? Ein Unfall? »Personen im Gleis«, wie es im offiziellen Jargon der Deutschen Bahn unübertrefflich euphemistisch heißt?

Der Zug steht still. Doch keine Durchsage des neuen Schaffnerteams ertönt. Auch die Kellner verraten keinerlei Anzeichen von Unruhe. Nach dem einstündigen Rattern und Knattern der Waggons ist eine unwirkliche Stille eingekehrt. Wir sind in einer menschenleeren Gleislandschaft zwischen den Staaten angekommen. Neben uns stehen endlose Auto-Transportzüge, beladen mit auffällig vielen japanischen Kleinwagen in den Modefarben silber, rosa und schwarz. Hierbei kann es sich im Wirtschaftswunderland Polen nur um frische Drittwagen für gelangweilte Millionärsgattinnen handeln.

Die plötzliche Stille kann durchaus unheimlich wirken. Philosophen mögen solche Begegnungen mit dem Nichts lieben, aber mancher deutsche Auswanderer ist angesichts seiner ungewissen Lebenssituation psychisch etwas labil und steht kurz vor einem Nervenzusammenbruch.

Eine kleine Aufklärung seitens der Schaffner täte not. Da sie nicht erfolgt, darf ich sie kurz geben:

Dieser Halt ist der Wendepunkt unserer Reise, allerdings nur im technischen Sinn. Hier, im Niemandsland zwischen Deutschland und Polen, muss die Husar- (alias Taurus-) Lokomotive ihr Stromsystem umschalten, und zwar von deutschen 15 000 Volt Wechselstrom auf polnische 3000 Volt Gleichstrom. Der Lokführer in seinem Cockpit legt gerade haufenweise Hebel um. Das dauert etwa drei Minuten.

Die Spurweite der Gleise bleibt übrigens die gleiche. Die Passagiere müssen den Zug also nicht verlassen. Es kommen keine Kräne, die die Waggons auf andere Untergestelle heben. Das wird sich erst jenseits der polnischen Ostgrenze in Brzeszcz ereignen, dem berühmten Brest-Litowsk, wo 1917 der deutsch-russische Separatfrieden ausgehandelt wurde. Dort wird sich die mitteleuropäische Spurweite von 1435 Millimetern zur osteuropäischen Spurweite von 1520 Millimetern verbreitern. Wer je daran gezweifelt hat, ob Polen wirklich noch zu Mitteleuropa und nicht vielmehr schon zu Osteuropa gehört, sollte sich diese Eisenbahntatsachen vor Augen halten. Nicht nur die Uhrzeit, sprich: die Zeitzone zwischen Paris und Warschau, ist dieselbe, nein: auch die Spurweite der Gleise bleibt von Paris bis nach Warschau gleich. Übrigens lässt sich auch Westeuropa anhand seiner Eisenbahngleise glasklar von Mitteleuropa unterscheiden. Spanien und Portugal verfügen über eine noch gigantischere Spurweite als Weißrussland, Ukraine und Russland, nämlich über unglaubliche 1660 mm.

Schluss mit Schadenmeldungen

Endlich ruckt der Zug wieder an. Wir haben den Nullpunkt unserer Reise hinter uns. Nun geht es an einem schwarz-rot-goldenen Grenzpfahl vorbei. Vor uns liegt die Oder – und dahinter die Polnische Republik. Der Zug bollert über die Brücke. Rechts unten stehen die letzten deutschen Pappeln, drüben wurzeln bereits die ersten polnischen Weiden. Am Horizont sieht man eine große Autobahnbrücke, über die sich kleine weiße Lasterchen schieben. Die Oder ist ein ziemlich unregulierter Fluss; die Ufer fransen aus zu kleinen Buchten, kommerzielle Schifffahrt gibt es hier nicht. Im Winter sind diese Minibuchten häufig vereist.

Alle Insassen des Speisewagens bis auf Arnold Schwarzenegger schauen fasziniert ins gurgelnde Wasser hinunter. Als Deutscher darf man sich in diesem Moment als Teil einer nationalen Minderheit fühlen. Noch im Jahr 2008 erbrachte eine Umfrage, dass fast zwei Drittel der Deutschen noch nie in Polen waren und die Hälfte davon auch nicht die Absicht hatte, jemals ins östliche Nachbarland zu fahren.

Auf der polnischen Seite gleitet der Zug erneut in einen Wald hinein. In wenigen Minuten werden wir den ersten polnischen Bahnhof erreichen.

Komischerweise verspüre ich an dieser Stelle oft einen plötzlichen Harndrang. Ist es eine Art Lampenfieber? Jedenfalls muss ich in diesem Moment sehr oft den Speisewagen verlassen und mich in Richtung Toilette begeben.

Sie befindet sich am Ende des Speisewagens und hat eine große blaue Schiebetür, denn es handelt sich um eine Behindertentoilette. Statt einer Klinke gibt es einen Griff zum Ziehen. Ich betätige ihn, die Tür surrt auf. Der Toilettenraum ist blau gestrichen, wirkt geräumig und sauber. Mehrere Papierrollen stechen positiv ins Auge. Die Existenz von Toilettenpapier in einer Zugtoilette muss auch vom größten Zweifler als starker Beweis für Polens Zugehörigkeit zur westlichen Zivilisation anerkannt werden. Dieses Kriterium fiel mir während einer Fahrt mit den ukrainischen Staatsbahnen auf.

Dann geschieht ein Unglück. Als ich die Tür von innen zuziehen will, rührt sie sich keinen Millimeter. Ich stelle mich breitbeinig über die Türschwelle und rüttele mit beiden Armen an den Griffen – ohne Erfolg. Sie klemmt.

Ein westlicher Reisender verspürt in diesem Moment vermutlich den Impuls, Schaffner Mirek zu alarmieren und den Schaden

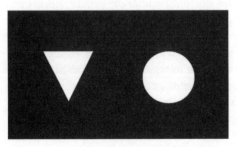

Polnische Toiletten-symbole seit 1928: Dreieck für Männer, Kreis für Frauen

zu melden. »Hallo, Herr Zugbegleiter, in Wagen 271 klemmt die Toilettentür!« Ja, so ist man es in Deutschland gewöhnt. Man meldet Schäden an das Aufsichtspersonal und kann sich sicher sein, dass man einen gewissen Dank dafür erhält – keinen überschwänglichen, aber doch einen dienstlich geseufzten Dank: »Wir kümmern uns darum.« Die Meldung wird dann im Lauf der nächsten sechs Monate getreulich an die Reparaturwerkstatt weitergeleitet werden.

Denn wir Deutsche haben einen Schädenmelder-Reflex. Wir melden alles, gerne auch den Falschparker vor unserem Haus. Der Reflex ist trotz gelegentlicher Pervertierungen positiv zu bewerten, weil er ein gesundes Vertrauen in staatliche Organe und letztlich in die Verbesserbarkeit der Welt beweist. Und genau an diesem Vertrauen in Welt und Staat hapert es in Polen, ja vermutlich in den meisten Ländern der Erde. Folglich hat Polen (noch) keine Schadenmeldekultur, ebenso wenig wie andere postsozialistische Staaten.

Das fiel mir schon bei meinem ersten Krakauaufenthalt im Jahr 1993 auf. Am dritten Tag im Studentenwohnheim Bratniak begann mich zu stören, dass die Glühbirne in der Herrentoilette kaputt war. Als ich mich ins Erdgeschoss zum Hausmeister begab und den Schaden meldete, knurrte er nur: »No i co?« Das bedeutete »Na und?« Ich erstarrte. Und dann fügte er noch hinzu: Von der kaputten Glühbirne wisse er schon seit drei Monaten, man möge ihn bitte nicht mehr damit belästigen. Ich war baff und fühlte mich schlagartig wie ein deutscher Blockwart, der seine Nachbarn denunziert hat.

Der Direktor des sehr sehenswerten Stadtmuseums von Wrocław erzählte mir wutentbrannt, dass er einmal eine deutsche Reisegruppe fast sechs Stunden lang durch sein Museum geführt habe. Am Ende habe ihn ein distinguierter älterer Herr beiseitegenommen und gesagt: »Entschuldigung, im Barocksaal ist eine vergoldete Wandleiste abgebrochen. Die sollten Sie reparieren lassen!« Diese Bemerkung brachte den Direktor noch Monate später in Rage. »Ich werde mir nie wieder so viel Zeit für eine deutsche Gruppe nehmen!«

Hier war es zu einem klassischen Clash der Kulturen gekommen. Natürlich lag der Direktor mit seiner Einschätzung des

distinguierten Herrn voll daneben. Während er die Schadens-
meldung als Kritik an seinem Museum verstanden hatte, war
sie genau im Gegenteil eine Form höchster Anerkennung gewesen. Der deutsche Besucher fühlte sich nach der sechsstündigen
Rundführung bereits so mitverantwortlich für das schöne Museum, dass er den Schaden melden wollte, um zur Verbesserung
des Gesamtbildes beizutragen.

Und wie verhält sich ein Musterpole, wenn er selbst einen
Schaden bemerkt?

Handelt es sich um einen Schaden im öffentlichen Raum,
schlendert er gleichgültig weiter. Verantwortlich für den Schaden
sind schließlich die da oben, die Politiker, Millionäre, Bischöfe
und Mafiosi. Betrifft der Schaden die eigene Privatsphäre, sagen
wir: ein Entlüftungsschacht in seiner Küche ist verstopft, behebt
er die Sache selbst, wenn auch mit dicker Wut im Bauch: »Nächstes Jahr gebe ich meine Steuererklärung nicht zwei, sondern vier
Monate zu spät ab!«

Hier, in diesem mürrischen Selbstreparieren, liegt der Grund
dafür, dass es so viele geniale polnische Handwerker gibt. Die
meisten von ihnen haben keinen regulären Handwerksberuf erlernt. Da es ihnen aber seit Kindertagen verboten ist, einen Schaden der Hausverwaltung zu melden, weil sie sich dort eh nur ein
höhnisches »No i co?« abholen würden, können sie alles eigenhändig reparieren. Ehrwürdige Uniprofessoren verfugen problemlos eine abgebrochene Fliese neu, sensible Hair-Stylisten ver-
löten Elektrokabel besser als mancher deutsche Profi.

Zurück zu meinem Türproblem. Aus polnischer Sicht wäre es
korrekt, wenn ich jetzt kommentarlos die nächste Toilette aufsuchen und die kaputte Tür hier offen stehen lassen würde. Doch
so weit kann ich selbst nach all den polnischen Jahren noch nicht
aus meiner deutschen Haut heraus. Ich habe meine Jugend in einem starken Staat verbracht, der mich wie eine treusorgende
Mami umhegt und dazu erzogen hat, diese Liebe gutgläubig zu-
rückzugeben. Also kann ich die Dinge hier in der Toilette jetzt
nicht einfach so schleifen lassen. Um zumindest aber nicht als
150-prozentiger Deutscher dazustehen, wähle ich einen Mittelweg. Ich melde den Schaden nicht, sondern repariere ihn stattdessen selbst. Dadurch gebe ich den zuschauenden Polen im

Speisewagen zudem ein leuchtendes Beispiel von Gemeinsinn. Ich repariere einen Gegenstand, der nicht mir selbst, sondern dem Staat gehört. Guckt alle her!

(Wie schwer es mir immer noch fällt, den von klein auf antrainierten Schadenmeldereflex abzustellen, bemerke ich immer, wenn ich in Warschau nach Einbruch der Dämmerung einem schusseligen Autofahrer zuwinke, sein Licht anzumachen. Noch nie habe ich in Polen gesehen, dass jemand vom Straßenrand aus einem Lichtschussel zugewunken hätte.)

Innerhalb von nur drei Minuten ist die Tür repariert. Ich musste bloß die beiden Ziehgriffe kräftig nach hinten biegen und die Scharnierritze mit Spucke anfeuchten. Jetzt läuft der Kimmbolzen wieder spurfrei über die Hubbelschwellung.

Nun habe ich es mir auch wahrlich verdient, mein menschliches Bedürfnis zu verrichten. Ich sperre die Tür von innen zu und lasse der Natur freien Lauf: Ich pullere. Ich möchte das hier ausdrücklich vermerken, da in keiner anständigen deutschen Filmkomödie eine Pipiszene fehlen darf. Um kein Detail schuldig zu bleiben, betone ich noch, dass ich beim Pinkeln selbstverständlich brav die Sitzposition einnehme. Das ist jenseits der

In Polen melde ich Zugschäden nicht mehr, sondern behebe sie selbst.

Ich öle Scharniere, wechsle Glühbirnen aus oder verlege mal eben komplett neue Kabel.

Oder noch keineswegs überall üblich. Es stellt für polnische Männer regelmäßig einen Schock dar, wenn sie auf Berliner WG-Toiletten durch ein ruppig formuliertes Schild zum Hinsetzen aufgefordert werden.

Portemonnaie weg

Als ich erleichtert aus der Toilette heraustrete, steht da plötzlich Arnold Schwarzenegger vor mir in diesem hautengen lila T-Shirt, den weißen Pullover über die Schulter gezogen. Er hat eine sehr finstere Miene aufgesetzt. Während er den Fuß durch die Tür setzt, hebt er den Zeigefinger und sagt auf Deutsch, mit ziemlich starkem Akzent: »Wir sind jetzt in Polen!« Ich gucke etwas irritiert. Er fügt hinzu: »Auf den Tisch liegt deine Geldbörse!«

Ach so! Ja, richtig! Ich habe mein Portemonnaie auf dem Tisch liegen lassen. Ich sage ihm aber zu meiner Verteidigung, dass ich noch nie in einem Zug bestohlen wurde. Das wäre ja auch sinnlos

– wie sollte der Dieb denn flüchten? Bis zum nächsten Bahnhof hätte ich ihn schon am Schlafittchen gepackt!

Big Arnie hat mir unwillig zugehört. Dann sagt er mit immer noch erhobenem Zeigefinger: »Vielleicht in Deutschland. Jetzt sind wir aber in Polen.«

»Aber die Kellner laufen doch ständig durch den Speisewagen. Da traut sich doch kein Dieb, was zu klauen.«

»Eeeeee! Das ist Sekunde, Moment – und weg!« Er macht eine blitzschnelle Handbewegung in der Luft. »Die Polen sind schlau!«

Unsicher frage ich: »Ja, sind Sie persönlich denn schon mal bestohlen worden?«

Er guckt etwas spöttisch: »Ich? Aber ich bin Junge aus Praga!« Warschau-Praga ist der verrufene Stadtteil auf dem rechten Weichselufer, von dem einem die meisten Warschauer weismachen, dass man sich abends nur mit einer Panzerfaust auf die Straße trauen dürfe.

Nach dieser Warnung schließt Big Arnie sich in der Toilette ein. Ich schaue verstohlen auf den Laufbolzen über der Hubbelschwellung und registriere befriedigt, dass meine Reparatur dem Speisewagen ein Stück nachhaltiger Lebensqualität zurückgegeben hat. Ja, ich bin ein typischer Missionar der Bürgergesellschaft, ich gebe es ja zu.

Nun gehe ich zurück in den Speisewagen.

Als ich mich meinem Tisch nähere, macht mir der Chefkellner von der Bar aus irgendwelche Zeichen. Er will mir wohl ebenfalls zu verstehen geben, dass ich besser auf mein Portemonnaie aufpassen soll. Ich grinse nur freundlich. Rührend, wie sehr sich die Polen Sorgen um einen machen.

Und dann der Schock. Das Portemonnaie liegt tatsächlich nicht mehr hinter der Teetasse! Es ist verschwunden. Es wurde geklaut. Big Arnie hatte recht. Ich schaue mich ratlos um: Das junge Ehepaar sitzt da, ins Gespräch mit dem deutschen Geschäftsmann vertieft. Der Japaner ist absolut unverdächtig. Umständlich zieht er gerade seine schwarze Jacke aus. Die Tätigkeit beansprucht ihn bis in die letzte Haarspitze.

Da stehe ich nun schockiert im Speisewagen und habe alles verloren: das Bargeld, die Kreditkarten, den USB-Stick mit meiner Lieblingsmusik und vor allem meinen schönen rosa Führerschein mit dem Foto, auf dem ich siebzehndreiviertel bin. Ach, hätte ich doch damals auf den Rat meiner Berliner Freunde gehört und mir vor der Reise nach Polen das Portemonnaie ein für allemal im Jackenfutter eingenäht!

Ich sinke verzweifelt auf meinen Platz nieder.

Plötzlich tippt mir jemand auf die Schulter. Es ist Pan Mirek, der Schaffner. Er ist wie aus dem Nichts hervorgeschossen, vielleicht aus der Kochkombüse, wo er das WARS-Team begrüßt hat. In seiner dunkelblauen Uniform sieht er groß und stattlich aus. Er hat eine kräftige Adlernase, die sich jetzt an der Wurzel zu einem leicht diabolischen Lächeln kräuselt. »Guten Morgen, Herr Steffek!«, sagt er auf Deutsch. Wir kennen uns schon so lange, dass er mich wie selbstverständlich mit einer Koseform anredet. »Guten Morgen« ist sein deutscher Lieblingsausdruck, weil es ihn nicht auf Polnisch gibt.

»Guten Morgen, Pan Mirek«, sage ich müde. Und pflichtgemäß schiebe ich hinterher: »Jak tam?«

»Stara bieda!«, antwortet er strahlend. Und plötzlich zieht er hinter dem Rücken mein Portemonnaie hervor. »Willkommen in Polen!«

Uff, welche Erleichterung! Ich grapsche hastig danach und gucke schnell nach: Bargeld, Stick und Führerschein sind noch da. Hurra!

Pan Mirek schüttelt unzufrieden den Kopf: »Sie müssen besser aufpassen!«

Trotz seiner pädagogischen Strenge sehe ich ihm ein bisschen Freude an. Er hat mich bei einer naiven Sorglosigkeit erwischt. Auch der junge Tomek aus Dorsten, der vom Nachbartisch aus alles beobachtet hat, stimmt Pan Mirek zu. »Herr Schaffner hat recht. Bitte sind Sie in Polen immer auf der Wache!«

Pan Mirek beginnt mit der Fahrkartenkontrolle. Weil wir alte Bekannte sind, knipst er mein Ticket als erstes. Als nächstes knipst er die Fahrkarten des Japaners, des Dorstener Pärchens und von Big Arnie. Diesen Letzteren scheint er allerdings nicht besonders zu mögen – was auf Gegenseitigkeit beruhen dürfte. Big Arnie guckt ihn überhaupt nicht an und sagt nur nachlässig »thank you«.

Nun tritt Pan Mirek zu Doktor Schwechtersheimer. Endlich hat er einen Vertreter seiner Lieblingsgruppe vor sich, einen soliden, ordentlichen Deutschen. Diese Menschen erkennt er auf den ersten Blick. »Die Fahrkarte, bitteschön«, sagt er überhöflich.

»Danke!«, sagt er liebenswürdig, als der Doktor ihm sein Ticket hinhält. Da der Doktor für den polnischen Streckenabschnitt von der Grenze bis Świebodzin noch keine Fahrkarte besitzt, muss Pan Mirek sie ihm ausstellen. Während er auf seinem portablen Ticketautomaten herumtippt, fragt er Doktor Schwechtersheimer: »Haben Sie nicht Ermäßigung?«

Der Doktor lacht ärgerlich: »Wie bitte? Nee! In Berlin wurde mir gesagt, dass es in Polen keine Ermäßigungen gibt. Es sei denn, man hat eine Bahncard, habe ich aber nicht.«

Pan Mirek grinst breit. »Das ist nicht richtig. Alle junge Menschen unter 26 Jahren haben in Polen Ermäßigung. Sind Sie 25 Jahre alt?«

»Gefühlte 25, ja!«

Der Doktor amüsiert sich, versteht aber nicht, dass Pan Mirek ihm goldene Brücken bauen will. Er bräuchte jetzt nur eiskalt »ja« zu sagen, und seine Fahrkarte wäre um 50 Prozent billiger.

Doch Pan Mirek hat noch eine zweite Möglichkeit für seinen Liebling parat. »Sind Sie vielleicht Sejm-Abgeordneter?«

»Äh, was?«

»Alle Abgeordneten in unserem Land fahren umsonst. Sie arbeiten nichts, sie reden nur – und sie dürfen trotzdem umsonst fahren. Das ist Polen.«

»Ach so, verstehe. So was wie der Bundestag. Na ja, um Abgeordneter zu werden, müsste ich wohl erst mal die polnische Staatsangehörigkeit erwerben. Wo muss ich mich denn melden, wenn ich die haben will?«

Pan Mirek grinst verächtlich. »Beim Psychiater. Wer will denn die polnische Staatsangehörigkeit haben? Nur Debile!«

Doktor Schwechtersheimer bleibt der Mund offen stehen. Er selber würde einem Polen gegenüber niemals so negativ über Deutschland sprechen. Schaffner Mirek ist derweil noch eine dritte Idee gekommen.

»Dann sind Sie vielleicht Kombattant?«, fragt er.

Harald Schwechtersheimer macht große Augen. »Wie meinen?«

»Haben Sie im Zweiten Weltkrieg mitgekämpft?«

»Also, das ist eine Beleidigung! Ich bin doch noch keine fünf-zig«, lacht der Doktor und zwinkert der jungen Dorota aus Dorsten zu. »Doch halt! Warten Sie! Gilt auch mein Vater? Obwohl – ich glaube nicht, dass die polnische Bahn es mir anerkennt, dass mein Vater in Frankreich die Résistance bekämpft hat!«

Er lacht schallend.

Auch Pan Mirek lacht. »Schade. Ich gebe Ihnen trotzdem Kombattantenermäßigung. Sie müssen ab jetzt in Polen kämpfen – gegen die Polen!«

Während er in seinem kleinen Handautomaten die Fahrkarte ausdruckt, fragt er, woher der Doktor kommt.

»Aus Krefeld. Kennen Sie das? Schönste Stadt Deutschlands.«

»Wie viele Kilometer ist das nach Bonn?«

»Na, so hundert«, antwortet Doktor Schwechtersheimer.

»Mögen Sie Bonn?«

»Äh, mittelmäßig. Guido Westerwelle kommt aus Bonn! Haha!«

Aber Pan Mirek hört gar nicht mehr zu. Vermutlich kennt er den Namen des deutschen Außenministers überhaupt nicht. Solche Konkretionen würden nur seine ideale Vision stören. Er träumt von Bonn wie andere Leute vom Paradies.

In diesem Moment gibt es eine Unterbrechung. Die junge Dorota fragt Pan Mirek mit einem Blick auf ihre Armbanduhr: »Ile minut jesteśmy opóźnieni – wie viele Minuten sind wir ver-spätet?«

Die freundliche Frage irritiert Pan Mirek. Sie holt ihn zurück auf den Boden des Vaterlands, aber er hat jetzt keine Lust auf kritische Fragen einer Landsmännin. Er sagt zu ihr kurz ange-bunden auf Deutsch: »Dreißig Minuten.«

Pani Dorota lacht laut, sodass auch ihr Mann angesteckt wird. Beide lachen über die Polnischen Staatsbahnen. So lachen Leute, die nichts mehr von ihrem Heimatland erwarten. Dreißig Minu-ten Verspätung, das war ja klar!

»Was können wir dafür, wenn der Zug bereits verspätet aus Deutschland gekommen ist?«, knurrt Pan Mirek auf Polnisch. Dann verlässt er den Speisewagen. Landsleute, die in Deutschland leben und dann auch noch ihr altes Vaterland kritisieren, mag er überhaupt nicht. Sie haben in seinen Augen Fahnenflucht begangen und besuchen die Heimat vermutlich nur deswegen, weil sie mal wieder richtig angeben wollen. Sie sollten lieber zurück an die Front kommen und die Korruption vor Ort bekämpfen, so wie er!

Wohnungswahn

Als Pan Mirek weg ist, bringt der Kellner dem jungen polnischen Paar sein Essen. Beide haben Rühreier bestellt. Während sie speisen, unterhalten sie sich auf Polnisch lebhaft über die günstigsten Wohnungskredite, über niedrige Zinsen und Währungsschwankungen zwischen Schweizer Franken, Euro und Złoty.

Ich höre verstohlen zu und warte nur darauf, dass das Gespräch schließlich auf Developerfirmen und Wohnungseinrichter kommen wird. Das tut es diesmal nicht, dafür sagt Dorota aber einen anderen Satz, den ich kenne: dass sie das Kinderzimmer, solange es noch kein Kind gebe, am liebsten vermieten würde, und zwar an einen Ausländer, keinesfalls an einen Polen.

Wohnungskauf und Hausbau sind die absoluten Lieblingsthemen aller Polen unter vierzig, ja stellen für viele ein quasireligiöses Ziel dar. So wie man früher um sein Seelenheil bangte, verfolgt man heute die Kreditpolitik der Banken. Wer als deutscher Einwanderer in Polen nicht mit den gröbsten Parametern dieses Themas vertraut ist, wird deshalb bei vielen Privatpartys stumm in der Ecke herumsitzen.

Sechshundert Kilometer weiter westlich nämlich lockt das Thema niemanden hinter dem Ofen hervor. Die meisten Deutschen sind langjährige Mieter und kennen nicht einmal die aktuellen Quadratmeterpreise ihres Wohnviertels. Sie interessieren sich allenfalls für die Höhe der Stromkosten.

Diese grundlegend andere Mentalität können die meisten in Deutschland lebenden Polen nicht verstehen. Ich habe schon viele heiße Streitgespräche über die Vor- und Nachteile von Mieten und Kaufen geführt. Inzwischen lasse ich die Finger davon. Die Diskussionen haben mir gezeigt, dass auch die rationalsten Argumente nur das rechtfertigen sollen, was vorher schon feststeht, nämlich die eigene Mentalität. Wenn ein Pole damit leben will, dass er sich auf vierzig Jahre hinaus verschuldet – bittesehr! Wenn ein Deutscher in Kauf nehmen will, dass er nach vierzig Mietjahren zwar häufig Urlaub gemacht hat, aber keinen Euro zurückbehält – bittesehr! Letztlich wiederholen sowieso alle nur das, was ihnen Mentalität, Kultur und Zeitgeist vorgeben.

Plötzlich schaltet sich Doktor Schwechtersheimer ein. »Na, nun streiten Sie sich doch nicht! Alles wird gut!«

»Wir streiten doch gar nicht«, sagt die hübsche Dorota lächelnd. »Wir reden immer so lebhaft. Das ist typisch polnisch.«

»Ach so! Ja, wie laut wird das denn, wenn Sie sich dann mal wirklich streiten?«

Daraufhin erzählt Dorota ihm glückstrahlend, dass sie sich mit ihrem Mann eigentlich nur über ein einziges Thema streite, nämlich über die richtigen Tischmanieren, genauer: über die richtige Besteckhaltung. Ja, tatsächlich! Tomek als ein in Polen sozialisierter Pole halte Messer und Gabel komplett anders als sie selbst, die in Deutschland aufgewachsen sei.

Pan Doktor Schwechtersheimer versteht nicht, was sie genau meint, und lässt sich von Tomek und Dorota vormachen, wie sie ihre Gabel halten. Dann nimmt er zur Kontrolle selbst die Gabel in die Hand und bemerkt erstaunt, dass er sie tatsächlich so wie Dorota hält. Er hat noch nie in seinem Leben darüber nachgedacht, wie er seine Gabel hält. Alle drei lachen.

Tomek bemerkt gut gelaunt, dass es noch ein zweites, äußerst kontroverses Thema zwischen ihm und seiner Frau gebe. Nämlich die Frage, wie man ein hart gekochtes Ei pellen solle. Er, als echter Pole, pelle dem Ei die Haut ab, während seine germanisierte Frau zunächst mit dem Messer die Spitze abschlage. Diese Art des Eiessens könne er gar nicht verstehen! Igitt, igitt!

Warnen statt Belehren

Doktor Schwechtersheimer lächelt höflich, hat aber offensichtlich schon genug von den interkulturellen Feinheiten. Abrupt wendet er sich an mich, den stillen Zuhörer: »Haha, und Sie dachten schon, Ihr Portemonnaie ist weg. Dieser verrückte Schaffner! Er kam rein, hat uns kurz gefragt, wem das Portemonnaie auf Ihrem Tisch gehört, hat es dann weggenommen und sich hinter der Bar versteckt. Ich dachte zuerst: Ej, hier boxt der Papst – der Schaffner klaut das Portemonnaie! Aber der wollte Ihnen nur eine Lehre erteilen.«

Links die deutsche, rechts die polnische Gabelhaltung

Doktor Schwechtersheimer hat stark untertrieben. Wenn man es genau nimmt, waren es innerhalb weniger Minuten sogar vier Leute, die mich belehren wollten: Big Arnie, der Chefkellner, Ehemann Tomek und schließlich Maso-Schaffner Mirek. Ihnen allen bereitete es diebisches Vergnügen, den naiven Ausländer zu warnen – vor wem? Natürlich vor ihren polnischen Landsleuten.

Ja, ich wurde eigentlich nicht belehrt, sondern gewarnt. Belehrt wird man in Deutschland. Ein Deutscher predigt einem Ausländer stets das Gesetz, ob nun Paragrafen oder Treppenreinigungspläne. In Polen hingegen gibt man mir zu verstehen: Vorsicht, du bist jetzt nicht mehr in Legoland! Du kommst in den Dschungel, wo keine Gesetze mehr gelten, beziehungsweise sehr viele Gesetze, aber ungeschriebene.

Den Unterschied zwischen deutscher Belehr- und polnischer Warnkultur bemerke ich immer am Gebrauch der Autohupe. In Deutschland wird sie zur Bestrafung eingesetzt, also meistens NACH der Tat. Man hupt zum Beispiel, weil der Vordermann an einer grünen Ampel nicht schnell genug losfährt, man hupt wie ein Richter: im Namen des Volkes. In Polen hingegen wird VORHER schon gehupt, warnend, vorbeugend, und zwar nicht als Richter, sondern von Privatmann zu Privatmann. Man warnt den Mitbürger, weil man ihn von vornherein für einen Schlaumeier hält, der sich nicht um abstrakte Normen schert. Und genau dieses Misstrauen ist die Quelle allen Übels. Nicht der Neid ist das größte Problem, sondern das Misstrauen, das sich gegen den eigenen Landsmann und die eigene Landsmännin richtet.

Misstrauen

Nun könnte man einwenden: »Die Polen werden Gründe für ihr Misstrauen haben. Anscheinend leben sie in einem besonders gefährlichen Land.« Doch die Statistik spricht eine andere Sprache. Die Kriminalität war nie so hoch wie in Deutschland und hat in den letzten Jahren sogar stetig abgenommen. Ein Abendspaziergang durch das bei den Warschauern als gefährlich geltende Stadtviertel Praga ist harmlos im Vergleich zu einer Nachtfahrt mit der Berliner S-Bahn.

Allerdings gibt es auch positive Folgen des allgemeinen Misstrauens. Es trägt dazu bei, dass Polen von allen 27 EU-Ländern das Mitglied mit den meisten Europa-Enthusiasten ist. Dahinter steckt nicht, wie Sonntagsredner glauben machen möchten, die idealistische Begeisterung für eine hehre Idee, sondern ein riesiger Wunsch nach Erlösung von den eigenen Landsleuten. Eines Sonntags war ich im Warschauer Zentrum Zeuge, wie ein älterer Mann einem Eiligen, der über eine rote Ampel lief, wütend hinterherrief: »Wenn die EU hier die Macht übernimmt, kommen Leute wie Sie ins Gefängnis!«

Die zweite positive Folge kommt westlichen Ausländern zugute. Sie haben in Polen keinerlei Probleme mit der Wohnungssuche, weil sie jedes Mieter-Casting problemlos gewinnen. Sobald ein polnischer Vermieter die Wahl zwischen einem Landsmann und einem Deutschen hat, wird er keine Sekunde lang zögern. »Ich nehme den Deutschen/Engländer/Dänen, denn mein Landsmann lässt mich am Ende mit den drei letzten Telefonrechnungen im Regen stehen!« Ein Pole, der in München eine Wohnung sucht, dürfte das umgekehrte Problem haben. Bis er eine Wohnung findet, muss er zehn Mal erleben, dass zuerst die deutschen Bewerber an die Reihe kommen.

Kunowice

Einer im Speisewagen scheint richtig froh zu sein, dass der Schaffner verschwunden ist, und zwar Big Arnie. Er ruft zum Kellner: »One Wodka, please!« Seltsamerweise redet er auch mit dem Kellner generell nur Englisch. Nanu? Vorhin hatte er sich doch noch als »Junge aus Praga« geoutet. Warum spricht er nicht Polnisch?

Der Kellner bringt ihm ein 50-Zentiliter-Gläschen. Big Arnie kippt es hinab und verzieht das Gesicht. »Kurwa, to kompot ... One more.«

Bei dem Wort »kurwa« handelt es sich um das beliebteste polnische Schimpfwort. »Kurwa« bedeutet wörtlich »Hure«, wird aber genauso universal verwendet wie das englische »Fuck!« Im Fernsehen oder im öffentlichen Leben ist es total verpönt – und wird dafür im Privatleben noch häufiger als das Komma benutzt. Ein deutscher Ehemann, der kaum Polnisch konnte, sagte einmal im Taxi zu seiner polnischen Frau harmlos: »Gdzie my kurwa jedziemy? – Wo fahren wir kurwa hin?« Da er ansonsten kaum Polnisch sprach, wirkte der Satz so komisch, dass seine Frau vor Lachen fast erstickt wäre.

Mit »Kompot« (Betonung auf der ersten Silbe) meint Big Arnie nicht die deutsche Variante für gekochte Früchte, sondern den trinkbaren Fruchtextrakt, der in kommunistischen Zeiten serviert wurde und heute nur noch in den wenigen übrig gebliebenen Milchbars erhältlich ist. Eine Vorabinformation: Warschaus beliebteste Milchbar befindet sich in der Kruczastraße, zur Mittagszeit leicht erkennbar an der langen Schlange, die bis auf den Bürgersteig hinausreicht.

Der Kellner eilt noch mal zurück und bringt ein zweites Gläschen mit durchsichtiger Flüssigkeit. Big Arnie mustert das Glas mit verächtlicher Miene. Dann kippt er es hinunter. Es ist acht Uhr morgens.

Unser Zug saust durch eine aufgegebene Grenzstation, man sieht ein verblichenes Schild: »Kunowice«. Bei diesem Ort handelt es sich um das legendäre »Kunersdorf«, wo Friedrich der Große 1759 die verheerendste Niederlage im Siebenjährigen Krieg erlitt. Nach 1945 wurde die Stadt zum Grenzort zwischen Deutschland und Polen. Hier waren die polnischen Zöllner stationiert, um ankommende Züge zu kontrollieren. Seit einigen Jahren stehen die Zollbaracken leer.

Ihre kaputten oder blinden Scheiben zeigen an, dass Grenzkontrollen im »Schengener Raum« der Vergangenheit angehören, zumindest fast. Die kleine Einschränkung ist angebracht, weil immer noch deutsche und polnische Grenzer durch die Waggons patrouillieren, um armen Migranten genau in die Augen zu gucken.

Ob ihnen dabei dicke Fische ins Netz gehen, bezweifle ich. Hauptziel der Patrouillen scheint mir zu sein, begabte junge Fußballer aufzugreifen, die sich aus ihrem Vaterland absetzen und in ausländischen Nationalmannschaften spielen wollen. Beispiel für so einen Fußballer zwischen den Welten ist Sebastian Boenisch, der bei Werder Bremen unter Vertrag steht und nach einigem Gerangel jetzt für Polen spielt.

Und nun verlassen wir das Waldgebiet und rollen in ein weitläufiges Bahnhofsgelände ein, wo viele Güterzüge mit schmutzigen Containern aus den verschiedensten europäischen Ländern herumstehen.

Wir sind in Rzepin angelangt, unserer ersten polnischen Stadt. Witam w Polsce – willkommen in Polen!

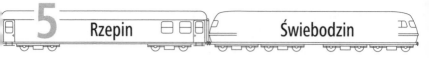

5 Rzepin — Świebodzin

Entfernung: 53 km
Fahrzeit: 25 Minuten
Kulturschock: Blicke, Blicke, Blicke
Wort der Strecke: Dziękujemy

Für immer in Rzepin?

Die meisten Deutschen sprechen den Ortsnamen »Rzepin« falsch aus. Es heißt nicht »Rätzepien«, sondern »Schäppin«. Ich darf daran erinnern, dass die polnische Buchstabenkombination »Rz« nichts mit unserem »rz« (wie in »März«) zu tun hat, sondern wie das »J« von »Jalousie« ausgesprochen wird.

Viele Jahre lang hielt der Eurocity in Rzepin mindestens eine Viertelstunde lang, weil die deutsche Lokomotive gegen eine polnische Lok ausgewechselt werden musste. Seit die Husarenlok (wie ein echter Betweener) beide Systeme in sich vereint, ist der Lokwechsel nicht mehr erforderlich, der Zug stoppt nur noch wenige Minuten.

Für Eisenbahnfans sehenswert ist eine riesige, fünfachsige Dampflokomotive, die direkt neben dem Bahnsteig abgestellt ist, eine polnische Lok der Baureihe 51. Diese größte jemals in Polen gebaute Dampflok-Baureihe wurde zwischen 1953 und 1958 hergestellt, entstammt also nicht dem 19. Jahrhundert, sondern ist eine sehenswerte Errungenschaft des Kommunismus. Noch bis Ende der Achtzigerjahre diente sie als Güterlok für Schwerlasten.

Neben der imposanten Lok stehen um diese frühe Morgenstunde zwei Männer in schwarzen Kampfhosen und schwarzen T-Shirts. Darüber tragen sie zitronengelbe Leuchtwesten, auf denen »STRAŻ OCHRONY KOLEI« steht. Das bedeutet »Eisenbahn-Schutzwache«. Solche Bahnpolizisten, oft im Vorrentenalter, sind auf jedem polnischen Bahnhof anzutreffen. Sie schlendern den ganzen Tag über die Bahnsteige, schreiben

Maso-Schaffner Pan Mirek. Seinen Nachnamen kenne ich bis heute nicht.

rauchende Teenager auf oder schleifen einen Betrunkenen vom Gelände.

Dann gibt es hier in Rzepin noch einen unauffälligen Mann, der keinerlei Uniform trägt, aber eilig die Waggons abgeht, sich immer wieder bückt, die Fahrgestelle mustert und Zahlen in einen Schreibblock einträgt. Er prüft nach, wie viele Waggons der Zug hat, ob sie in der richtigen Reihenfolge angehängt und nicht beschädigt sind. Jeder Grenzübertritt eines Waggons muss zwischen der Deutschen Bahn und den Polnischen Staatsbahnen penibel abgerechnet werden. Wehe, es stimmt etwas nicht. Dieser kuriose Pole ist also von Beruf Schadenmelder. Meldet er Schäden auch im Privatleben? Vermutlich nicht.

In der Stadt Rzepin, die zur Woiwodschaft Lubuskie (Lebus) gehört, leben etwa 6500 Menschen. Sehenswert sind das Rathaus, die Kirche sowie eine gigantische, 600 Jahre alte Eiche, die drei Kilometer vom Stadtzentrum entfernt steht, zwanzig Meter hoch ist und einen Umfang von sechs Metern hat.

Wer also die Natur liebt und fühlt, dass Rzepin die ideale neue Heimat ist – bittesehr! Niemand hat behauptet, dass Polen nur in Warschau schön ist. Man kann bereits hier aussteigen und ein ländliches Leben zwischen Rathaus, Kirche und Eiche führen. Viele der Bewohner sind ehemalige Grenzpolizisten und Soldaten, die schon mit Mitte vierzig in Rente gehen durften und jetzt als Taxifahrer oder Händler arbeiten, einige übrigens auch als Bordellbesitzer. Apropos: Die Gruppe der grenznahen Freier hatte ich bei meiner Aufzählung der Frankfurter Polenfans ganz vergessen.

Noch eine Erklärung zum Wort »Woiwodschaft«. »Województwo« – so heißt auf Polnisch einer der 16 polnischen Verwaltungsbezirke. Auch Deutschland ist in 16 »Bezirke« eingeteilt, aber eine Woiwodschaft ist nicht mit einem Bundesland vergleichbar, weil Polen keine föderale, sondern eine zentralistische Verwaltungsstruktur hat, so wie Frankreich. Alles wird von der Hauptstadt aus bestimmt. Der Chef der Woiwodschaft ist der »Woiwode«, einem deutschen Regierungspräsidenten vergleichbar. Anders als der deutsche Ministerpräsident wird er nicht vom Volk direkt gewählt, sondern von der Regierung in Warschau eingesetzt, besitzt daher viel weniger Unabhängigkeit und muss bei einem Regierungswechsel in Warschau sofort um seinen Job bangen.

Und noch eine Erklärung, die längst überfällig ist. Im Wort »Województwo« taucht der Buchstabe »ó« auf, der früher schon in »dobry wieczór – guten Abend« vorkam. Bei dem Strichlein über dem ó handelt es sich leider nicht wieder um ein Weichheitszeichen, sondern um eine pure Schikane. Dank des Strichleins spricht man das ó wie »u« aus – und das, obwohl es im Polnischen auch ein normales »u« gibt. Verantwortlich für diese verwirrende Parallelexistenz zweier U-Laute sind sprachgeschichtliche Feinheiten, die nur Fachleute verstehen. Festzuhalten bleibt aber, dass diese Schikane eine rare Ausnahme bildet, damit die Kinder in der Grundschule irgendwie gequält werden können. Ansonsten ist die polnische Orthografie deutlich logischer als die deutsche.

Kaum in Polen, schon erholen

Kaum ist der Zug zum Halten gekommen, steht Big Arnie auf und schreitet zum Ausgang. Der Japaner läuft hinterher. Gleich darauf sieht man sie nebeneinander auf dem Bahnsteig stehen, rauchend. Mehrere andere Passagiere tun das Gleiche. Warum sind die Nikotinfreunde nicht schon in Frankfurt ausgestiegen? Weil sie dort nicht den Mut dazu hatten. Sie hatten Angst vor der deutschen Polizei. Die Zeit war zu knapp, um sich großartig in die gelbe Raucherzone zu begeben. In Polen hingegen, wo an den Bahnsteigen ein noch strengeres, nämlich absolutes Rauchverbot herrscht, tun sie, worauf sie Lust haben. Die beiden Bahnpolizisten intervenieren ja sowieso nicht. Man erkennt daran die Regel: Kaum in Polen, schon erholen: von deutschen Restriktionen und der unnachgiebigen deutschen Staatsmacht. In Polen fühlt man sich freier – zumindest so lange, bis man das nächste Mal wieder ein schnelles Gerichtsurteil oder ein komfortables Krankenhaus braucht. Dann sehnt man sich plötzlich ganz fix zurück in den strengen Westen.

Mehrere Leute rauchen und telefonieren gleichzeitig. Sie freuen sich, endlich wieder zum polnischen Inlandstarif sprechen zu können. In Deutschland haben sie mehrere Tage lang nur telegrammartige Botschaften ins Telefon gebrüllt. Hier in Rzepin können sie ihrem Redefluss wieder flatratefreien Lauf lassen.

Andere Passagiere laufen geschwind in das Bahnhofgebäude, um sich eine Tageszeitung zu kaufen. Auch ich gehöre zu ihnen.

Kioskkultur

Die Bahnhofshalle von Rzepin ist nicht groß und mit hellblauen Fliesen ausgelegt. Polen wurde 1989 aus einer Mangelwirtschaft zu einem Fliesenland. Fliesen waren der neue Luxus: billig, abwaschbar und in tausend Farben erhältlich. Nach all den grauen Jahren konnte sich nun jede Hausfrau ihr individuelles Bad gestalten, jeder Gastronom, jedes Ministerium die Farben des Regenbogens ausprobieren. Also wurde das ganze Land gefliest, und zwar am liebsten in schreienden Farben, orange, hellgrün oder zitronengelb. Zwanzig Jahre nach der Wende geht dieser Gründerzeitwahnsinn allmählich zu Ende, die schrillsten Fliesen werden langsam wieder herausgerissen. Aber in Rzepin ist es noch nicht so weit.

Alle Reisenden stehen vor dem kleinen Kiosk gegenüber dem Fahrkartenschalter. Die meisten Wartenden in dieser Schlange sind energische Polinnen zwischen fünfzig und sechzig, die sich nach harter Entbehrung in Deutschland wieder nach ihrer Lieblingsillustrierten sehnen. Ich freue mich mit ihnen, dass sie sich wie die Fischlein im heimischen Gewässer fühlen können. Dafür nehme ich auch in Kauf, dass die Warterei etwas länger dauert. Sie scherzen mit dem gutmütigen Verkäufer, entscheiden sich mühsam zwischen der polnischen »VIVA!«, der »Gala« und drei weiteren People-Magazinen, und am Ende legen sie noch zwei Sudoku-Hefte drauf.

Ich nutze diese Wartezeit, um einige Betrachtungen über die polnische Presselandschaft anzustellen. Präziser sollte man vielleicht von einer »Kiosklandschaft« sprechen. Die Kioskdichte ist nämlich atemberaubend. In meiner Warschauer Straße gibt es auf einer Länge von 300 Metern drei Kioske. Polen, die nach Deutschland kommen, sind in den ersten Tagen verwundert, dass Kioske so rar gesät und noch dazu in Hausparterren oder Souterrains versteckt sind. Ohne einen Kiosk in Steinwurfweite fühlen sie sich unbehaglich. Die polnische Medienwelt wird im Grunde genommen nicht von den großen Zeitungen regiert, sondern von den großen Kioskmultis »Ruch« und »Kolporter«. Diese beiden beherrschen, zusammen mit dem Medienkaufhaus »Empik«, den Zeitungs- und Zeitschriftenmarkt. Es passt deshalb sehr gut, dass viele Kioske, wie auch der hier in Rzepin, ein winziges Sichtfensterchen haben, zu dem sich der Kunde tief herunterbeugen muss. Hier ist er nicht König, sondern Untertan. Der Sinn des Fensterchens ist natürlich offiziell ein ganz anderer: Weil Kioske meist auf offener Straße stehen, müssen sie im Winter einen steifen Wind ertragen. Der Kioskpächter schiebt sein Fensterchen dann nur millimeterweise auf, reicht die Zeitung durch und schließt das Fenster wieder missgelaunt.

Die Systemwende von 1989, die fast in allen Belangen (zum Beispiel Fliesen) so etwas wie eine Stunde null war, hat in Sachen Kioske ausnahmsweise einmal nicht viel verändert. Während sich der private Einzelhandel erst mühsam Verkaufsflächen schaffen musste, gab es die Kioske schon im Kommunismus. Seit damals hat sich auch die Tradition gehalten, dass Kioske die Fahrkarten für den öffentlichen Nahverkehr verkaufen. An den Haltestellen oder in den Straßenbahnen gibt es (fast) keine Fahrkartenautomaten. Beim Fahrer an Bord ist das Ticket wiederum etwas teurer, man muss die sogenannte »Manipulationsgebühr« entrichten. Ehe ein ausländischer Tourist endlich kapiert hat, dass der Fahrkartenverkauf in Kiosken stattfindet, ist er schon zwei Mal beim Schwarzfahren erwischt worden. Abends, wenn die Kioske geschlossen sind, steht der Tourist erst recht auf dem Schlauch: Woher jetzt noch eine Fahrkarte nehmen?

Ein weiterer Grund für die Popularität von Kiosken ist psychologischer Natur. Kioskware wirkt günstiger und unkomplizierter als identische Produkte aus den Einkaufszentren oder Fachgeschäften. Man kann sich einbilden, es gebe weniger Zwischenhändler, die mitverdienen wollen. Außerdem entfällt die Hemmschwelle, einen Laden betreten und das Produkt erst einmal mühsam suchen zu müssen. Ein Kiosk ist wie ein Schaufenster ohne Laden dahinter, alles gut sichtbar. Auch ich kaufe hier manch unsinniges Produkt, für das ich einen Laden gar nicht erst betreten würde, zum Beispiel ein Vogellexikon oder eine Sonnencreme mit Schutzfaktor 200.

Die Kioskdichte hat bislang allerdings auch die Entstehung einer Abonnementskultur wie in Deutschland verhindert. Der Grund, warum es in Deutschland relativ wenige Kioske gibt, ist simpel: Die meisten Leute haben eine Zeitung abonniert und gehen nur alle Jubeljahre zum Kiosk. In Polen hingegen pilgert man täglich dorthin – und das hat weitreichende Folgen für die Lesekultur des Landes, bis hinein in die Politik.

So gibt es zum Beispiel eine atemberaubende Fülle an Tages- und Wochenzeitungen. Während Deutschland von »Spiegel«, »Stern« und »FOCUS« dominiert wird, findet man in Polen mindestens fünf Wochenmagazine mit einer Auflage von mehr als 100 000 Stück. Die Kioskstruktur erlaubt es auch neuen Blättern, blitzschnell bekannt zu werden. Sie bezahlen einfach den Kioskmultis saftige Prämien und werden dafür sofort gut sichtbar ausgehängt. Im Aboland Deutschland ist es viel schwerer, an neue Kunden zu kommen. Die polnische Tageszeitung »Fakt« (die so aggressiv ist, wie ihr deutsches Pendant »Bild« allenfalls in den Sechzigerjahren war), wurde vom Axel-Springer-Verlag quasi über Nacht zum Marktführer hochgepusht. Auch ein 2010 neugegründetes Wochenmagazin namens »Uważam rze« schaffte es innerhalb eines einzigen Jahres, den bisherigen Marktführer »Polityka« zu entthronen. Diese Dynamik hat wiederum Folgen für die politische Kultur des Landes. Neue Parteien, neue Ideen können viel schneller unters Volk kommen als im schwerfälligen Aboland Deutschland. Ehe man ein Abo kündigt, muss viel passieren. Zeitungen sind deshalb, ähnlich wie die politischen Parteien, in Deutschland auch im Zeitalter der elektronischen Medien noch immer eine vergleichsweise stabile Angelegenheit. In Polen hingegen überlegt der Leser jeden Morgen neu, welche Zeitung er kaufen oder welche Partei er wählen soll. Der Wettstreit der Meinungen, Bilder, Skandale ist rasant. Kein Wunder, dass unter den Zeitungen und Zeitschriften ein gnadenloser Konkurrenzkampf tobt. Unglaublich, welche blödsinnigen Give-Aways sich die Redakteure einfallen lassen. Man wundert sich immer wieder, was sich alles in eine Zellophanhülle einschweißen lässt, von Sandälchen über Parfümchen bis zu Schreibmäppchen und aufblasbaren Nackenkisschen.

Die Leidtragenden der Kioskkultur sind Kinder und Jugendliche. Sie, die kein Geld zum Zeitungskaufen haben, werden dadurch generell weniger ans Lesen herangeführt. Eine Zeitung, die sich die Mama morgens auf dem Weg zur Arbeit gekauft hat, trifft erst abends zu Hause ein – wenn überhaupt und dann unappetitlich zerknittert. Ein Abo sorgt hingegen dafür, dass die Zeitung den ganzen Tag zu Hause liegt.

Die Kioskkultur hat natürlich auch gravierende Folgen für den polnischen Buchmarkt. Der Weg in die Buchhandlung ist anstrengender als zum Kiosk, und mit der Aktualität einer Presseschlagzeile kann sowieso kein Buch konkurrieren. Laut einer Umfrage der Warschauer Nationalbibliothek vom November 2010 haben 56 Prozent aller Polen im Jahr 2009 kein einziges Buch in die Hand genommen. Damit steht das Land blamabel da. In Frankreich waren es 31 Prozent, in Tschechien sogar nur 17 Prozent, die keine Bücher lasen. Genau umgekehrt verhält es sich beim Fernsehkonsum. Da liegt Polen im europäischen Spitzenfeld.

Die allerneueste Entwicklung spricht allerdings wieder für die Kioskkultur. Während den deutschen Zeitungen die Abonnenten wegbrechen, hält sich die Zahl der polnischen Kioske auf hohem

Niveau. Wird sich die Kioskkultur also im Zeitalter von Online-zeitungen paradoxerweise als Segen für die gedruckten Gazetten erweisen?

Im Netz der Blicke

Während ich noch immer in der Schlange vor dem Bahnhofs-kiosk in Rzepin stehe, beschleicht mich plötzlich ein unbehagli-ches Gefühl. Ich fühle mich beobachtet. Das Gefühl ist mir aus Mathematikarbeiten bekannt, wenn der Lehrer mir minutenlang beim Pfuschen zusah, ehe er zuschlug.

Unauffällig drehe ich mich um. Richtig, mein Gefühl hat mich nicht getrogen. Ich werde fixiert – und zwar von drei Seiten gleichzeitig. Da ist zum einen Big Arnie, der plötzlich hinter mir in der Schlange steht und stark nach Nikotin duftet. Trotz der eher dunklen Bahnhofshalle hat er sich seine braun getönte Pra-da-Sonnenbrille auf die Nase geschoben. Er wirkt arrogant wie immer und erwidert meinen Blick ohne ein Wort.

»Hello«, sage ich schüchtern. Und um ein nettes Gespräch an-zuleiern, füge ich hinzu, wie es sich gehört: »Jak tam?«

»Awful«, sagt er kurz angebunden und guckt von nun an streng nach vorne zum Kioskfenster. Small Talks mit Leuten, die ihr Portemonnaie herumliegen lassen, sind offensichtlich unter sei-ner Würde.

Die zweite Person, die mich mit ihren Blicken verfolgt, ist eine Fahrkartenverkäuferin hinter ihrem Schalterfensterchen. Sie hat gerade keinen Kunden und guckt neugierig in der Halle herum. Vielleicht spielt sie mit den Zugpassagieren das Spiel, das ich vor-hin auf dem Berliner Bahnsteig gespielt habe: Nationalitätenra-ten. Ich gucke unwillkürlich an mir herunter: Gibt es an meiner Kleidung etwas typisch Deutsches? Ist mein Gesicht typisch ger-manisch oder typisch slawisch? Beides wurde mir schon beschei-nigt. Wie auch immer – es ist nicht angenehm, sich vor den Au-gen der Schalterbeamtin wie ein Affe im Zoo zu fühlen. Eine deutsche Fahrkartenverkäuferin starrt im Allgemeinen nicht so neugierig in der Gegend herum, sondern tippt geschäftig auf ih-rem Computer herum oder mustert gelangweilt ihre Fingernägel. Ich werfe der Dame einen strafenden Blick zu. Als sie merkt, dass ich sie beim Glotzen ertappt habe, guckt sie schnell woandershin. Doch kurz darauf streift sie mich doch wieder mit den Augen. Hat sie mich als Ex-Promi identifiziert? Nein, leider nicht. Also habe ich nichts mehr zu verlieren und grinse sie diabolisch an. Sie lächelt unsicher zurück. Big Arnie hinter mir wundert sich über meine Grimasse und dreht sich kurz zur Quelle um. Als er sie entdeckt hat, wendet er sich brüsk wieder dem Kioskfensterchen zu. Seine Aggression scheint immer größer zu werden. Er bindet sich seinen weißen Pullover stramm um den Hals.

Die dritte Person, die mich fixiert, ist eine wartende Frau auf einer Holzbank. Sie hat einen fragenden Ausdruck im Gesicht, als wüsste sie nicht, dass in diese kleine Halle vier Mal täglich die große Eurocity-Welt hereinschneit. Zum Glück beobachtet sie nicht nur mich, sondern auch die anderen Passagiere in der Schlange.

Jedes Mal in Rzepin brauche ich solche Momente, um mich an die fundamentale Tatsache zu erinnern, dass ich jetzt in einem anderen Land bin, wo andere Gesetze gelten, auch für Blicke. So oft bin ich schon in Rzepin angekommen, und immer wieder bilde ich mir ein, dass die polnisch-deutschen Unterschiede immer weiter gegen null tendieren und eigentlich gar nicht mehr der Rede wert sind. Schon fünf Minuten in der Bahnhofshalle belehren mich eines Besseren: Ich bin jetzt wieder im Land der Blicke, und in einem weiteren Sinn heißt das: im Land der emotionalen Intelligenz.

Emotionale Intelligenz

Bei emotionaler Intelligenz handelt es sich laut Wikipedia um »die Fähigkeit, eigene und fremde Gefühle (korrekt) wahrzunehmen, zu verstehen und zu beeinflussen«.

Alles beginnt mit der Wahrnehmungsdichte. Sie dürfte in Polen um das Zehnfache höher liegen als in Deutschland. Der Ankömmling fühlt sich plötzlich nicht mehr gläsern, sondern wie auf dem Präsentierteller. Auf deutschen oder amerikanischen Straßen gehen die Leute mit gesenktem Blick aneinander vorbei; in Polen guckt jeder jeden an, Nachbarn schauen sich ins Fenster, die Neugierde ist grenzenlos. Dadurch ist es in Polen in einem gewissen Sinn schwerer, Distanz und Privatsphäre zu wahren. Auf das hellwache Wahrnehmen folgt das Taxieren und Beurteilen. Wenn ein Deutscher langsam seinen Blick erhebt, hat sich ein Pole schon eine Meinung über ihn, das Wetter und die Katze hinter dem Fenster gebildet. Diese Schnelligkeit bestimmt den gesamten Alltag. »Und Sie sind auch schon müde!«, sagte eine Kellnerin zu mir, während sie spät abends das Lokal fegte. »Man sieht es an Ihren Augen!« Erstaunt sah ich sie an. Mir war nicht aufgefallen, dass sie mich beim Fegen überhaupt angeguckt hatte.

Dazu noch diese unverfrorene Ehrlichkeit bezüglich meiner dicken Augenringe. Deutsche Kellnerinnen müssen schon sehr mütterlich gestrickt sein, ehe sie eine Bemerkung über meine Augen machen. In Polen kommen solche Kommentare häufig, auch von wildfremden Leuten. Dabei ist immer wieder verblüffend, wie unabhängig die Wahrnehmungsfähigkeit von schulischer Bildung oder genetisch ererbter Intelligenz ist. Ob Kellnerin, Putzfrau oder Professor – Beruf und Milieu haben hier überhaupt nichts zu sagen. Emotionale Intelligenz scheint ausschließlich von der Mentalität des Landes abzuhängen, in dem man aufwächst.

In Deutschland herrscht keine Emotionalitäts- , sondern eine Professionalitätskultur. Es zählen Argumente, Statistiken und Kompetenz. Emotionen sind suspekt, sie gelten als irrational, besonders im Arbeitsleben. Das Ziel eines strebsamen Angestellten besteht darin, nach zwanzig Dienstjahren alle Fertigkeiten zu beherrschen, die der Beruf erfordert. Damit einher geht aber leider auch eine Reduktion derjenigen Emotionen, die der Beruf NICHT erfordert, also der allermeisten Emotionen. Der Angestellte verwandelt sich in einen Spezialisten. In anderen, berufsfernen Lebenslagen hat er allmählich immer weniger zu sagen und wehrt fachfremde Fragen erschrocken ab: »Da bin ich nicht kompetent.« Diesen Satz wird man von Polen seltener hören. Sie sind professionell häufig schmaler, emotional dafür aber umso breiter aufgestellt. Der Lampenverkäufer kann vielleicht keinen zweistündigen Monolog über neue Teflon-Glühelemente halten, dafür aber nach Feierabend eine weinende Taxifahrerin trösten, dem Studenten einen Flirttipp geben oder mit dem Fernsehmoderator über Politik debattieren. Immer wieder ist für Deutsche überraschend, wie noch der schlichteste polnische Klempner sein Urteil abgibt, und zwar nicht nur über Schraubenschlüssel und Kunststoffrohre, sondern gerne auch über Gurkenanbau oder Steinway-Flügel. Er übt es ja jeden Tag. Er guckt aufmerksam in der Gegend herum, beobachtet seine Kunden und bildet sich pro Stunde tausend Urteile über alles und jeden.

Je mehr Urteile sich aber ein Mensch bildet, desto begieriger wird er darauf, sie wieder loszuwerden. Kein Wunder, dass das polnische Diskussionstempo viel höher ist, ob am Mittagstisch oder bei Fernsehdiskussionen. Jeder ist kompetent, jeder weiß Bescheid, jeder hat Vorfahrt, jeder bildet sich ein, die Meinungen der Gegenseite schon nach drei Worten zu kennen. Die geduldige Prüfung von Argumenten – Hauptbestandteil einiger deutscher TV-Talkshows – ist auf diese Weise natürlich kaum mehr möglich. Argumente verbrennen im polnischen Kessel wie Stroh, Polit-Talkshows verwandeln sich innerhalb von Minuten in flammende Infernos. Keiner lässt den anderen ausreden, alle fallen sich gegenseitig ins Wort – und Pan Mirek sieht sich vor dem Fernseher in seinem Urteil bestärkt, dass die Politiker alle Schwätzer sind.

Nationallaster »Unterbrechen«

Hier die gängigsten polnischen Phrasen, um sich möglichst sofort ins Gespräch einschalten zu können:

»Przepraszam, że wchodzę ci w słowo …«	– Entschuldigung, dass ich dir ins Wort falle …
»Halo, mam pytanie …«	– Hallo, ich habe eine Frage …
»Sorry, że przerywam …«	– Sorry, dass ich unterbreche …
»Mogę się włączyć do rozmowy?«	– Darf ich mich ins Gespräch einschalten?

Wer seinen Satz hartnäckig zu Ende sagen will, sollte sich mit folgenden Worten gegen den Unterbrecher wehren:

»Daj mi dokończyć …«	– Lass mich zu Ende reden …
»Daj mi szansę!«	– Gib mir eine Chance!
»Kurwa, teraz ja mówię!«	– Hure, jetzt rede ich!

Emotionengrab Deutschland

Je emotionaler die Atmosphäre, desto unbehaglicher fühlen sich die anwesenden Deutschen. Ich habe es bei der Weihnachtsfeier einer deutsch-polnischen Firma beobachtet. Als das traditionelle Oblatenbrechen begann, flohen zwei deutsche Manager mit ihrem Glühwein in eine Ecke des Saals, um sich für einen Augenblick von den hohen emotionalen Drehzahlen zu erholen. Während sich die Polen in den Armen lagen und einander liebevolle Weihnachtswünsche ins Ohr raunten, begannen sie, sich eine deutsche Sachlichkeitsnische zu basteln. Der eine zeigte auf den Weihnachtsbaum: »Der kippt doch gleich um. Man sollte ihn in der Wand festtackern.« – »Unsere Nachbarn in Iserlohn nehmen für ihren Baum eine 13-Millimeter-Senkschraube und hauen das Ding in die Balkonwand.« – »13 Millimeter? Sie meinen wohl Zentimeter.« – »Nee. 13 Millimeter Durchmesser. Das hält bis Ostern.«

Kein Wunder, dass Polen in Deutschland oft kaum glauben können, wie blickarm, wie emotional genügsam und sparsam an Mimik die Deutschen ihr Leben fristen. Regelrecht beleidigt fühlen sie sich von dem schreienden Mangel an Empathie, an Einfühlung in die Gefühle anderer Leute. Eine junge Polin, die mit ihrem Partner abends auf der Restaurantveranda saß, sagte fröstelnd: »Mir wird langsam kalt.« Der junge, ansonsten recht intelligente Deutsche erwiderte: »Mir nicht« und kuschelte sich erleichtert in seine Jacke. Sie wurde furchtbar böse und beschuldigte ihn, kein Gentleman zu sein, aber das war ungerecht. Die Sache hatte nicht viel mit Gentleman oder Ritterlichkeit zu tun. Hätte der Deutsche registriert, dass seine Partnerin tatsächlich friert, hätte er ihr seine Jacke ohne zu zögern abgetreten. Doch leider war er in einer Kultur aufgewachsen, die ihn nicht zum permanenten Kontrollblick erzogen hatte.

Viele polnische Einwanderer steigern sich allmählich in eine immer größere Sehnsucht nach dem heimischen Empathieparadies hinein. Bei Besuchen in der Heimat fühlen sie sich von fremden Blicken gegossen wie welke Blumen. Nach drei Tagen haben sie allerdings aus anderen Gründen wieder genug und singen Loblieder auf das emotionslose, dafür aber reibungslos funktionierende Deutschland. Und so in alle Ewigkeit, hin und her.

Ich erinnere mich plötzlich an die junge Mutter, die zwischen Berlin und Frankfurt so ausgebrannt und leer auf dem Korridor stand. Im Land der emotionalen Ignoranz verwunderte ihr Verhalten niemanden. Die Passagiere schoben sich gleichgültig an ihr vorbei und dachten vielleicht allenfalls: Morgenmuffel! Auch ich hätte nichts Besonderes an ihrem apathischen Vor-sich-hin-Starren gefunden, wenn sie mich nicht vorher im »Eingangsbereich« verärgert hätte. Hätte ich mich also um sie kümmern, sie gar nach ihrem Wohlergehen fragen sollen? Mancher Pole – und besonders manche Polin – hätte die junge Mutter jedenfalls sofort ins Auge gefasst und spekuliert, welches Problem vorliegen könnte. Vielleicht eine Ehekrise oder Tablettenmissbrauch? Mir selbst kam diese Idee auf deutschem Boden leider noch nicht, sondern erst hier, in Rzepin, wo ich mich plötzlich in einen wacheren Menschen verwandele, der aufmerksamer hinschaut.

Dank hoher emotionaler Intelligenz noch in den ärmsten Bevölkerungskreisen ist in Polen deswegen auch das Phänomen der Amokläufer – emotional toter, aber kognitiv hochintelligenter junger Männer – nahezu unbekannt. Bevor ein Mensch vereinsamt und eines Tages explodiert, muss er zunächst einmal durch das Netz der Blicke fallen. Das ist hier fast unmöglich. Irgendein alter Nachbar oder eine aufgekratzte Tante ist immer da, die nach dem Rechten guckt, nicht unbedingt aus Liebe, aber aus Neugier oder auch schlichtweg aus Misstrauen.

Ja, es soll nicht verschwiegen werden: Hohe Empathie führt auch zu gesteigerter Neugier, und das wird im Land der Blicke manchmal ziemlich klaustrophobisch, besonders in kleinen Siedlungen, wo ohnehin schon eine hohe Wahrnehmungsdichte herrscht. Ein deutscher Schrebergärtner aus dem Düsseldorfer Raum beklagte sich mir gegenüber einmal, er habe sich von seinem polnischen Grundstücksnachbarn permanent neugierig beobachtet gefühlt, bis er endlich dahintergekommen sei, dass dieser Mann durch seine Gartenhecke nicht nur ihn, sondern alle Welt so durchdringend mustere.

Sprachübung

Höhere emotionale und soziale Wachsamkeit schlägt sich auch in der Sprache nieder. Ein gutes Beispiel dafür ist das polnische Wort für »danke – dziękuję«. Das Wort bedeutet streng genommen »ich danke«. Sobald man aber in einer größeren Gruppe ist, zum Beispiel im Restaurant, darf man zum Kellner nicht mehr »ich danke« sagen, sondern muss die erste Person Plural benutzen: »Dziękujemy – wir danken«. Sogar Standardphrasen müssen also im Land der Blicke wachsam auf die Situation abgestimmt werden.

Blitzeinschlag

Ich stehe immer noch in der Schlange vor dem Kiosk. Einmal bilden sich alle Wartenden ein, von draußen den Pfiff des Schaffners gehört zu haben. Wir rennen wie aufgescheuchte Hühner hinaus auf den Vorplatz, sehen aber Pan Mirek ruhig neben der blauen Lok stehen und eilen zurück in die Bahnhofshalle.

Endlich kommt die Reihe an mich. Ich bücke mich tief zum Kioskfenster hinunter und bitte um eine »Gazeta Wyborcza«. Die Zeitung kostet zwei Złoty (50 Cent). Damit eile ich zurück zum Zug, permanent besorgt, dass er gleich losfährt.

Das ist aber keineswegs der Fall. Schaffner Mirek und sein Kollege stehen in einem lustigen Pläuschchen auf dem Bahnsteig; nun treten auch noch die beiden Bahnpolizisten mit den zitronengelben Westen hinzu. Ich gehe hin und frage, warum der Zug nicht weiterfährt.

Pan Mirek antwortet mir: Die Computersteuerung der Bahnübergänge und Weichen des vor uns liegenden Streckenabschnittes sei vor einer halben Stunde ausgefallen, und zwar durch Blitzschlag im nahe gelegenen Stellwerk Boczków. Niemand wisse, wann es weitergehe.

Ich klettere gemütlich in den Speisewagen zurück. Unterwegs muss ich grinsen, weil ich mich an den Gesichtsausdruck von Pan Mirek erinnere, mit dem er mir die Havarie mitgeteilt hat. Dieser Ausdruck war heiter, fast triumphierend. Auch die drei Kollegen wirkten keineswegs besorgt, sondern eher befriedigt darüber, dass ihr Arbeitgeber jetzt Probleme hat. Ist es anarchische Lust am Chaos oder »uneigennützige Missgunst«?

Der Japaner sitzt wieder an seinem Tisch, öffnet gerade den Rucksack und holt sich einen Kaugummi heraus. Mit solchen Maßnahmen gelingt es ihm tatsächlich, nicht nach Zigarettenqualm zu stinken. Danach öffnet er ein dickes Buch und beginnt darin zu lesen. Dank meiner frisch angeeigneten Wahrnehmungsfähigkeit registriere ich, dass es sich um ein Buch in polnischer Sprache handelt. Außerdem bemerke ich, dass die über das Buch fallende Haartolle des Japaners an den Spitzen blond gefärbt ist.

Gleich darauf kommt auch Big Arnie zurück, mit zwei neu erstandenen Zigarettenpäckchen. Er setzt sich allerdings nicht zurück an seinen Tisch, sondern geht weiter zu Doktor Schwechtersheimer. Unerwartet höflich fragt er: »Darf ich mich setzen?«

Doktor Schwechtersheimer grinst überrumpelt und macht eine einladende Handbewegung.

Big Arnie holt eine Visitenkarte heraus und fängt an: »Wie alt sehe ich?«

»Wie alt Sie aussehen? Ja, was soll ich da sagen? Achtzehn plus Mehrwertsteuer!« Schwechtersheimer guckt, wie nach jedem seiner Witzchen, beifallsheischend zu dem jungen Pärchen am Nachbartisch hinüber. Dort lacht man pflichtgemäß, vielleicht auch ein bisschen ironisch, nämlich über die Eitelkeit des Doktors.

Big Arnie beachtet seine lachenden Landsleute nicht und fragt ernsthaft, ja geradezu drängend weiter. »Sehe ich wie fünfzig?«

»Nein, höchstens wie 49!« sagt Doktor Schwechtersheimer halbwegs ernst.

»Gib 13 Jahre dazu. Ich bin 62!«

Harald Schwechtersheimer spitzt bewundernd den Mund, sagt aber nichts. Die Sache wird ihm unheimlich.

Big Arnie zeigt auf die Visitenkarte. »Ich will in zwei Jahre zu Rente gehen.« Dann steht er kurz auf, geht zu seinem Sitzplatz und holt Fotos, die er Doktor Schwechtersheimer auf den Tisch legt.

Dazu erzählt er eine kleine Geschichte. Er lebe in Meerbusch, wolle sich jetzt aber in Polen selbstständig machen und eine Firma für Hausbau gründen.

»Meerbusch?«, fragt Doktor Schwechtersheimer. »Da kommt die Tante meiner Frau her!«

»Ich habe Büro dort. Ich fliege zwischen Meerbusch und Warschau hin und her. Heute nur ausnahmsweise Zug.«

»Ja, und was machen Sie da in Meerbusch?«, fragt der Doktor.

»Finanzberatung«, sagt Big Arnie kurz. Dann fährt er fort: Er habe bereits Kontakt aufgenommen zu einer soliden deutschen Baufirma, die insgesamt zwanzig Fertighauslizenzen vertreibe. Diese Lizenzen wolle er franchizen und in Polen anbieten, wo gerade ein sensationeller Hausboom herrsche. »Schauen Sie«, sagt er und will mit seinem Kuli etwas auf die Speisekarte zeichnen. Doch der Kuli geht nicht.

»Nehmen Sie meinen, niederrheinische Wertarbeit«, lacht Doktor Schwechtersheimer.

Big Arnie nimmt den Kuli, aber lacht nicht mit. »Ich werde haben tausend Leute in ganz Polen. Wir geben drei Jahre Garantie. Das sind nicht normale Fertighäuser. In Polen – wie sieht in Polen ein Haus aus? Da arbeitet Maurer Józek, Hydraulik Franek, und nach zwei Jahren ist Keller nass!«

»Also, das finde ich ungerecht, mein Lieber! Polnische Handwerker erfreuen sich bei uns eines sehr guten Rufes. Meine Cousine hat ihr Haus in Moers von zwei Polen streichen lassen. Die haben eine Woche lang für 2500 Euro gearbeitet. Da kann man wirklich nichts sagen!«

Aber Big Arnie hört nicht zu, sondern zeichnet mit Schwechtersheimers Kuli auf der Speisekarte herum. Nun betrachtet er sein Werk und sagt mit glänzenden Augen: »Deutsche Qualität! Wir bieten deutsche TÜV, drei Jahre Garantie.«

»Gibt es auch einen Haus-TÜV? Das wusste ich gar nicht«, meint Doktor Schwechtersheimer.

»Haus ist fertig in hundert Tagen, wir geben Garantie!«, endet Big Arnie triumphierend.

Beide gucken sich eine Weile schweigend das Haus an, das Big Arnie auf die Speisekarte gekritzelt hat.

»Ja, und jetzt wollen Sie, dass ich Ihnen so ein Haus abkaufe, oder was?«, fragt Harald Schwechtersheimer halb belustigt, halb ratlos.

»Nein. Ich brauche Kredit, ich brauche Bürgschaft für Fertighauslizenzen. Sie geben mir Geld, 100 000 Euro, und in drei Jahren kriegen Sie 200 000 Euro zurück.«

»Ja, aber Sie haben doch gerade gesagt, dass Sie sich in zwei Jahren zur Ruhe setzen wollen. Wie geht das denn jetzt zusammen?«

Big Arnie deutet ein »Eeeeee …« an und bindet sich seinen weißen Pullover fester um den Hals. »Ich persönlich – ja, in Rente. Aber meine Mitarbeiter bleiben. Ich habe junge Tochter, meine Nachfolgerin. Ich bin 62 Jahre alt, habe schwaches Herz, habe ganzes Leben gearbeitet … «

»Als Finanzberater«, wirft Doktor Schwechtersheimer ein.

»Alles! Finanzberater, Hydrotechniker …«

»Was ist denn Hydrotechniker? Haben Sie in der Sahara nach Wasser gesucht?«

»Nicht wichtig! Am wichtigsten im Leben ist Kultur. Theater, Oper, Malerei – meine Frau malt Bilder. Ich will ihr helfen, Bilder verkaufen.« Big Arnie bemerkt unwillig, dass Doktor Schwechtersheimer zusehends amüsiert ist, und erhebt sich. »Also wissen Sie: nehmen Sie Karte, denken Sie nach, rufen Sie mich an. Kann ich auch Ihre Karte haben?«

Doktor Schwechtersheimer zögert. Er schaut hinüber zu Dorota und Tomek am Nebentisch. Sie grinsen und geben ihm mit einem Verdrehen der Augen zu verstehen, dass sie ihn bemitleiden. Da zuckt er mit den Schultern und holt eine Visitenkarte aus dem Portemonnaie heraus. »Rufen Sie einfach meine Sekretärin an. Die ist sehr nett, übrigens auch Polin. War einfach die hübscheste Bewerberin.«

Big Arnie geht zurück an seinen Sitzplatz und winkt den Kellner heran.

»Which wine do you have? Do you understand? Wine! White wine or red wine?«

»Sofia«, sagt der Kellner. »And Bordeaux.«

»Sofia? Is it a joke? Do you have white wine?«

»Only Chardonnay.«

»Ok. So bring him Chardonnay!«

Der Kellner stellt den georderten Wein vor Doktor Schwechtersheimer. Der hebt sein Glas und prostet zu Big Arnie herüber. »Na zdrowie! Mensch, noch nicht neun Uhr, und ich proste hier schon mit Weißwein. So hab ich mir das vorgestellt bei euch in Polen!«

Big Arnie guckt missmutig aus dem Fenster.

Schaffner Mirek steht immer noch auf dem Bahnsteig und unterhält sich mit seinen Kollegen. Vielleicht erzählt er ihnen gerade wieder ein drastisches Beispiel für die berühmte uneigennützige Missgunst seiner Landsleute. Der Schaffnerkollege und die beiden Bahnpolizisten lachen jedenfalls herzlich. Man sieht ihren Mienen an, dass sie Pan Mirek für seine Geschichten lieben: Genauso ist es! So verrückt sind wir!

In diesem Moment klingelt Pan Mireks Handy. Er nimmt ab und bekommt eine dienstliche Miene. Die Störungen der Bahnübergänge sind offensichtlich beseitigt. Er und sein Kollege springen in den Zug, die Wachmänner heben salutierend ihre Gummiknüppel. Bis zum Eintreffen des nächsten Eurocity haben sie nun wieder öde Patrouillenstunden vor sich.

Woiwodschaft Lubuskie

Der Zug rollt aus dem Rzepiner Bahnhof hinaus. Wir tauchen ein in eine wunderschöne grüne Hügellandschaft, in der kleine Siedlungen und lauschige alte Backsteinhäuser versteckt sind. Hinter einem dieser malerischen Gebäude stehen roh gezimmerte Bienenkästen im Garten. Die Bienchen schwirren um die Kästen herum, fast bis an die Glasscheibe des Speisewagens heran. Zwischen zwei Birnbäumen ist eine Leine mit nasser Wäsche gespannt.

Das Lebuser Land, das in Fontanes »Wanderungen durch die Mark Brandenburg« ausführlich beschrieben wird, ist immer noch dünn besiedelt und ein ideales Ausflugsgebiet für müde Berliner, die auf Ponyhöfen reiten oder in den immer zahlreicheren Spa-Bädern entspannen wollen, zum Beispiel am romantischen See von Łagów. Irgendwo habe ich mal den folgenden Limerick gefunden:

Ein Opa aus Lebus,
der haute sechs Fliegen zu Mus,
die siebte blieb leben,
da schlug er daneben
und sagte zur Oma: Tu du's!

Hinter Rzepin führt die Bahnstrecke einige Zeit neben der Landstraße her, über die jahrzehntelang der gesamte deutsch-polnische Transitverkehr rollte. Obwohl die Autobahn vom Grenzübergang Świecko bis nach Posen inzwischen fertiggestellt wurde, donnern hier immer noch viele Lastwagen entlang. Die Autobahn kostet nämlich Mautgebühren, und zwar nicht zu knapp. Von der deutschen Grenze bis kurz vor Warschau zahlt man locker über 100 Złoty. So manche Spedition will dieses Geld sparen und lässt weiter über die alte Landstraße brettern.

Ach, wie gut, dass ich diese Lkw-Kolonnen aus sicherer Entfernung sehen darf! Jetzt ist der Moment gekommen, ein paar Wahrheiten über den polnischen Straßenverkehr loszuwerden.

Die Zahl der Verkehrstoten lag im Jahr 2010 bei circa 4000 Menschen. Man könnte sagen: Toll, im Jahr 1998 waren es noch knapp 7000 Menschen, also ist auch auf diesem Feld wieder, ähnlich wie bei den Autodiebstählen, ein sehr erfreulicher Rückgang zu verzeichnen. Doch in Deutschland, wo es fünfzig Millionen und damit zweieinhalb Mal so viele Fahrzeuge wie in Polen gibt, lag die Zahl der Verkehrstoten im Jahr 2010 nur bei 3648 Menschen.

Vier Gründe sind verantwortlich für das unglaublich hohe Unfallrisiko auf polnischen Straßen:

1. Schlechte Straßenqualität.

2. Zu wenige Autobahnen.

3. Uralte Autos. Etwa ein Drittel aller polnischen Fahrzeuge ist älter als zehn Jahre.

4. Mangelnde Fahrkultur, sprich: ein hoher Anteil an Lebensmüden, die bei durchgezogener Linie überholen, gerne auch in der Kurve, bei Nebel, mit defektem Licht, unter Alkoholeinfluss, mit kaputten Bremsen und Handy am Ohr.

Mein Autohorror speist sich aber nicht bloß aus Statistiken. Wer regelmäßig über Polens Straßen fährt, sieht mindestens ein Mal pro Woche Wracks in der Gegend herumstehen, daneben blinkende Abschleppwagen sowie verstörte Insassen, die von der Polizei gestützt werden müssen. Diese Bilder haben sich bei mir so tief eingegraben, dass ich heute auch in Deutschland am liebsten ganz aufs Autofahren verzichte.

Bruch von Sehgewohnheiten

Die polnische Landschaft unterscheidet sich auf tausenderlei Weise von der deutschen. Einmal sehe ich drei Rehe, die auf einer wilden Wiese äsen. Aus irgendeinem Grund bilde ich mir spontan ein, seit Jahren keine Rehe mehr gesehen zu haben. Das ist Unsinn, denn noch letzte Woche habe ich entlang der ICE-Strecke nach Stendal Rehe entdeckt. Doch der Anblick von Rehen auf einer deutschen Wiese war offensichtlich ein ganz anderer. Es fängt schon damit an, dass Wiesen und Äcker in Deutschland anders gemäht und anders gepflügt werden; unterschiedlich ist auch die Art des Heustapelns; die Jägerhochstände sind anders gezimmert; ja, sogar der Sonnenuntergang wirkt in Polen anders.

Das alles ist nicht besonders erstaunlich. Sehgewohnheiten ändern sich an jeder Landesgrenze. Auch wer von Aachen nach Belgien fährt oder von Bad Schandau nach Tschechien oder vom österreichischen Graz ins slowenische Maribor, bemerkt sofort, dass sich nicht nur Architektur, Menschenschlag und Sprache ändern, sondern auch Details der Natur. Ein Warschauer Filmregisseur sagte mir einmal in Berlin, dass er an den Fotos einer deutschen und einer polnischen Wiese sofort erkennen würde, in welchem Land sich die jeweilige Wiese befindet.

Aber die deutsch-polnische Grenze bricht mehr als nur Sehgewohnheiten. Sie dürfte eine der unvermitteltsten, schroffsten Mentalitäts- und Kulturgrenzen in ganz Europa sein. In den meisten anderen Grenzgebieten hat die Geschichte weniger arg gewütet, die Regionen konnten ihren kulturellen Zusammenhalt irgendwie gegen die nationalen Differenzen behaupten, ob im Elsass, in Tirol oder in Schleswig-Holstein. Im Fall von Deutschland und Polen ist die Geschichte viel mitleidloser verfahren. Im Lebuser Land sieht man sofort, dass die jetzigen Bewohner erst seit sechzig Jahren da wohnen. Sie haben immer noch nicht die volle Kontrolle über die Natur errungen, die hier üppiger, ungezähmter sprießen darf als auf der deutschen Seite der Oder. Erst seit einigen Jahren wird auch dieser allerwestlichste Streifen Polens vollständig zivilisiert, als hätte der EU-Beitritt die letzte Furcht vor einer Rückkehr der Deutschen beseitigt.

Auch die Menschen entlang der Bahnstrecke lassen sich nicht mit deutschen Sehgewohnheiten kategorisieren. Das fällt mir auf, als wir durch irgendeine Kleinstadt donnern und an einem hässlichen, heruntergekommenen Hochhaus vorbeifahren. In Berlin würde ich in einem solchen Wohnblock eher traurige Gestalten vermuten, hier aber sieht man eine junge, adrette Familie herauskommen, die frohgemut einen Kinderwagen schiebt. Es ist ein Bild, wie man es von Fotos aus dem Deutschland der Sechzigerjahre kennt.

Umgekehrt müssen auch Polen in Deutschland ihre Menschenkenntnisse revidieren. Eine unscheinbare Berlinerin, die mit Pennerklamotten und wirren Haaren herumläuft, kann sich bei näherem Kennenlernen als verbeamtete Biologielehrerin und harte Travellerin entpuppen, die auf dem Fahrrad 3000 Kilometer durch Kenia zurückgelegt hat und dabei nur knapp einem Nashorn entronnen ist. Solche alternativen Biografien bilden in Polen bislang eher die Ausnahme, man kann sie noch nicht recht einordnen.

Gazeta Wyborcza

Nach einigen Minuten ist der grenznahe Sensibilisierungseffekt allerdings schon wieder verbraucht. Ich habe mich so weit an die neue Natur und Zivilisation gewöhnt, dass sie mich zu langweilen beginnen. Ich schlage die Zeitung auf, die ich in Rzepin gekauft habe.

Doch halt! In diesem Moment ertönt die erste Ansage unseres Zugchefs. Mit einer monotonen Stimme, die nicht ihm selbst zu gehören scheint, rattert Pan Mirek eine kurze Routineansprache herunter. Zunächst werden sämtliche Bahnhöfe bis Warschau genannt, dann erfolgt ein Hinweis darauf, dass der Tabakkonsum im gesamten Zug verboten ist. Ein Grund für die verspätete Abfahrt aus Rzepin wird nicht angegeben.

Doch was erwarte ich auch! So eine Erklärung wäre ja ein öffentliches Schuldbekenntnis, eine Art Selbstschadenmeldung.

Nun also endlich zu meiner Zeitung, der »Gazeta Wyborcza« oder auch »Gazeta«, wie man sie kurz nennt. Sie ist zweifellos die wichtigste Tageszeitung Polens. Ihre Auflage liegt bei etwa 400 000 Exemplaren pro Tag, knapp hinter dem bereits erwähnten Marktführer, dem Raubtierblatt »Fakt«. Eine solche Zeitung habe ich bislang weder in Italien, Deutschland oder England angetroffen. Das beginnt schon bei ihrer Geschichte.

»Gazeta Wyborcza« bedeutet: Wahlzeitung. So heißt sie, weil sie kurz vor den ersten freien Wahlen am 4. Juni 1989 gegründet wurde. Ziel war es, die Polen zur Stimmabgabe für die Kandidaten der Opposition zu mobilisieren, vor allem für Tadeusz Mazowiecki, den späteren Premierminister. Das gelang auf glänzende Weise. Die Gründungsredakteure entstammten alle dem Dissidentenlager. Chefredakteur wurde die Ikone der polnischen Opposition, Adam Michnik. Übrigens ist die »Gazeta« heute die letzte große polnische Tageszeitung, die sich in polnischer Hand befindet. Alle übrigen Blätter gehören ausländischen Investoren – auffällig viele davon deutschen Medienkonzernen wie etwa dem Axel-Springer- oder dem Heinrich-Bauer-Verlag. Was würden die Deutschen dazu sagen, wenn die Schlagzeilen der *Frankfurter Allgemeinen* oder der *Süddeutschen* von Ausländern verantwortet würden? Würde man nicht über »Ausverkauf« und »fremde Mächte« schimpfen? In Polen hat man diese Dinge anfangs ebenfalls angeprangert, später aber bemerkt, dass die deutschen, englischen oder norwegischen Besitzer sich eher mäßigend, aber keinesfalls hetzerisch in die polnische Innenpolitik einmischten.

Die »Gazeta« verstand sich also von Anfang an als parteiische Zeitung, als Vorkämpferin für eine demokratische Zivilgesellschaft. Dieses Selbstverständnis prägt sie bis heute, egal ob es um die Wahl ihrer Fotos oder ihren sprachlichen Stil geht. Im allgemeinen polnischen *negative thinking* verkörpert sie eine ziemlich unpolnische optimistische Sicht der Welt. Ihr Motto lautet denn auch: »Uns ist nicht alles egal.« Dieser pädagogische Anspruch ist für deutsche Leser ungewohnt. Es wirkt oft lehrerhaft, wie vehement hier gestritten wird, ob gegen Korruption, Homophobie oder den weißrussischen Diktator Alexander Lukaszenko.

Auffällig ist ihr Umfang. Das liegt zum einen daran, dass es neben dem überregionalen Hauptteil noch sage und schreibe 21 Regionalteile gibt. Welche deutsche Zeitung würde sich diesen Luxus leisten? Zum anderen versucht die »Gazeta«, die traditionellen Zeitungsthemen Politik, Kultur, Wirtschaft und Sport mit neuen Akzenten zu bereichern. Dahinter steckt das

Ziel, nicht nur eine bestimmte Klientel, sondern sämtliche Altersgruppen, Gesellschaftsschichten und Bildungsniveaus zu erreichen. Die Fülle der täglich wechselnden Beilagen ist unglaublich. Immobilienbeilage, Kulturmagazin, Wochenendmagazin, Kochrezepte, nicht zu vergessen die Werbeprospekte von Ikea, Mediamarkt oder Kaufland. Der Mülleimer meiner Straßenbahnhaltestelle ist um neun Uhr morgens zu zwei Dritteln mit »Gazeta«-Kram vollgestopft. Auch Stammleser, die schon am Kiosk routiniert alle Inserts herausklauben, müssen damit rechnen, dass zehn Minuten später aus den Tiefen der Zeitung noch ein Faltblatt mit den schönsten polnischen Singvögeln herausflattert. Da dürfen sie dann über den Boden der Straßenbahn kriechen und zwischen den Füßen der Passagiere »przepraszam« murmeln.

Kurios ist die Babybeilage: Jeden Samstag gibt es in den Lokalteilen einige Hundert Begrüßungsfotos von Babys, die in der letzten Woche geboren wurden. Ein Fotoreporter ist durch die Krankenhäuser der jeweiligen Stadt gegangen und hat verschrumpelte Säuglinge mit verklebten Augen fotografiert. Darunter stehen dann die Namen der neuen Erdenbürger. Man kann hinter dieser Idee einen plumpen Marketinggag sehen, um die überglücklichen Eltern als neue Leser zu gewinnen. Man kann aber auch loben, dass durch diese Fotos ein angenehmer Kontrast zu den üblichen Schreckensnachrichten einer Zeitung entsteht.

Auch für den Abschied von der Welt hat sich die »Gazeta« etwas Besonderes einfallen lassen. Neben den üblichen Todesanzeigen sind Lebensläufe Verstorbener abgedruckt, die von Angehörigen oder Freunden an die Redaktion gesandt wurden, häufig in einem ungeübten, dafür umso authentischeren, herzlicheren Stil. In diesen Texten kommt eine Privatheit zum Ausdruck, die für deutsche Leser bisweilen naiv klingt, weil wir nicht an das Zeigen von Gefühlen in der Öffentlichkeit gewöhnt sind. Die viel stärkere Vermischung von Privatem und Öffentlichem ist zum Beispiel auch daran erkennbar, dass die Verstorbenen von ihren Kindern als »Tata« und »Mama« bezeichnet werden. In deutschen Anzeigen, aber auch in der Alltagssprache ist dagegen meist die Rede von »Vater« und »Mutter«. Wer würde schon zum Taxifahrer sagen: »Mein Papa hat heute Geburtstag.«

Der sehr intensive polnische Totenkult ist übrigens auch vom Eurocity aus zu erkennen. Mehrfach geht die Fahrt an Friedhöfen vorbei. Auffällig an ihnen ist, dass die meisten Gräber stets mit frischen Blumen geschmückt sind, ganz besonders farbenprächtig in der Zeit um Allerheiligen herum, wenn die Menschen ihre Familiengräber besuchen. In Deutschland lebende Polen wundern sich über das schwach ausgeprägte Totengedenken und die kahlen, menschenleeren Friedhöfe.

Zurück zur »Gazeta Wyborcza«. Besonders wichtig ist ihr der Kampf gegen den Antisemitismus. Es gibt zwei dezidiert jüdische Autoren, die, ähnlich wie in Deutschland der aus Katowice stammende Henryk M.Broder, über Angelegenheiten aus Israel berichten. Übrigens ist auch Chefredakteur Adam Michnik ein Pole jüdischer Herkunft wie auch noch andere einflussreiche Redakteure des Verlagshauses Agora. Dass Michnik sich als Atheist bezeichnet, hilft ihm nicht. Die »Gazeta« ist ihrer »jüdischen Prägung« wegen in gewissen Kreisen unbeliebt, etwa bei dem Rechtsaußen-Rentner-Radiosender »Radio Maryja«.

Auch auf anderen Gebieten will die »Gazeta« die polnische Realität aktiv verändern. Ständig werden neue Aufklärungsinitiativen angestoßen. Im April gibt es eine Kampagne zur Verbesserung des Schulunterrichts, im Mai wird zu verstärkter Buchlektüre aufgerufen, im Juni zum Jogging (mit Hilfe einer Reportage über einen 67-jährigen Marathonläufer, der früher Alkoholiker war). Dann wieder wird natürliches Gebären propagiert, anschließend Fahrradfahren, danach beginnt schon die Einstimmung auf die jährliche Gay Parade, und das alles mit Podiumsdiskussionen, Internetforen und regionalen Aktionen.

Es ist eine schwierige Frage, wo man die »Gazeta« politisch einordnen soll. Meist wird sie als »linksliberal« bezeichnet und mit der »Süddeutschen Zeitung« verglichen. Das ist insofern berechtigt, als sie den liberalen Premierminister Donald Tusk und seine »Bürgerplattform« unterstützt und heftig gegen Jarosław Kaczyński und seine Partei »Recht und Gerechtigkeit« agitiert.

Andererseits ist »links« und »rechts« in Polen doch ein bisschen anders gewichtet. Die Begriffsverwirrung beginnt schon damit, dass der Ausdruck »links« immer noch von den Postkommunisten in Anspruch genommen wird, die aber, ganz anders als die »Linke« in Deutschland, stockliberale FDP-Politik propagieren. »Rechts« wiederum ist in Polen kein böses Wort, sondern bezeichnet nationalkonservative Kreise, die sich auf ehrbare Vorkriegstraditionen berufen können. Bei genauerem Hinsehen würde man wohl auch die »Gazeta« in vieler Hinsicht als konservativ bezeichnen müssen. Zum einen wegen ihrer strikt marktliberalen Ausrichtung, zum anderen wegen ihrer katholischen Komponente. Regelmäßig gibt es kurze Kolumnen eines Journalisten-Theologen namens Jan Turnau. Er sieht aus wie ein asketischer Mönch, schreibt aber durchaus humorvoll über den Sinn von Feiertagen oder päpstlichen Enzykliken. Keine Frage: Viele »Gazeta«-Leser sind liberal, aber auch katholisch, und zwar in einer sympathischen, modernen Variante von Katholizismus, der die offizielle Kirche schwer atmend hinterherhechelt.

Auch die übrigen Kolumnen der »Gazeta« entstammen den bekanntesten polnischen Federn. Diese Kolumnisten sind so etwas wie ein Schattenkabinett, das nicht abwählbar ist – und dementsprechend viele Feinde im Land hat. Es ist unglaublich, wie es einer einzelnen Zeitung gelungen ist, in derart vielen Bereichen der Gesellschaft die Meinungsführerschaft zu übernehmen. Sogar der wichtigste Literaturpreis Polens, der Nike-Preis, wird von der »Gazeta« vergeben.

Ein Mal im Jahr pilgern ihre Anhänger zum großen »Gazeta«-Picknick in den Warschauer Królikarnia-Park. Dort lagern sie zu Tausenden auf einer großen Wiese neben dem Schlösschen und lauschen einem Jazzkonzert oder einer Theateraufführung. Eine ähnliche Integrationskraft hat in Deutschland noch nicht einmal die »Bild«-Zeitung entfaltet. Aber auch demjenigen, der nicht unbedingt zum engsten Fankreis gehört, kann die »Gazeta« manch tristen Samstagnachmittag verschönern. Wer einmal zwei Stunden lang im dunklen, tröpfelnden Bahnhofsgebäude von Legnica auf den Anschlusszug nach Dresden warten musste, verspürt momentweise eine gewisse Aggression gegen die polnische Provinz. In solchen Momenten gibt einem die voluminöse Wochenendausgabe der »Gazeta« den Glauben zurück, dass Polen insgesamt doch modern, facettenreich und schön ist. Deutsche Zeitungen kommen einem dagegen distanziert und ironisch-blutleer vor.

Adam Michnik

Für die einen ist er die höchste mora-
lische Autorität Polens, für die anderen
der Hohepriester einer linken Sekte.
Kein Zweifel besteht aber daran, dass er
schon seit mehr als dreißig Jahren zu den
fünf einflussreichsten Polen zählt – in
der schnelllebigen Medienbranche keine
schlechte Leistung. Erstaunlicherweise
hat er es dabei geschafft, dass kaum
private Details über sein Leben bekannt
wurden. Kaum jemand weiß so recht, wo er wohnt, ob er verheiratet
ist oder Kinder hat.

Michnik, Jahrgang 1946, ist neben Lech Wałęsa (Jahrgang 1944)
der bekannteste Oppositionelle Polens gewesen. Schon als Student
wurde er während der Unruhen des Jahres 1968 inhaftiert, was sich
bis zum Jahr 1987 noch oft wiederholte. Mehrfach wurde er dabei
gefoltert und erlitt Kopfverletzungen, die zum Stottern führten, für
das er heute berühmt ist.

Mitte der Achtzigerjahre bot ihm der Chef des Geheimdienstes, General Czesław Kiszczak, Straffreiheit an, wenn er ausreisen würde – was
er in einem offenen Brief an Kiszczak ablehnte.

Am Runden Tisch im Jahr 1989, der aus fünfzig Vertretern bestand,
die jeweils zu gleichen Teilen aus Regime und Opposition kamen, saß
er mit dabei, zog später sogar kurzzeitig als Abgeordneter in den Sejm
ein, schied allerdings schon 1991 wieder aus. Er sah seine Aufgabe
von nun an in der Arbeit an »seiner« Zeitung. Die ihm zustehenden
Aktien des Verlagshauses Agora ließ er ruhen, damit ihm nicht unter-
stellt werden könne, dass er journalistische Arbeit mit Gewinnstreben
verquicke. Doch Michnik könnte sein letztes Hemd verschenken, es
hülfe ihm nicht. Wohl kaum ein Mensch in Polen hat so viele Feinde
wie er. Da sind zum einen die Antisemiten, die ihm aufgrund seiner
jüdischen Herkunft unterschwellige Sympathie mit den Postkommunisten unterstellen (nach dem Krieg traten viele Juden der Kommunistischen Partei bei, darunter auch Marcel Reich-Ranicki).

Aber auch seinen ehemaligen Freunden aus der Opposition gilt er als
Verräter, zumindest ihrem rechten Flügel, repräsentiert durch Jarosław
Kaczyński. Der Grund: Michnik und sein Freund Tadeusz Mazowiecki,

der erste frei gewählte Premierminister der Dritten Republik, waren Verfechter des »Dicken Schlussstriches«, einer Amnestie für ehemalige Spitzel und Parteifunktionäre. Die Politik des »Dicken Schlussstriches« führte in den Neunzigerjahren zur Spaltung der Solidarność-Bewegung. Vor allem die Brüder Lech und Jarosław Kaczyński lehnten Straffreiheit für die ehemaligen Machthaber ab. Ein großer Aufschrei ging durch die Presse, als Michnik im Jahr 2003 einen Brief an seinen ehemaligen Peiniger, den inzwischen fast achtzigjährigen General Kiszczak, abdrucken ließ, in dem er ihm ausdrücklich verzieh, ja sogar Verständnis für seine unter dem Diktakt der Sowjetunion stehende Staatsauffassung bekundete.

Michnik schreibt heute nur noch unregelmäßig Artikel, meist lange, schwierige Riemen für die Wochenendausgabe. Doch ist er nach wie vor die graue Eminenz im Hintergrund. An wichtigen Tagen verfasst er den Leitartikel auf der Titelseite, etwa im Jahr 2003, als er den Krieg gegen den Irak mit den Worten billigte: »Dieser Krieg ist richtig, auch wenn er von Bush und Rumsfeld angezettelt wurde.« Oder am Tag nach dem Flugzeugabsturz von Smoleńsk, als er sich angesichts des Todes seines Lieblingsfeindes Lech Kaczyński einer »Gewissensprüfung« unterzog: »Alle Kritik muss nun verstummen, weil der Kritisierte keine Chance mehr zur Änderung hat.« Kurz vor der Parlamentswahl im Oktober 2011 rief er eindringlich zur Wahlbeteiligung und zum Votum gegen Jarosław Kaczyński auf.

Entfernung: 103 km
Fahrzeit: 50 Minuten
Kulturschock: Christus
Wort der Strecke: Bigos

Christus und Tesco

Wir fahren in Świebodzin ein. In den Fenstern des kleinen Bahn-
hofsgebäudes stehen schöne Blumenkästen, trotzdem sieht der
alte, dunkle Backsteinbau im Vergleich zum wohlrenovierten
Bahnhof von Rzepin wie ein Freilichtmuseum aus. Wer sich strikt
an den Satz hält »Bahnhöfe sind das Antlitz einer Stadt«, müsste
hier den Schluss ziehen, Świebodzin sei ein noch kleineres Nest
als Rzepin. Doch das wäre ausnahmsweise ein Irrtum. Świebodzin
hat fast 22 000 Einwohner. Polenweit bekannt wurde die Kleinstadt im Jahr 2010, und zwar durch den Witz: »Wann wurde der
Tesco-Supermarkt von Świebodzin gebaut? Im Jahr zehn vor
Christus.«

Zur Erklärung: Tesco ist eine englische Supermarktkette, die in
Polen gigantische Supermärkte auf die grüne Wiese setzt. In
Deutschland sind derartige Monstren nicht bekannt. Auch in
Świebodzin steht so ein weißer Flugzeughangar.

Und Christus – das ist eine Anspielung auf den Kulturschock,
den Świebodzin für seine Besucher bereithält. Man muss nur aus
dem Fenster des Speisewagens schauen. Einige Hundert Meter neben den Gleisen steht auf einem künstlich aufgeschütteten Hügel
außerhalb der Stadt Europas größte Christusstatue, ganz in weiß,
mit klassizistischem Faltenwurf und 33 Meter hoch. Allein die goldene Krone ist zwei Meter hoch. Die Spannweite der segnend aus-
gestreckten Arme beträgt 24 Meter. Das Ganze wirkt so, wie sich
Karl May in seinem durchgeknallten Spätwerk »Winnetous Er-
ben« die kolossale Statue des Edelindianers vorgestellt hat.

Für kurze Zeit war der Christus von Świebodzin sogar der höchste Christus der ganzen Welt, überragt er doch die berühmte Statue von Rio de Janeiro um ganze drei Meter. Leider war der Rekord nur von kurzer Dauer. Im Jahr 2011 wurde in Peru ein Christus gebaut, der noch um vier Meter höher als der von Świebodzin ist.

Doch warum schaut Christus nach Westen? Liegt es einfach nur daran, dass er die Stadt Świebodzin segnen soll, oder hat er auch ein bisschen die Aufgabe, der aus dem Westen kommenden Säkularisierung Einhalt zu gebieten, von der auch Polen nicht verschont bleibt?

Säkularisierung

Wenn man zu kommunistischen Zeiten die Frage stellte: »Wer sind die drei wichtigsten Figuren der polnischen Geschichte?« bekam man die halb ironische, halb ernst gemeinte Antwort: »Vater, Sohn und Heiliger Geist.«

Doch diese Zeiten sind vorbei. Seit der Wende 1989 büßt die katholische Kirche ihren Status als stärkste gesellschaftliche Kraft immer weiter ein. Gewiss: Polen ist nominell immer noch ein erzreligiöses Land, in dem mehr als 90 Prozent der Bevölkerung römisch-katholisch getauft ist und immer noch zwischen 30 Prozent (Westpolen) und 50 Prozent (Süd-Ostpolen) aller registrierten Gemeindeglieder jeden Sonntag in die Kirche gehen. Zum Vergleich: Von den deutschen Protestanten gingen 2010 im Bundesdurchschnitt weniger als fünf Prozent in den Sonntagsgottesdienst; von den deutschen Katholiken etwa 16 Prozent.

Angesichts solcher immer noch hohen Zahlen ist nicht verwunderlich, dass auch der polnische Alltag weiterhin spürbar von der Kirche geprägt wird. Deutsche Teilnehmer großer Richtfeste sind nicht schlecht überrascht, wenn zunächst der Ortspfarrer ein Gebet spricht und das neue Gebäude mit Weihwasser besprengt.

An Fronleichnam werden halbe Stadtteile und ganze Dörfer für den Autoverkehr gesperrt, weil die kirchlichen Prozessionen immer noch Tausende von Menschen mobilisieren.

Beeindruckend sind in Universitätsstädten wie Lublin und Krakau die langen Doppelreihen schwarz gekleideter Priesteranwärter, die am frühen Morgen quer durch die Stadt ins Theologische Seminar eilen.

Doch auch außerhalb des Klerus gibt es eine erstaunliche Zahl katholischer Laien, die öffentlich zu ihrem Glauben stehen und damit ein nachdenkliches Element in Gesellschaft und Medien tragen. Etwa wenn im Wirtschaftsteil einer großen Zeitung ein Interview mit dem erfolgreichsten Möbelfabrikanten Polens zu lesen ist, der freimütig erzählt, dass er jeden Morgen vor dem Joggen die Messe besuche und unter dem Einfluss des Glaubens auch seinem frühzeitig geflohenen Vater verziehen habe.

Oder wenn nach der Flugzeugkatastrophe von Smolensk der Satiriker Szczepan Sadurski folgende Selbstbezichtigung veröffentlichte: »Ich habe gerade eine Gewissensprüfung gegenüber dem verstorbenen Präsidenten vorgenommen. Ich war selbstverständlich auch einer von denen, die ihn verspottet haben. Es wäre wohl auch seltsam, wenn ein Satiriker den Herrn Präsidenten aussparen würde. Ja, er war Ziel unseres Spottes, und wenn er im Himmel ebenso wie ich eine Gewissensprüfung vornimmt, dann weiß er, dass er sich diesen Spott redlich verdient hat. Es ändert nichts mehr, aber ich entschuldige mich dafür. Als Satiriker und Christ.«

Trotz solcher Stimmen geht der Einfluss der Kirche auf die Gesellschaft stetig zurück. Noch Mitte der Neunzigerjahre lag der Kirchenbesuch um etwa zehn Prozent höher als 15 Jahre später. Lässt sich der Einbruch, wie gerne spekuliert wird, auf den Tod von Johannes Paul II. im Jahr 2005 zurückführen? Nein, es ist eher der allgemein europäische Ursachenmix: Individualisierung der Gesellschaft, Konsumverlockungen in Gestalt riesiger Einkaufszentren, Internet, Landflucht et cetera. (An der hohen Kirchensteuer kann es jedenfalls nicht liegen. Es gibt nämlich in Polen überhaupt keine Kirchensteuer. Die Priester leben von Spenden und von Gebühren, die für Hochzeiten, Beerdigungen und Taufen entrichtet werden müssen.)

Die polnische Kirche, die jahrhundertelang ein Bollwerk gegen fremde Okkupanten war, ob schwedischer, deutscher oder russischer Provenienz, ist drauf und dran, die Seelenhoheit zu verlieren. Liegt es genau daran, nämlich dass den Polen im 21. Jahrhundert die äußere Bedrohung fehlt? Jedenfalls ist die »glücklichste Epoche der polnischen Geschichte« für die Kirche eher eine dürftige Zeit.

Sicherlich – auf dem Land und in den Kleinstädten gibt es hie und da noch Beispiele strenger Kirchenzucht. Etwa die ungeschriebene Vorschrift, dass man am Sonntag nicht die Fenster putzen und auch nicht die Wäsche zum Trocknen aufhängen darf. Oder die Geschichte von dem jungen Mann, dem nach der Beichte vom Pfarrer die Absolution verweigert wurde, weil er mit seiner Freundin schon vor der Hochzeit zusammengezogen war. Es half ihm auch nichts, dass er beteuerte, strikt auf sexuelle Enthaltsamkeit geachtet zu haben.

Zum alten Stil gehörte auch noch, dass viele Priester bei der Präsidentenwahl 2010 und der Parlamentswahl 2011 von der Kanzel herab Wahlkampf für Jarosław Kaczyński und seine Partei betrieben.

Mittlerweile erregte diese Parteinahme jedoch sogar innerhalb der katholischen Kirche heftigen Anstoß. Auch der Klerus ist heute, wie die gesamte polnische Gesellschaft, tief gespalten in Konservative und Liberale. Vorbei sind die Zeiten, als der Kardinal-Primas das inoffizielle polnische Staatsoberhaupt war. Mehr als dreißig Jahre lang übte der legendäre Stefan Kardinal

Wyszyński dieses Amt aus. Er war als Kommunistenfresser bekannt, wurde dafür in den Fünfzigerjahren drei Jahre lang interniert, und war bis zu seinem Tod 1981 von schier unglaublicher Autorität umstrahlt. Der aktuelle Primas hingegen, Józef Kowalczyk, würde auf der Straße kaum noch von einem seiner Kirchenschäflein erkannt werden. (Das liegt allerdings auch daran, dass er nur noch der Erzbischof von Gnesen ist. Nach dem Abtreten des Wyszyński-Nachfolgers Józef Glemp entschied der Vatikan, dass der Primastitel nicht mehr mit dem Erzbischofsstuhl von Warschau, sondern, wie früher schon jahrhundertelang, mit dem von Gniezno [Gnesen] verbunden ist.)

Gleichzeitig sind die Gegner der offiziellen Kirche stärker geworden, und zwar von links wie von rechts. Von den Postsozialisten wird ein strikter Atheismus betrieben, mit Forderungen nach Abtreibungslegalisierung, Homoehe und Entfernung aller Kreuze aus den Schulen. Wer Polen als »katholisches Land« bezeichnet, würde auf ihren erbitterten Widerspruch stoßen. Die Postsozialisten können bei Wahlen auf etwa zehn Prozent der Stimmen rechnen.

Auch im gemäßigt-liberalen Lager der »Bürgerplattform« (PO) von Donald Tusk gibt es immer mehr Stimmen für eine strikte Trennung von Kirche und Staat. Bekanntester Verfechter ist ein ehemaliger PO-Abgeordneter namens Janusz Palikot. Er kommt aus dem erzkatholischen Lublin und machte mit provokativen Dildo-Happenings gegen die Kirchenmoral von sich reden. Als er aus der PO ausgeschlossen wurde, gründete er eine eigene Partei und wurde so zur Galionsfigur der antiklerikalen Bewegung. Ein besonderes Anliegen ist ihm die Unterstützung der Gay-Bewegung. Die Zeiten, als die Gay Parade in Krakau oder Warschau eine gefährliche Angelegenheit war, sind längst vorüber. Heute marschieren hier einige Tausend Menschen mit, tatkräftig unterstützt von deutschen Schwulen und Lesben, die anschließend mit dem Eurocity fröhlich feiernd in ihre Berliner Basen zurückkehren.

Bei der Sejm-Wahl 2011 kam die Palikot-Partei von null auf 10 Prozent. Ein Anhänger kommentierte das hervorragende Abschneiden am Wahlabend unter frenetischem Jubel der Anwesenden so: »Wenn wir an Gott glauben würden, wäre es ein Wunder – aber wir glauben ja nicht an Gott.«

Sogar von ganz rechts außen wird die offizielle Kirche unter Feuer genommen, und zwar von dem bereits erwähnten Radiosender »Radio Maryja«. (Der Name »Maria« ist nach »Anna« immer noch der zweithäufigste polnische Frauenname. Für die Muttergottes – auch als Königin Polens bezeichnet – ist allerdings eine eigene Schreibweise reserviert, nämlich »Maryja«). Dessen Gründer, der Redemptoristenpater Tadeusz Rydzyk aus Toruń, ist von den Bischöfen mit einem inoffiziellen Bann belegt worden, hat auch seinen politischen Einfluss weitgehend verloren, schimpft aber seitdem umso lauter gegen Parteien, Kirche, Medien, Juden, Russen oder Amerikaner. Es dürfte wohl in keinem anderen katholischen Land der Welt einen einzelnen Menschen geben, der seiner Kirche einen größeren Bärendienst geleistet hat. Rydzyks fanatische Agitationen treiben den Kirchengegnern immer neue Scharen zu.

Nach der Katastrophe von Smolensk im April 2010 verschärfte sich der seit Jahren schwelende Konflikt zwischen Linken und Rechten. Die hohe Zahl der Toten und die zentrale Frage nach der Verantwortung setzten giftige Emotionen frei, die zu Lebzeiten von Johannes Paul II. unbekannt waren. Eine kleine Gruppe fundamentalistischer Radio-Maryja-Anhänger kampierte den ganzen Sommer hindurch vor dem Warschauer Präsidentenpalast, um ein improvisiertes Holzkreuz vor der Entfernung zu schützen. In den lauen Nächten kam es vor dem schönen Renaissancepalast zu skurrilen Happenings. Hunderte von Jugendlichen, Studenten, Hip-Hoppern und ausgelassenen Partygästen aller Art kamen herbei, um die Kreuzbesetzer auszulachen. Einige legten aus Bierdosen der Marke »Lech« ein Kreuz auf den Asphalt, andere skandierten Parolen der Internet-Community »Fliegende Spaghettis« oder schrien einfach nur »Pislamiści – Pislamisten!«. Das war ein Wortspiel mit der Abkürzung der Kaczyński-Partei »Prawo i Sprawiedliwość – Recht und Gerechtigkeit«: PiS.

Das Thema Kirche polarisiert die Gemüter seitdem so stark, wie man es in Deutschland nur von der Atomkraft oder neuerdings »Stuttgart 21« kennt. Wo immer eine größere Gruppe von Polen zusammenkommt, egal ob in Krakau oder Bremen, schärfen sich die Teilnehmer vorher gegenseitig ein, die Themen Politik und Religion strikt auszuklammern. Hier ein Beispiel für die weltanschaulichen Kämpfe, die derzeit durch jeden polnischen Stadtrat toben, gefunden in der »Gazeta Wyborcza« am ersten März 2011:

»Aktivisten aus der ›Bewegung zur Unterstützung von Palikot‹ kamen vor Beginn einer Ratssitzung der Stadt Szczecin mit einer Leiter in den Saal. Seelenruhig klebten sie neben das Wandkreuz den Davidstern, den islamischen Halbmond, das orthodoxe Kreuz sowie ein Atom – das Zeichen der Atheisten. Kurze Zeit später erschienen im Saal einige Stadtverordnete der Parteien PO und PiS. Beim Anblick der ›fremden‹ Symbole verlangten sie vom Hausmeister eine Leiter. Jerzy Sieńko (PO) sprang hinauf, unterstützt von Artur Szalabawka (PiS). Sieńko riss energisch die braun bemalten Symbole ab. Dann wurde die Polizei gerufen. Eine Rangelei setzte ein, bei der ein Palikot-Anhänger auf die Leiter sprang und nun auch das Kreuz abnahm. Stadtrat Szalabawka nahm ihn am Fuß der Leiter in Empfang, umringt von Kollegen aus den Fraktionen PiS und PO. Nachdem die Palikot-Anhänger aus dem Saal entfernt worden waren, kehrte das Kreuz an seinen Platz zurück. Andrzej Piątak, Stettiner Koordinator der Palikot-Bewegung: ›Wir wollen auf das Problem der Diskriminierung anderer Religionen hinweisen. Wenn schon der öffentliche Raum nicht frei sein kann von religiösen Symbolen, sollten auch alle Bekenntnisse gleichermaßen vertreten sein.‹«

Smolensk

Smolensk – mit dem Namen dieser alten russischen Stadt beginnt die allerneueste Geschichte Polens, und zwar genau am 10. April 2010. Es war der Tag, an dem Polen sein John-F.-Kennedy-Trauma erlebte.

Um 7.27 Uhr hebt auf dem Warschauer Flughafen Okęcie eine weiß-rote Regierungsmaschine vom Typ Tupolew 154 ab.

Ihr Ziel: der in Russland gelegene Flughafen Smolensk.

An Bord: 96 Personen, darunter der polnische Präsident Lech Kaczyński, seine Frau Maria sowie weitere hochrangige Politiker aller Sejm-Parteien, katholische und protestantische Geistliche, der Präsident der polnischen Nationalbank, die höchsten Generäle der polnischen Armee sowie Nachfahren der in Katyn ermordeten Offiziere.

Die älteste Frau an Bord ist die 80-jährige Anna Walentynowicz, legendäre Kranführerin der Danziger Werft, deren Entlassung im Jahr 1980 zu einem Warnstreik führte, aus dem später die zehn Millionen Mitglieder umfassende Gewerkschaft Solidarność entstand.

Die Absicht der Delegation: Teilnahme an einer Gedenkfeier, die aus Anlass der 70. Wiederkehr des sowjetischen Massakers an mehreren Tausend polnischen Offizieren im Wald von Katyn stattfinden soll, etwa zwanzig Kilometer vom Smolensker Flughafen entfernt.

Drei Tage vorher hat dort bereits eine andere Gedenkveranstaltung stattgefunden, zu der der russische Premierminister Wladimir Putin seinen polnischen Amtskollegen Donald Tusk eingeladen hatte. Staatspräsident Lech Kaczyński, ein heftiger Gegner der russischen Politik, war nicht eingeladen worden, unter dem Vorwand, es handle sich um ein Treffen auf Premierebene.

Der Flug dauert nur kurz, etwas mehr als eine Stunde. Kurz vor dem Anflug auf Smolensk wissen die polnischen Piloten bereits, dass sie mit starkem Nebel rechnen müssen. »Es wird makaber«, sagt einer von ihnen (wie man später aus dem Flugschreiber erfährt). Der russische Kontrollturm warnt, dass die Sicht nur 400 Meter betrage, und fragt, welchen Ersatzflughafen die Polen ansteuern wollten. Kurz zuvor wurde bereits eine russische Iljuschin 76 zum Flughafen Twer umgeleitet.

Der polnische Flugkapitän Arkadiusz Protasiuk, der Premierminister Donald Tusk noch vor drei Tagen als Kopilot zum Smolensker Flughafen gebracht hat, bittet trotzdem um die Erlaubnis, eine Probelandung wagen zu dürfen. Sein zweiter Pilot hat sich mit der Besatzung einer anderen polnischen Regierungsmaschine in Verbindung gesetzt, die etwa eine halbe Stunde früher trotz Nebel gelandet ist. Dabei handelte es sich allerdings um eine kleine, leichte Maschine, die nur einige Journalisten zu der Feierlichkeit beförderte. »Ihr könnt auf jeden Fall eine Landung versuchen«, wird ihm von den polnischen Pilotenkollegen geantwortet. »Wenn es euch beim zweiten Mal nicht gelingt, könnt ihr ja nach Moskau weiterfliegen.«

Das aber würde für die Zeremonie im Wald von Katyn eine höchst ärgerliche Verspätung bedeuten, da man von Moskau aus mit dem Auto mehrere Stunden lang zurück nach Smolensk fahren müsste. In Katyn warten bereits viele Menschen auf den Beginn der Feierlichkeiten, darunter der russische Vize-Außenminister.

Der Smolensker Kontrollturm gestattet, dass die Maschine bis auf hundert Meter herunterkommt, damit die Piloten sich selbst überzeugen können, ob sie die Startbahn sehen.

Gegen 8.30 Uhr erscheint der Protokollchef des Präsidenten im Cockpit, um sich über den Landevorgang zu informieren. Wie lange er sich darin aufhält, lässt sich heute nicht mehr abschließend klären. Doch obwohl er anscheinend keine konkreten Anweisungen gibt, macht seine Anwesenheit die Situation für die Piloten natürlich nicht leichter. Sie spüren die Erwartungshaltung der Präsidenten-Entourage. Chefpilot Protasiuk kennt diesen enormen Druck bereits. Als Kopilot war er vor zwei Jahren Zeuge, wie ein Kollege den Flug in die georgische Krisenregion rings um Tiflis verweigerte und stattdessen einen Ersatzflughafen ansteuerte. Präsident Kaczyński höchstpersönlich kam damals ins Cockpit und fragte wutentbrannt: »Wer ist der Oberbefehlshaber der Streitkräfte?« Als Konsequenz wurde gegen den damaligen Pilot ein Disziplinarverfahren eingeleitet.

Das Flugzeug geht auf 300 Meter herunter. Es fliegt den Flughafen mit einer Geschwindkeit von 300 Stundenkilometern an.

»Dort ist eine Vertiefung, Arek«, warnt der Kopilot. Er meint eine circa sechzig Meter lange Vertiefung vor der Landebahn.

»Ich weiß, sie kommt gleich. Dort ist so ein …« sagt Kapitän Protasiuk.

In diesem Moment schaltet sich ein automatisches Warngerät ein, das die Piloten mit einer Genauigkeit von einem Meter über die Geländebeschaffenheit von 11 000 einprogrammierten Flughäfen auf der ganzen Welt informiert. Der kleine Flughafen von Smolensk ist leider nicht darunter. Der Pilot weiß das und ignoriert das Piepen.

Vom Kontrollturm in Smolensk, der eigentlich nur eine baufällige Baracke ist, kommt das beruhigende Kommando: »Ihr seid auf der Einflugschneise.« Leider fliegt die Maschine aber nur kurz auf der richtigen Einflugschneise, dann kommt sie vom Kurs ab und geht achtzig Meter neben der Landebahn in den Wald hinunter.

»Nichts zu sehen«, sagt jemand im Cockpit. Die Tupolew ist inzwischen bis auf zweihundert Meter heruntergekommen. Pro Sekunde verliert sie acht Meter Höhe.

Das Warnsystem fordert »pull up, pull up!«

»Wir gehen hier weg«, entscheidet Kapitän Protasiuk.

»Neunzig, achtzig«, liest der Flugnavigator die fallende Höhe ab.

»Wir gehen weg«, bestätigt der Kopilot.

»Sechzig, fünfzig« meldet der Navigator.

Auf einer Höhe von zwanzig Metern über der Erde schaltet Pilot Protasiuk den Autopiloten ab und übernimmt die Handsteuerung, um die Maschine hochzureißen. Doch es ist zu spät, sie kann nicht mehr reagieren. Auf einer Höhe von elf Metern wird eine Birke gestreift. Piloten und Passagiere spüren es gar nicht. Dann aber werden vom Flugzeugrumpf weitere Baumspitzen abrasiert.

»Kurwa mać«, flucht der Kopilot. Es sind die letzten vom Flugschreiber aufgezeichneten Worte. Wörtlich bedeutet dieser aus dem Russischen kommende Fluch »Hure Mutter«.

Die Maschine jault laut auf, Protasiuk hat volle Schubkraft eingeschaltet. Ein russischer Arzt, der direkt neben dem Wald seinen Schrebergarten hat, erzählt später: »Als die Maschine dicht über mich hinwegflog, hielt ich mich mit den Händen am Vorderrad meines Autos fest, weil der Luftsog so stark war.«

In diesem Moment müssen auch die Passagiere gemerkt haben, dass die Lage verzweifelt ist.

Zweihundert Meter weiter trifft das Flugzeug mit dem linken Flügel einen weiteren Baum, dreht sich um die eigene Achse und prallt in Rückenlage auf den Boden auf, wobei es völlig zerstört wird. Das Trümmerfeld erstreckt sich 350 bis 400 Meter vor der Landebahn. Es gibt keine Überlebenden.

Am Abend trifft Premierminister Tusk in Smolensk ein, kurz vor dem Oppositionsführer. Jarosław Kaczyński ist gekommen, um seinen toten Bruder zu identifizieren. Auch der russische Premierminister Wladimir Putin ist herbeigeeilt und umarmt Donald Tusk – während Kaczyński den Kontakt mit beiden vermeidet.

Schon am nächsten Tag wird der Sarg mit dem toten Präsidenten nach Warschau überführt, die übrigen Särge folgen im Abstand weniger Tage. Jedes Mal säumen Hunderttausende die Straßen, über die der Konvoi der Leichenwagen fährt. Eine achttägige Staatstrauer wird angeordnet; in dieser Zeit entfallen sämtliche Kultur-und Sportveranstaltungen. Fast 200 000 Menschen pilgern zu den im Präsidentenpalast aufgebahrten Särgen von Lech Kaczyński und Maria Kaczyńska, was vielen bis zu 16 Stunden Wartezeit in der Schlange abfordert. Einige Tage lang herrscht eine ähnliche Atmosphäre der nationalen Versöhnung wie nach dem Tod von Johannes Paul II. im Jahr 2005.

Sie zerbricht allerdings schnell. Als der Krakauer Kardinal Stanisław Dziwisz, langjähriger Sekretär von Karol Wojtyła, bekannt gibt, dass er der Bitte von Bruder Jarosław Kaczyński entsprechen will, das tote Präsidentenpaar auf dem Wawel zu bestatten, erhebt sich wütender Protest. Der Burgberg Wawel, auf dem neben einer Kathedrale auch das ehemalige Königsschloss steht, gilt als polnischer Pantheon. In der Krypta unter der Kathedrale sind die meisten polnischen Könige bestattet, ferner die beiden Nationaldichter Adam Mickiewicz und Juliusz Słowacki sowie der Freiheitsheld Tadeusz Kościuszko, der Zwischenkriegs-Marschall Józef Piłsudski und der ebenfalls bei einem Flugzeugabsturz im Jahr 1943 ums Leben gekommene Exilpremierminister Władysław Sikorski.

Der 84-jährige Filmregisseur Andrzej Wajda mahnt in einem offenen Brief: Die allenfalls durchschnittlichen Verdienste Kaczyńskis qualifizierten ihn keineswegs für den Wawel, außerdem gehöre er als gebürtiger Warschauer und ehemaliger Oberbürgermeister der Hauptstadt auf den dortigen Ehrenfriedhof Powązki. Da Kardinal Dziwisz aber standhaft bleibt, verhallen die Proteste wirkungslos. Am 18. April 2010 werden Lech und Maria Kaczyński in der Wawelkrypta bestattet. Viele ausländische Staatsgäste, darunter Präsident Obama, müssen ihre Teilnahme wegen einer Vulkan-Aschewolke über Island absagen. Die aufgebrachten Gegner der Wawel-Bestattung spotten postwendend, die Wolke sei in Wahrheit durch die Asche der polnischen Könige ausgelöst worden, die bei der Ankunft Kaczyńskis schnellstens aus ihrem Grab stoben.

Für die Ermittlung der Absturzursache wird eine Untersuchungskommission eingesetzt, die mehr als ein Jahr lang sämtliche Indizien sammelt. In nationalistischen Zeitungen machen schon bald finstere Verschwörungstheorien die Runde. Der Absturz sei in Wahrheit durch eine in den Tragflächen versteckte KGB-Bombe oder auch eine absichtliche Falschnavigation des Smolensker Towers ausgelöst worden; einige Insassen des Flugzeugs hätten jedoch überlebt und seien dann im Wald von russischen Geheimdienstlern erschossen worden. Oder aber: Putin habe kurz vor der Ankunft der polnischen Maschine künstlichen Nebel erzeugen lassen, so wie die Chinesen bei der Olympiade 2008 ja auch das Wetter beeinflusst hätten.

Die verblüffendste Verschwörungstheorie von allen möchte die russische Täterschaft zahlenmystisch untermauern. Wenn man vom Tag der Katastrophe, also vom 10. April 2010, zurückrechne zum Tag der ersten freien Wahlen in Polen nach der Ära des Kommunismus, also bis zum 4. Juni 1989, komme man auf genau 7616 Tage. Exakt die gleiche Anzahl von Tagen ergebe sich, wenn man vom Tag der wiedergewonnenen polnischen Unabhängigkeit, also vom 11. November 1918, bis zum Einmarsch der Sowjets in Polen rechne, also bis zum 17. September 1939. Schlussfolgerung: Die Russen hätten sehr bewusst den 10. April 2010 für ihre Machenschaften gewählt, damit Polen auch nicht einen Tag länger souverän bleibe als in der Zwischenkriegszeit!

Doch der polnische Staat wankt nicht einen Moment lang. Stattdessen übernimmt der bisherige Sejm-Marschall Bronisław Komorowski kommissarisch das Amt des Staatspräsidenten und zieht die für den Herbst geplanten Präsidentenwahlen auf Juli vor. Halb glücklich, halb unglücklich trifft es sich, dass ohnehin er selbst, Komorowski, derjenige war, der gegen Kaczyński antreten sollte.

Nach der Katastrophe wird einige Tage lang spekuliert, wie sich Zwillingsbruder Jarosław Kaczyński verhalten wird. Zieht er sich vielleicht im Schock über den Verlust seines Zwillingsbruders – mit dem er noch wenige Minuten vor dem Absturz telefoniert hatte, es ging um den Gesundheitszustand der neunzigjährigen Mutter – gänzlich aus der Politik zurück? Oder wird er als Kandidat für seinen Bruder einspringen? Umfragen hatten dem verunglückten Präsidenten keine Chancen gegen Komorowski eingeräumt. Nun aber hat sich die Stimmung im Land natürlich dramatisch verändert.

Nach einigen Tagen ist es heraus: Jarosław Kaczyński wird tatsächlich kandidieren und darf sich dabei einer Welle des Mitgefühls sicher sein. In der Presse gibt es Berichte, dass er den Tod des Zwillingsbruders ganze drei Wochen lang vor der kranken Mutter verheimlicht und ihr ein Märchen von einer langwierigen Schiffsreise Lechs von Peru nach Polen vorgaukelt. Tatsächlich scheint sich Jarosław durch den Schock zu einem milderen Menschen gewandelt zu haben. Während des kurzen Wahlkampfes im Sommer 2010 schlägt er versöhnliche Töne an. Sonst für scharfe Polemik in alle vier Himmelsrichtungen bekannt, redet er die Russen als die »moskalischen Brüder« an, sagt auch Nettes über die deutsch-polnischen Beziehungen und spart sich fast jede Kritik an Premierminister Tusk und Gegenkandidat Komorowski. Am Ende verliert er die Wahl zwar trotzdem, aber erst im zweiten Wahlgang und mit 47 Prozent gegen 53 Prozent der Stimmen sehr knapp. Sein hervorragendes Wahlergebnis bestätigt, dass ihm viele Polen, die ihn im Jahr 2007 noch als Premierminister abgewählt hatten, seinen Gesinnungswandel glauben.

Sie haben sich getäuscht. Schon wenige Tage nach der Niederlage entlässt er seine Wahlstrategen, weil sie ihm zu der verhängnisvollen Schmusetaktik geraten hätten. Er habe während des Wahlkampfes teilweise unter der Wirkung von Antidepressiva gestanden und manchmal nicht genau gewusst, was er eigentlich sagte. Das Regierungs-Duo, Premierminister Donald Tusk und Präsident Bronisław Komorowski, sei moralisch schwer beschädigt. Es hätte sofort nach dem Flugzeugunglück zurücktreten müssen, da Tusk durch seine einseitige Reise nach Katyn drei Tage zuvor die verhängnisvolle Reise von Lech Kaczyński erst provoziert habe. Auch gegen die »moskalischen Brüder« fährt Kaczyński nun plötzlich wieder schweres Geschütz auf: Putin verschweige auf sehr verdächtige Weise wichtige Fakten der Ermittlungen. Und der Ermittlungsbericht der russischen Staatsanwaltschaft, der den polnischen Piloten die gesamte Schuld zuweist, sei eine Ohrfeige für Polen.

Zur Vereidigung des neuen Präsidenten Komorowski erscheint Kaczyński erst gar nicht. Konsequent vermeidet er von nun an jeden persönlichen Kontakt mit Komorowski und Tusk, fährt nicht einmal zur Seligsprechung von Karol Wojtyła im Mai 2011 nach Rom, weil er dort in die Gefahr geriete, mit seinen beiden Feinden sprechen zu müssen. Also nicht einmal die Feier des angeblich über alle Parteigrenzen hinweg respektierten »größten Polen aller Zeiten« Johannes Paul II. kann die Gegner noch versöhnen.

Seine Konfrontationstaktik bringt ihm in den nachfolgenden Wahlen keine greifbaren Resultate. Solange ein von Verfolgungswahn geplagter Jarosław Kaczyński die Opposition anführt, wählt die Mehrheit der Polen den bescheiden wirkenden, fast schon harmoniesüchtigen Donald Tusk. Und so trägt Jarosław Kaczyński, der schärfste Gegner der Dritten Republik, paradoxerweise dazu bei, dass in die polnische Politik eine Phase der Kontinuität eingekehrt ist, die ihr seit 1989 nicht beschieden war. Donald Tusk wurde im Oktober 2011 als erster polnischer Ministerpräsident seit 1989 für eine zweite Amtszeit wiedergewählt.

Eckdaten der polnischen Geschichte

966 n. Chr.   Christianisierung Polens durch die Taufe des Fürsten Mieszko I.

1569 – 1772: Union zwischen Polen und Litauen. Etwa gleichzeitig kann man auch die Erste Republik ansetzen.

1764 – 1795: Letzter König Stanisław August Poniatowski, vorher Geliebter von Zarin Katharina der Großen.

1795 – 1918: Polen ist zwischen Preußen, Österreich und Russland aufgeteilt.

1918 – 1939: Zweite Republik. Prägender Politiker: Marschall Józef Piłsudski.

1944 – 1989: Volksrepublik Polen, Vasall der Sowjetunion. Letzter Erster Parteisekretär ist Wojciech Jaruzelski.

Seit 1990:   Dritte Republik. Erster Staatspräsident: Lech Wałęsa. Nachfolger: Aleksander Kwaśniewski, Lech Kaczyński, Bronisław Komorowski.

2005 – 2007: »Vierte Republik«: So bezeichneten nur Jarosław Kaczyński und seine Parteifreunde die beiden Jahre, als sie an der Regierung waren und die ihrer Meinung nach postkommunistisch verfilzte Dritte Republik ablösten. Wer seither wieder von der »Dritten Republik« spricht, gibt sich automatisch als Fan von Donald Tusk zu erkennen. Neutrale vermeiden die Republikzählung inzwischen generell, aber auch die Kaczyński-Partei vermeidet inzwischen den Begriff »Vierte Republik«, weil sie dann ja zugeben müsste, gescheitert zu sein.

Behemoth

Katastrophen, Kirche und Politik: Das ist ein gefundenes Fressen für die weltweit erfolgreichste polnische Band, Behemoth. Sie existiert bereits seit Beginn der Neunzigerjahre, allerdings bekam lange Zeit kaum jemand mit, dass sich in Polen eine blühende Death Metal-Szene entwickelte. Heute dürfte Frontmann Adam »Nergal« Darski in einschlägig interessierten Kreisen noch bekannter sein als Lech Wałęsa. Behemoth vermischen ihre blutige Metzelmusik mit Black Metal-Elementen – was für den Nicht-Metal auf das Gleiche hinausläuft: Die Sache ist bedrohlich laut. Die Texte handeln meist nicht von Splatter, Mord und Totschlag, wie es bei Genrekollegen aus den USA der Fall ist. Stattdessen dominieren antireligiöse Themen wie Nihilismus, Krieg, Dämonen und Satanismus. Die Youtube-Clips der Formation sind eigenartig, aber höchst sehenswert. Behemoth leben von ihrer Opposition gegen die katholische Kirche. Frontbrüller Nergal klagte in einem Interview: »Wenn du in einem Raum mit zwei Türen bist, bekommst du bei uns nur die Möglichkeit, eine davon zu öffnen, alle Antworten sind vorgefertigt. Aber der Mensch sollte die Möglichkeit haben, auch hinter die andere Tür blicken zu können.« Während eines Auftrittes in Danzig zerriss Nergal Darski eine Bibel, wofür er von einem Politiker der Kaczyński-Partei PiS angezeigt wurde. Nergal gewann den Prozess, und zwar mit der Begründung, dass die religiösen Gefühle der anwesenden Zuschauer keineswegs verletzt worden seien, weil sie von Anfang an gewusst haben, was sie bei diesem Konzert erwartet. Der Politiker gab keine Ruhe, sondern bezeichnete Nergal öffentlich als Kriminellen. Daraufhin wurde es dem Mu-

*Die polnische Death-Metal-Band »Behemoth« vor einem Konzert,
links Adam Nergal Darski*

siker zu bunt, er klagte seinerseits auf Rufschädigung und gewann schon wieder. Um Nergals »Underground«-Status ist es allerdings schlechter bestellt, seit er einen Posten als Juror in einer TV-Talentshow übernahm. Vollends ruiniert wäre sein Ruf, wenn die Fans erführen, was mir von einem schlesischen Konzertveranstalter über Behemoth und ähnliche Metal-Bands ins Ohr geflüstert wurde: »Tadellose Manieren. Okay, dämonisches Aussehen, schwarz geschminkte Augen, lange Mäntel, schwere Schuhe. Aber persönliche Kultur – exzellent. Habe noch nie von Musikern hinter der Bühne so oft ›Entschuldigung, danke, bitte‹ gehört.«

Kloster Stoczek

Zurück auf den Bahnhof von Świebodzin, wo immer noch unser Zug steht. Keine Frage, die Christusstatue auf dem Hügel vor der Stadt ist religiöser Kitsch. Auf dem brasilianischen Zuckerhut mag eine solche Figur verzeihlich sein, aber hier in der nüchternen Lebuser Landschaft wirkt sie übertrieben triumphal, wie das Eingeständnis geheimer Zweifel. Sie kann auch beängstigend sein, nämlich als Symbol eines herrschsüchtigen, doktrinären Glaubens. Wer ein sympathischeres Symbol des polnischen Katholizismus sehen möchte, sollte eine Reise ins wunderschöne Nordost-Polen antreten. Im Barockkloster Stoczek, zwischen Olsztyn und dem russischen Kaliningrad gelegen, wurde von 1953 bis 1954 der bereits erwähnte Kardinal Stefan Wyszyński gefangen gehalten. Das gelb gestrichene Kloster inmitten der ermländischen Felder vermittelt mit seinem Kreuzgang und dem herrlichen Park den Eindruck idyllischen Friedens. Wyszyńskis spartanische Zelle, in der er, bewacht von Soldaten und stalinistischen Agenten, mystische Reflexionen über die Muttergottes anstellte, kann heute noch besichtigt werden. Sie zeigt den katholischen Glauben von seiner stärksten Seite, inmitten harter Zeiten.

Im Helikopter über der Landschaft

In Świebodzin ist übrigens Doktor Schwechtersheimer ausgestiegen. Big Arnie hat ihn bis zur Waggontür begleitet, um bis zum letzten Moment für seine lukrative Häuserfirma zu werben. Doktor Schwechtersheimer hat nur »jaja« gesagt und sich noch einmal losgerissen, um an den Tisch des Dorstener Pärchens zurückzueilen. Er legte seine Visitenkarte hin und sagte: »Wenn Sie eine Arbeit am Niederrhein suchen … Bargeld!« Auch bei mir klopfte er noch kurz mit dem Fingerknöchel auf den Tisch: »Und denken Sie immer dran, Bruder Leichtfuß: Sie sind jetzt in Polen! Portemonnaie eng am Körper halten. Schalömchen.«

Auf dem Bahnsteig wurde er von seinen beiden Geschäftspartnern aus Zielona Góra in Empfang genommen. Alle drei schüttelten sich herzlich die Hände. Die ohnehin schon hohe Zahl deutsch-polnischer Joint Ventures in Westpolen wird möglicherweise bald um eine Schoko-Euro-Fabrik bereichert. Ich frage mich bei Typen wie Doktor Schwechtersheimer immer, wie schnell sie in die ersten zehn Fettnäpfchen tappen werden. Andererseits habe ich den Eindruck, dass sie mit ihren Investitionen mehr für die deutsch-polnische Annäherung tun als mancher deutsche Studienrat, der seine polnischen Gastgeber gleich nach der Ankunft mit belegter Stimme nach der nächstgelegenen KZ-Gedenkstätte fragt.

Der Zug rollt wieder an. Big Arnie kehrt finster in den Speisewagen zurück, setzt sich auf seinen Platz und bestellt einen Wodka.

In Świebodzin sind nicht viele Leute zugestiegen, doch alle scheinen in den Speisewagen zu drängen. Zuerst kommen zwei junge Frauen mit einem jungen Mann, die noch einen freien Tisch finden, anschließend drei Männer, die sich vergeblich nach einer Sitzgelegenheit umschauen. Da an meinem Tisch noch zwei freie Plätze sind, schauen sie gierig herüber. Wenn sie mich auf den Mars beamen könnten, würden sie es jetzt skrupellos tun.

Eine Weile meide ich ihre Blicke und halte den Druck aus. Lobend muss erwähnt werden, dass der Kellner mich, obwohl ich wenig konsumiere, mit keinem Wort zum Platzmachen auffordert.

Endlich halte ich es aber nicht mehr aus, räume meinen Platz und ziehe zu dem einsamen Japaner an den Zweiertisch um. Der liest immer noch in seinem dicken Buch, schaut mich nur einmal kurz mit aufgerissenen Augen an, vertieft sich dann aber wieder in das Buch und nimmt keinerlei Notiz von mir. Die drei Herren setzen sich aufatmend an meinen Extisch. Einer winkt dankbar herüber. Ich winke zurück. Man sieht an seinem *keep smiling*, dass er kein Pole ist.

Es geht auf neun Uhr zu. Der Zug fährt gerade mal wieder auf einem Bahndamm. Es ist, als würde man mit einem Helikopter fünf Meter über der Landschaft schweben. In einer engen Kurve verlangsamt der Zug seine Geschwindigkeit und neigt sich so schräg, dass in der Küche ein Glas auf den Boden fliegt. Der Koch ruft: »Kurwa!«

Die Landschaft wirkt einsam, kleine Dörfer, wenig Industrie, nicht einmal Strommasten. Irgendwo mitten in der Einöde schaufelt ein gelber Minibagger eine Rinne neben dem Gleis. Vor dem Bagger steht ein mürrischer Bauarbeiter, der sich auf seinen Spaten lehnt. Er guckt uns hinterher wie Sisyphos.

Irgendwo hier verlassen wir jetzt das Lebuser Land und gelangen nach Wielkopolska, also nach »Großpolen«. Der Name weckt Assoziationen an das Großdeutsche Reich, doch nichts könnte falscher sein. Bei dem Wort »Wielkopolska« handelt es sich um die polnische Übersetzung des lateinischen Namens »Polonia Maior«. Der Ausdruck wurde schon im 11. Jahrhundert für das Stammesgebiet der Polanen verwendet, der »Feldbewohner« (daher kommt auch »Polen«). Erst später kam »Kleinpolen« (Polonia Minor) dazu, die Landschaft rings um Krakau.

Nummernschilder

Immer wieder kreuzt der Eurocity beschrankte Bahnübergänge, vor denen lange Autoschlangen warten. Ich gucke dann aufmerksam aus dem Fenster und fröne meinem Kindheitshobby: Autokennzeichen erraten. Für den Außenstehenden sind polnische Nummernschilder allerdings kaum zu entschlüsseln. Was bedeuten zum Beispiel die Anfangsbuchstaben »DW«?

Zur Lokalisierung eines Fahrzeugs sind nur die ersten zwei oder drei Buchstaben auf dem Nummernschild wichtig. Der erste Buchstabe bezeichnet die Woiwodschaft. Häufig handelt es sich dabei allerdings nicht um den Anfangsbuchstaben dieser Woiwodschaft, sondern um den ihrer Hauptstadt, etwa »R« wie »Rzeszów« für das Karpatenvorland, »W« wie Warschau für Masowien oder »K« wie Krakau für Kleinpolen. Einige Woiwodschaften werden leider durch einen Buchstaben gekennzeichnet, den man überhaupt nicht mehr mit ihnen assoziieren kann, etwa »E« für die Woidwodschaft Łódź.

Der zweite Buchstabe bezeichnet die jeweilige Stadt in der Woiwodschaft. Das fragliche »DW« bedeutet also: D wie »Dolnośląskie« (Niederschlesien) und W wie »Wrocław«. Gibt es noch einen dritten Buchstaben, handelt es sich um einen Landkreis oder eine kleinere Stadt.

Polnische Autokennzeichen

B – Woiwodschaft Podlaskie (Podlachien), B wegen Białystok
C – Woiwodschaft Kujawsko-Pomorskie (Kujawien-Pommern),
         C wegen ?
D – Woiwodschaft Dolnośląskie (Niederschlesien)
E – Woiwodschaft Łódzkie (Lodsch), E wegen ?

F – Woiwodschaft Lubuskie (Lebus), F wegen ?
G – Woiwodschaft Pomorskie (Pommern), G wegen Gdańsk
K – Woiwodschaft Małopolskie (Kleinpolen), K wegen Krakau.
L – Woiwodschaft Lubelskie (Lublin)
N – Woiwodschaft Warmińsko-Mazurskie (Ermland-Masuren),
    N wegen ?
O – Woiwodschaft Opolskie (Oppelner Land)
P – Woiwodschaft Wielkopolskie (Großpolen), P wegen Poznań
R – Woiwodschaft Podkarpackie (Karpatenvorland),
    R wegen Rzeszów
S – Woiwodschaft Śląskie (Schlesien)
T – Woiwodschaft Świętokrzyskie (Heiligkreuz), T wegen ?
W – Woiwodschaft Mazowieckie (Masowien), W wegen Warszawa
Z – Woiwodschaft Zachodniopomorskie (Westpommern)

Miss Dampflok

Jetzt fahren wir im Schritttempo durch einen Bahnhof namens Zbąszynek. Man sieht im Hintergrund die Ruinen einer Fabrik, auf der ein vergilbter Schriftzug prangt: »Jaka dziś praca, takie jutro – So wie heute die Arbeit ist, wird das Morgen sein.«

Wer Glück hat, kann in Zbąszynek eine funktionierende Dampflok sehen, entweder bei Nostalgiefahrten oder auch im ganz normalen Streckendienst als Ersatz für eine ausgefallene Diesellok. Wer beim Anblick eines solchen Dinosauriers auf den Geschmack kommt, sollte sich ins nahe gelegene Wolsztyn begeben. Dort findet ein Mal im Jahr eine große Dampflokomotivenparade statt. Damit die überwiegend männlichen Besucher etwas zu fotografieren haben, hat sich der Bürgermeister einen Schönheitswettbewerb einfallen lassen. Junge Wolsztynerinnen posieren im Bikini vor alten Kohleschleudern. Die schönste Maid wird zur »Miss Parowóz – Miss Dampflok« gewählt. Auch aus Deutschland kommen viele Fans. Der Lausitzer Dampflok-Club chartert regelmäßig einen Sonderzug nach Wolsztyn und verwöhnt die Fans während der Fahrt im historischen Zug mit Brötchen aus Wielands Backstuben in Cottbus und Fruchtsäften aus Bad Liebenwerda. Was ist eigentlich infantiler: Automobil- oder Eisenbahnbegeisterung?

Zbąszyn und Zbąszynek

Wir passieren Zbąszynek ohne Halt und rollen nur acht Minuten später schon wieder durch einen Bahnhof, er heißt Zbąszyn. Zwei fast gleich klingende Bahnhöfe im Abstand weniger Minuten? Was hat das zu bedeuten? Und wozu eine so weitläufige Gleisanlage, wenn der Eurocity trotzdem nicht hält? Das Bahnhofsgebäude von Zbąszyn ist geschlossen, alles leer, die Fensterscheiben eingeschlagen, als wären wir auf einer abgelegenen Hochsauerlandstrecke gelandet. Der Zug durchfährt den Bahnhof extrem langsam. Vor vielen Jahren erwies sich selbst diese geringe Geschwindkeit noch als zu hoch für einen abendlichen Flaneur. Im alkoholisierten Zustand schwankte er zu nah an die Bahnsteigkante heran, sodass ihn der einfahrende Zug touchierte. Er fiel genau zwischen Räder und Bahnsteig, äußerlich unversehrt, aber tot. Möge dies ein kleiner Nachruf sein.

Die Lösung für das Rätsel »Zbąszyn-Zbąszynek« verlangt einen kurzen historischen Exkurs. Zwischen Zbąszyn und Zbąszynek verlief bis 1939 die deutsch-polnische Grenze. Zbąszynek (Neu-Bentschen) war der letzte deutsche, Zbąszyn (Bentschen) der erste polnische Bahnhof. Deshalb gab es in Zbąszyn einen ähnlichen Umschlagplatz für den Güterverkehr wie heute in Rzepin.

Vor dem Ersten Weltkrieg verlief die Grenze sogar noch hundert Kilometer weiter östlich von Zbąszyn, allerdings handelte es sich dabei um die deutsch-russische Grenze, da Polen bis zum Ende des Ersten Weltkriegs gar nicht als Staat existierte. Der letzte deutsche Bahnhof war damals das heutige Strzałkowo; gleich dahinter, in Słupca, begann das Russische Zarenreich. Den Bahnhof von Słupca werden wir in weniger als einer Stunde passieren, er steht noch heute unversehrt da. Sein gelbes Gebäude mit den weißen Zinnen wirkt wie eine Miniatur-Zarenresidenz.

Wir durchqueren Zbąszyn der ganzen Länge nach. An einem Bahnübergang scheint die halbe Stadt vor der Schranke versammelt zu sein, darunter viele Fahrradfahrer. In Kleinstädten und auf dem Land wird in Polen generell viel geradelt, in den Großstädten steht es damit wesentlich schlechter. Der Grund dafür ist letztlich, wie beim Mieten/Kaufen, kein rationaler (etwa mangelnde Fahrradwege), sondern ein mentalitätsbedingter. Das Fahrrad gilt als Fortbewegungsmittel für arme Leute.

Unsere Zockelfahrt führt langsam wieder in die Natur hinaus. Auf den Kornfeldern steht im Juni viel roter Mohn. Die Pflanze ist schön, gilt offiziell aber als Unkraut und wird deshalb auf deutschen Feldern konsequent ausgerottet. In Polen ist die Unkrautvernichtung noch nicht so perfektioniert. Das Auge freut sich. Manche Felder tragen große rote Flicken, so als hätte sie jemand hineingewebt.

Überall stehen vereinzelte Häuser in der Landschaft herum, viele davon unverputzt und mit sozialistischen Flachdächern; Dachschindeln für Spitzdächer waren in der Mangelwirtschaft kaum erhältlich. Ich seufze ein bisschen. Polen könnte noch viel schöner sein, wenn es nicht so anarchistisch zersiedelt wäre.

Von nun an geht die Fahrt auf Posen zu. Man merkt, dass immer mehr Leute Geld haben. Es häufen sich neue Einfamiliensiedlungen, einige davon in Giftgrün oder Pizzaorange. Die grellen Farben sind natürlich eine Gegenreaktion auf das kommunistische Grau. Ich verstehe das, seufze aber schon wieder. Die Kinder der heutigen Bewohner werden diese Siedlungen hoffentlich wieder dezenter tünchen.

Egoismus

Das Stimmengewirr im Speisewagen ist inzwischen unangenehm laut geworden. Das liegt vor allem an der Männergruppe, für die ich gerade meinen schönen Tisch geräumt habe. Man trinkt und lacht und redet. Ich nehme sie ein bisschen genauer unter die Lupe und spiele mein altes Nationalitäten-Ratespiel. Die drei Herren sind zwischen vierzig und fünfzig Jahre alt und tragen alle drei Baseballkappen auf den ziemlich spärlich behaarten Köpfen. Über ihren rundlichen Bäuchen spannen sich verwaschene T-Shirts. Einer von ihnen trägt eine blaue Kapuzenjacke. Aus meiner Entfernung von etwa vier Metern tippe ich auf Werbe- oder Filmbranche. Sie reden Englisch miteinander und lachen viel. Am Akzent ist allerdings zu hören, dass sie alle drei keine waschechten Angelsachsen sind. Und dann kommt es heraus. Als sie ihr Essen bestellt haben und der Kellner das Tablett vor ihnen auf den Tisch stellt, ruft einer auf Deutsch, indem er ironisch mit dem Arm aufzeigt: »Für mich das Schnitzel!«

»Und für mich Bigosch!«, ruft der Zweite hinterher. (Er hat es falsch ausgesprochen. Das traditionelle polnische Nationalgericht aus Sauerkraut, Weißkohl, Trockenpilzen, Trockenpflaumen, Schweinefleisch und Schinken heißt »Bigos« und wird wirklich so ausgesprochen, wie man es schreibt. Die Herkunft des Wortes ist entweder deutsch oder italienisch. Viele Ausländer haben im Polnischen eine derartige Neurose entwickelt, dass sie auch dort noch einen Zischlaut vermuten, wo gar keiner ist.)

Der dritte Mann, der mit der Kapuzenjacke, sagt nichts, sondern mustert nur aufmerksam den Kellner, ob er sich wohl dran erinnert, wer welches Gericht bestellt hatte.

Mein Nationalitätenraten ist damit beendet. Mit hoher Wahrscheinlichkeit sind die beiden Vordrängler meine Landsleute, und der dezente Warter ist ein Pole.

Als sie nun alle drei losgabeln, bestätigt es sich. Ja richtig, an der verschiedenen Besteckhaltung erkenne ich definitiv, dass meine Ergebnisse richtig sind. Vermutet hatte ich es allerdings aufgrund eines anderen Indizes, nämlich der »Ich«-Schreierei der beiden Deutschen. Wenn eine Unsitte der Polen im hektischen Unterbrechen besteht, ist es in Deutschland der Egoismus.

Eine polnische Blumenverkäuferin aus der Grenzstadt Słubice sagte mir einmal: »Hätte ich nicht meine deutschen Kunden, könnte ich den Laden hier dichtmachen.«

Heftig widersprach sie meiner bislang gehegten Ansicht, dass in Polen mehr Blumen als in Deutschland gekauft würden. Wahr an dem Klischee sei lediglich, dass die Polen häufiger Blumen *verschenkten*. »Wir Polen kaufen eher für andere Leute Blumen, aber auch nur drei Mal im Jahr, und zwar am Valentinstag (14. Februar), am Tag der Frau (8. März) und am Namenstag der Schwiegermutter. Aber die Deutschen kaufen das ganze Jahr über Blumen, weil sie sie nicht für andere Leute, sondern für sich selbst kaufen.«

Tatsächlich, ich habe es statistisch nachgeprüft: Deutsche geben im Jahr durchschnittlich 38 Euro für Blumen aus, Polen nur zehn Euro. Interessanterweise beträgt auch das Umrechnungsverhältnis von Euro zu Złoty ungefähr 4:1. Liegt hier etwa eine zahlenmystische Proportion zwischen Wirtschaftskraft und Egoismus einer Nation vor? Ja, ich gehe davon aus und erlaube mir deshalb flugs, auch den Egoismusfaktor zwischen Deutschland und Polen mit 4:1 anzusetzen.

»Unterm Strich zähl' ich!« lautet der Werbeslogan der Deutschen Post, und besser hätte man den Zeitgeist nicht treffen können. Ich selbst nehme mich davon natürlich nicht aus. Egoistisch ist zum Beispiel meine deutsche Angewohnheit, von den fünf Personen eines Zugabteils nur mit einer einzigen zu sprechen, gerne auch mehrere Stunden lang. Die anderen Fahrgäste sitzen dann dumm herum und wissen nicht, wohin sie gucken sollen. In Polen ist es (noch) üblich, dass innerhalb einer Gruppe alle Personen gemeinsam miteinander reden. (Dank Ohrstöpseln und iPhones bröckelt die Tradition allerdings schon stark.)

Noch stärker ausgeprägt ist dieser höfliche Brauch in Russland. Das habe ich als Deutschlehrer in Omsk/Sibirien gemerkt. Sogar wenn zehn oder noch mehr Menschen versammelt sind, löst sich eine Gruppe nicht in Einzelgespräche auf. Ich als einziger Deutscher fühlte mich alsbald sehr unbehaglich, wandte mich tuschelnd an meinen Nebenmann und ging schließlich entnervt weg. Die Gespräche in einer so großen Gruppe erschienen mir so oberflächlich wie Small Talk am Messestand. Dass nicht nur ich, sondern auch viele andere Deutsche so empfinden, sehe ich daran, dass die Deutsche Bahn die Zahl der geschlossenen Abteile im ICE (wo sechs Personen sitzen) stark reduziert und im Regionalexpress ganz abgeschafft hat. In Großraumwagen gibt es maximal noch vier Plätze, die einander gegenüberliegen. Alle diese Maßnahmen zielen darauf ab, die Nötigung zum Gruppengespräch abzuschwächen.

Umgekehrt wundern sich polnische Gäste, dass sich bei ihrer Ankunft auf einer deutschen Party rein gar nichts ändert. Alle bleiben in ihren Zweiergruppen stehen und nehmen den neuen Gast nur flüchtig zur Kenntnis. Niemandem fällt es ein, sein hoch wichtiges Gespräch einfach abzubrechen. In Polen würden die meisten Leute zumindest »Hallo« sagen, in Russland wäre der Neuankömmling für einige Minuten sogar der Star der Gruppe.

Übrigens gibt es auch in der zweiten Dreiergruppe unseres Speisewagens deutliche Egoismussymptome. Eine der beiden jungen Frauen entpuppt sich als deutsche Künstlerin, die zu einem Happening nach Poznań will. Sie erzählt den beiden anderen von einem Installationsprojekt, das sie irgendwann mal in Spanien gemacht hat. Sie berichtet lebhaft und nach deutschen Begriffen wirklich nicht eitel, eher mit idealistisch leuchtenden Augen. Doch die beiden Polen sitzen irgendwie hilflos dabei und sagen kaum etwas. Endlich macht die Deutsche eine Pause und sagt: »So, jetzt erzählt ihr doch mal was von euch!« Die Polen murmeln kurz etwas über ihr Kunststudium an der Warschauer Kunstakademie, tun es aber ohne rechte Überzeugungskraft. Wenn sie ebenfalls minutenlang von sich selbst erzählen würden, kämen sie sich wie grauenvolle Angeber vor. Im Land des *negative thinking* darf man über die eigene Person allenfalls mit wegwerfender Ironie sprechen. Die junge Idealistin, die aus deutscher Sicht gar nicht über sich selbst, sondern über ihre Arbeit gesprochen hat, ist von diesem Gesprächsverhalten sichtlich irritiert. Sie kann sich vermutlich des Eindrucks nicht erwehren, mit zwei ziemlich grauen Mäusen zusammenzusitzen. Nur einmal lacht die junge polnische Künstlerin laut auf, und zwar als sie sehr warm von ihrer »Mama« spricht, doch darauf geht die Deutsche leider nicht ein. Familie ist für sie Privatsphäre; darüber zu sprechen kommt nicht infrage, das wäre indiskret. In Deutschland redet man über Arbeit, in Polen über Familie. Die Polin empfindet die Deutsche folglich als egoistische Angeberin, die Deutsche die Polin als sentimentale graue Maus.

Ach, dieses Aneinander-Vorbeireden der Völker! Ich gucke etwas resigniert aus dem Fenster. Übrigens würden sich die beiden männlichen Ichschreier drüben am Tisch den Vorwurf des Egoismus auch nicht so einfach gefallen lassen. Vielleicht würden sie sagen: »Ach, diese Ich-Schreierei – das ist doch nur eine Bagatelle. Wir Deutschen sind halt etwas vorlaut. Aber dafür spenden wir jedes Jahr viel Geld für wohltätige Zwecke!« Richtig, keine Nation der Welt spendet mehr Geld als die Deutschen. Aus polnischer Sicht wäre das allerdings kein Widerspruch. Mit Egoismus ist ja nicht vulgäre Habgier gemeint, sondern ein ständiges Sich-selbst-Realisieren. Es wird von den Deutschen selbst nicht als pathologisch empfunden, weil es schon so allgemein verbreitet ist, dass jedermann ein solches Verhalten für sehr gesund hält. Ja, der deutsche Egoist kann durchaus ein guter Mensch sein! Sobald er seine Bedürfnisse gesättigt hat und sich ausruht, gibt er gerne etwas ab von Zeit und Geld. Erst wenn er dann wieder auf Egotouren kommt, wenn ein Mangel oder ein Interessenkonflikt entsteht, etwa wenn er vor der Alternative steht, das Wochenende mit seinen alten Kumpeln zu verbringen oder lieber an seinem Kurzfilm zu arbeiten, dann fällt die Entscheidung wieder glasklar egoistisch aus.

Poznań oder Posen?

Nach langer Zeit ertönt mal wieder eine Lautsprecherdurchsage von Pan Mirek. Der Eurocity nähert sich, so schnarrt er dienstlich, seinem nächsten Bahnhof, Poznań Główny. Die Aussteigenden werden gebeten, kein Gepäck liegen zu lassen. Im Namen der Polnischen Staatsbahnen wünscht er uns noch einen angenehmen Tag.

Leider wiederholt er seine Worte weder auf Englisch noch auf Deutsch. Es wäre interessant, ob er »Poznań« übersetzen würde. Würde er »Posen« statt »Poznań« sagen?

Übrigens fällt mir in diesem Zusammenhang auf, dass ich ein schlechter Reiseleiter war, weil ich in Rzepin und Świebodzin nicht die alten deutschen Namen erwähnt habe. Das geschah nicht aus politischer Korrektheit, sondern aus purer Vergesslichkeit. Anscheinend lagen die beiden Kleinstädte bereits unterhalb meiner historisch-kritischen Wahrnehmungsschwelle. Hiermit hole ich es nach. Sie hießen bis 1945 »Reppen« und »Schwiebus.«

Im Fall von »Poznań« muss ich nichts erklären. Hier liegen die Dinge sogar genau andersherum. Die meisten Deutschen kennen nur die deutsche, aber nicht die polnische Version. Da taucht dann meist auch die Frage auf, ob man auch gegenüber den Polen »Posen« sagen darf. Oder wird man dann sofort als Revanchist bezeichnet?

Mit dieser Frage sind wir unversehens in ein historisches Minenfeld hineingeraten. In meinen ersten Polenjahren hatte ich keine Ahnung davon, wie brisant das Thema für weite Kreise immer noch ist. Ich bewegte mich unter polnischen Germanisten und Leuten, die das heutige Deutschland kannten. Erst dank meiner Kabarettauftritte begann ich, Polen kreuz und quer zu bereisen und machte Bekanntschaft mit Leuten, die Deutschland permanent mit Nazis assoziierten. Ein an sich völlig harmloses Erlebnis gab mir besonders zu denken. Nach einem Auftritt in Katowice kam ein eleganter Herr mit langem Mantel und schwarz gegelten Löckchen in meine Garderobe und sagte mit schalkhaftem Lächeln: »Kennen Sie eigentlich den Lieblingswitz von uns Oberschlesiern? Er stammt aus den Fünfzigerjahren. Ein deutscher Zug fährt von Berlin nach Krakau. In Breslau ruft der deutsche Schaffner: ›Wrocław! Früher Breslau! Bitte einsteigen!‹ Als der Zug in Gleiwitz einfährt, ruft der deutsche Schaffner: ›Gliwice! Früher Gleiwitz! Bitte einsteigen!‹ Und im nächsten Bahnhof ruft er: ›Zabrze! Früher Hindenburg!‹ Ein alter Pole geht zu ihm und sagt freundlich: ›Vielen Dank für Ihre netten Ansagen. Auf Wiedersehen! Ach so, Pardon! Früher Heil Hitler!‹«

Der elegante Herr lachte herzlich und verabschiedete sich. Ich musste irgendwie schlucken und vermied während der nächsten Monate penibel, die deutschen Städtenamen zu benutzen, nicht einmal im Gespräch mit deutschen Landsleuten. Irgendwann erschien mir das schließlich übertrieben, so wie ich die Berliner Bahnhofsansagerin übertrieben finde, die den Wartenden hyperkorrekt mitteilen will, dass der Eurocity nach Warszawa Wschodnia durch Posen Hauptbahnhof fährt. Dabei spricht sie die polnische Schreibweise Poznań Główny leider »Potsnan Glowni« aus. Einem Polen fallen hier die Ohren ab. Woher soll aber auch die gute Frau (oder der gute Computer) wissen, dass man das polnische »z« wie ein deutsches »s« ausspricht und »Główny« wie »Gwuwne«?

Ja, die Sache ist hochvertrackt. Im Nachkriegsdeutschland gab es zwei Extreme. Während konservative BRD-Kreise eisern von »Breslau« oder »Danzig« sprachen, wurden in der DDR nur die polnischen Namen verwendet. Das sah vordergründig nett aus, doch steckte dahinter mindestens die gleiche Gehässigkeit. Denn die DDR kappte bekanntlich mit der sprachlichen Tilgung der deutschen Vergangenheit auch jegliche Folgeverantwortung für die Nazi-Verbrechen in Polen. Sämtliche Regressansprüche wurden der BRD zugeschoben. Das brachte die Polen mindestens genauso in Rage wie das westdeutsche Ignorieren der polnischen Namen. Wenn also Ex-DDRler heute in Polen stolz berichten, dass sie schwierige Namen wie etwa »Wrocław« schon seit Jahrzehnten korrekt aussprechen können, ist das gut gemeint, bringt sie aber erst richtig in Teufels Küche. Sie suggerieren für polnische Ohren dann, dass sie die *gesamte* Politik des in Polen verhassten DDR-Regimes richtig toll fanden.

Einer der Gründe für die polnische Hypersensibilität bei den Städtenamen ist natürlich die jahrzehntelang von den Kommunisten genährte Furcht vor einer Rückkehr der Deutschen. Diese Furcht ist – so unglaublich es für heutige Deutsche auch klingen mag – noch immer nicht ganz erloschen, ja wird sogar von gewissen populistischen Politikern immer wieder angefacht.

Aber auch politisch neutrale Polen verstehen in der Frage der Städtenamen oft keinen Spaß. Je weniger Kontakt sie mit dem heutigen Deutschland haben, desto misstrauischer sind sie. Wenn ein Deutscher die alten Namen benutzt, lässt er in ihren Augen die Katze aus dem Sack. Er zeigt dann eine erschreckende Gleichgültigkeit gegenüber den politischen Folgen des Zweiten Weltkriegs und damit auch gegenüber den polnischen Kriegsopfern. Deren Andenken wiederum wird in Polen auch heute noch hochgehalten.

Warschau gedenkt jedes Jahr am 1. August des Aufstandes von 1944, bei dem etwa 200 000 Menschen starben. Um Punkt 17 Uhr heulen die Sirenen, alle Autos und Busse halten an, die Fahrer steigen aus, manche haben Tränen in den Augen, weil sie umgebrachter Familienmitglieder gedenken.

Man sieht, wie aus einem harmlosen Städtenamen mit exponentiellem Wachstum eine rauchende, flammende Debatte emporschießen kann. Ein polnischer Geschäftsführer erzählte mir empört, dass sein junger deutscher Chef permanent »Landsberg« statt »Gorzów« sage. Er hielt ihn deswegen für einen unverbesserlichen Revanchisten. Ich verteidigte den mir persönlich nicht bekannten Deutschen mit dem Argument, dass er vermutlich ein totaler Geschichtsmuffel sei, der keine Ahnung von der Nachkriegsdebatte um die Oder-Neiße-Grenze habe. Er verwende das Wort »Landsberg« sehr wahrscheinlich völlig unbefangen, einfach aus sprachlichen Gründen. Woher solle er als Ausländer auch wissen, dass man »rz« wie »sch« ausspricht und »ó« wie »u«, sodass aus »Gorzów« am Ende »Goschuw« wird?

Doch genau diese Geschichtsignoranz, diese naive Unbefangenheit seines Chefs erboste den polnischen Mitarbeiter. Wenn jemand Unbefangenheit verkünden darf, sind das in seinen Augen die Opfer und nicht die Täter. Ein Deutscher muss erst einmal beweisen, dass er sich mit der Geschichte und den Opferzahlen vertraut gemacht hat. Erst dann erhält er die Lizenz zur Unbefangenheit.

Auf ähnliche Weise erkläre ich mir übrigens auch Erika Steinbachs totales Scheitern in Polen. Nach meiner Einschätzung spürten viele Polen bei ihr nicht so sehr Revanchismus als vielmehr eine hochnäsige Gleichgültigkeit. Grundsätzlich hat sie Recht damit, dass das Thema Vertreibung in Polen noch zu wenig diskutiert wird, doch hätte sie einen ganz anderen, viel indirekteren Ton anschlagen müssen. Das Erlernen der polnischen Sprache hätte ihr dabei nicht geschadet.

Was sich uns Deutschen in der »Poznań-Posen«-Diskussion natürlich strikt verbietet, ist die alberne Retourkutsche, dass man auch im Polnischen lieber »Norymberga« statt Nürnberg sagt, »Monachium« statt München, »Akwizgran« statt Aachen, »Moguncja« statt Mainz oder »Ratisbona« statt Regensburg. Diese Städte waren niemals polnisch, folglich kann auch kein Mensch eine böse Absicht heraushören – es sei denn die ironische Suggestion, dass große Teile Deutschlands im Grunde immer noch den Römern gehörten. Im Sprachfluss des Polnischen, in dem Wortendungen viel wichtiger sind als im Deutschen, wäre »Nürnberg« ein entsetzlicher Hemmschuh, denn »Nürnberg« kann schlichtweg nicht so gut ausgesprochen werden wie »Norymberga«. Hinzu kommt natürlich, dass Polen keine historischen Rücksichten auf deutsche Empfindlichkeiten nehmen müssen. Sie dürfen alles sagen, sogar, dass Berlin, Leipzig und Dresden ursprünglich slawische Gründungen sind …

Mein Tipp, wenn man auf Nummer sicher gehen will: Beim ersten Kontakt und in offiziellen Gesprächen sollte man konsequent die polnischen Namen verwenden. Erst wenn man den Gesprächspartner näher kennengelernt hat, kann man gelegentlich auch mal einen deutschen Namen einstreuen. Ein Mittelweg, den ich selbst anwende, wenn ich mit Polen Deutsch spreche, ist es, abwechselnd »Poznań« und »Posen« zu sagen. Damit vermeidet man beide Extreme. Man wirkt nicht künstlich korrekt, aber auch nicht ignorant. Einen ähnlichen Kompromiss könnte ich mir auch für die Bahnsteigansagen vorstellen. Neben der rein polnischen Version »Poznań Główny« wäre es praktisch, auch »Poznań Hauptbahnhof« anzukündigen. Dann würden viele Deutsche zumindest nicht mehr glauben, dass es sich bei »Główny« um einen Posener Stadtteil handelt ... In Warschau müsste natürlich ebenfalls beides gesagt werden: »Berlin Hauptbahnhof« und »Berlin Główny«.

Wie heikel selbst ein so harmloser Vorschlag ist, weiß ich selbst.

Lokativ

Und damit fahren wir ins Stadtgebiet von Poznań beziehungsweise ins Posener Stadtgebiet ein. An den Schienen zieht sich eine Schrebergartenkolonie entlang. Das sieht plötzlich wie am Stadtrand von Berlin aus: »Laubenpieperkolonie Germania 1900«. Solche Gärten gibt es in Italien und Spanien überhaupt nicht, in England nur verschwindend wenige. Deutschland mit einer Million Mitgliedern und Polen mit 850 000 Mitgliedern führen die europäische Kleingartenstatistik mit großem Abstand an. Ich führe diese gemeinsame Schrebergartenkultur gerne als ein Indiz für die Ähnlichkeit Deutschlands und Polens an, neben vielen anderen Kriterien, wie etwa der strukturell ähnlichen Geografie (im Norden das Meer, im Süden die Berge, im Osten die Hauptstadt) und der wechselseitig vielfach ausgeborgten Sprache (Rajzefiber, Gurke, Dach, Krajszega etc.).

Der Zug kommt an uralten Fabrikruinen vorbei, zwischen denen wilde Büsche wachsen. Ein besonders desolates Riesengebäude mit tausend blinden oder fehlenden Scheiben trägt die Aufschrift: »Zakłady Naprawcze Taboru Kolejowego Poznań.« Dabei handelt es sich ironischerweise um die »Reparaturbetriebe des Bahnbetriebswerkes Poznań.«

Jetzt taucht über den Dächern der Stadt ein großes rotes Hochhaus auf, das verblüffend an den Oderturm in Frankfurt erinnert.

Auf den obersten Etagen verkündet ein grünes Banner: »Uniwersytet Ekonomiczny w Poznaniu«. Das ist Werbung für die private Wirtschaftsuniversität von Posen. Das Wort »Poznaniu« sieht für deutsche Betrachter komisch aus, doch zeigt das »iu« den sechsten Fall an, den Ortsfall oder Lokativ. Er folgt immer auf diejenigen Präpositionen, die einen Ort anzeigen, zum Beispiel »w – in« oder »na – auf«.

Und nun hält der Zug … w Poznaniu.

Entfernung: 100 km
Fahrzeit: 45 Minuten
Kulturschock: Komplimente
Wort der Strecke: super buty

Poznań

Poznań ist mit mehr als einer halben Million Einwohnern die größte Stadt zwischen Berlin und Warschau, etwas größer als Hannover, mit dem es eine Städtepartnerschaft unterhält. Als »Posen« gehörte es von 1793 bis 1918 zu Preußen und später zum Deutschen Reich. Kaiser Wilhelm II. ließ unweit des Bahnhofs ein Schloss erbauen, das in den Nachkriegsjahrzehnten dunkel vor sich hin starrte, nach der Jahrtausendwende aber hell aufpoliert wurde. Beim Anblick ihres Schlosses denken die Posener allerdings nicht an Kaiser Wilhelm, sondern ausschließlich an Hitler. Bis heute wird heiß darüber diskutiert, ob er hier jemals übernachtet hat.

Ebenfalls direkt am Bahnhof befinden sich die Messehallen. Poznań ist Polens größte Messestadt – auch das eine Parallele zu Hannover. Ansonsten ist die Gegend rings um den Bahnhof leider keine gute Visitenkarte. Einige der großen Bürgerhäuser wurden seit dem Krieg nicht mehr renoviert.

Sehr sehenswert ist dafür das große Einkaufszentrum »Stary Browar – Alte Brauerei«, das von Grażyna Kulczyk, der Exfrau des Milliardärs Jan Kulczyk, finanziert und mitgeplant wurde. Jan Kulczyk, der lange Jahre als reichster Pole galt und in seiner Heimat so sprichwörtlich ist wie Bill Gates, legte den Grundstein zu seinem Vermögen bereits im Kommunismus, als er eine der allerersten privaten Firmen mit ausländischem Kapitel gründete. Wie das möglich war und wer genau dahintersteckte, ist Gegenstand wilder Spekulationen. Später baute Kulczyk ein Netz von

Volkswagen-Niederlassungen auf. Heute beschäftigt er sich hauptsächlich mit Autobahn- und Öl-Investitionen. Nach einer regelrechten Medientreibjagd lebt er inzwischen in London. Sein Vermögen wird auf etwa zwei Milliarden Dollar geschätzt. Der polnischen Wirklichkeit ist er schon so weit entrückt, dass er bei einem Interview 2011 allen Ernstes nicht mehr wusste, was ein »NIP« ist – nämlich die polnische Abkürzung für »Steuernummer«. »Ich zahle meine Einkommensteuer in Großbritannien«, war alles, was er dem entgeisterten Reporter zu seiner Verteidigung sagte.

Doch zurück zur Alten Brauerei. Die Bezeichnung »Einkaufszentrum« grenzt an eine Beleidigung. Das alte Backsteingebäude aus dem 19. Jahrhundert ist heute eher ein Palast aus Glas und Stahl, mit dunkel irisierenden Hologrammen in den Aufzügen. Im Jahr 2005 wurde der Alten Brauerei von einer internationalen Jury in Phoenix/Arizona der Preis als »der Welt schönstes Einkaufszentrum mittlerer Größe« verliehen.

Unweit davon befindet sich die Altstadt mit dem Rathaus aus dem 14. Jahrhundert. Die heutige Renaissancefassade wurde nach einem Brand in den Jahren 1550 bis 1560 errichtet. Auf dem Marktplatz reiht sich Café an Café. Dieser Markt ist das Herz der

Das Einkaufszentrum »Stary Browar – Alte Brauerei« in Poznań

Stadt – im Gegensatz etwa zum rein touristischen Warschauer Altmarkt. Zwischen sieben und 21 Uhr erklingt vom Rathausturm ein automatisches Glockenspiel, aber um zwölf Uhr mittags spielt ein echter Trompeter das sogenannte Hejnał-Signal, ähnlich wie in Krakau auf der Marienkirche (dort allerdings zu jeder vollen Stunde, auch nachts). Alle Touristen verlassen ihre Cafés und laufen auf die andere Seite des Rathauses. Auf einer Plattform oberhalb der Rathausuhr fahren auf Schienen zwei mechanische Ziegenböcke heraus und stoßen sich die Hörner. Die Szenerie geht der Legende zufolge auf zwei Böckchen zurück, die geschlachtet werden sollten, aber auf den Rathausturm entwischten und sich dort oben ein Kämpfchen lieferten.

Interessant ist ein Brauch, den es polenweit nur in Poznań gibt. Am 11. November feiert die Posener Hauptstraße ihren Namenstag, und da diese Straße »Święty Marcin – Sankt Martin« heißt, gibt es einen Sankt-Martins-Umzug, der allerdings anders aussieht als in (West-)Deutschland. Er ist kein Kinderfest mit Papierlaternen, sondern findet am helllichten Tag statt. Sankt Martin wird auch nicht von einem Bischof, sondern von einem römischen Legionär auf einem Pferd dargestellt. Er reitet mit seinem Gefolge die Straße hinunter und bekommt am Ende vom Bürgermeister die Stadtschlüssel überreicht. Alle Zuschauer essen die berühmten Sankt-Martins-Hörnchen, die mit einer Mischung aus Mohn und Mandeln gefüllt sind. Bei der Parade marschieren auch einige Frauen und Männer in eigentümlicher Tracht mit. Sie heißen »Bambry« und erinnern an etwa 900 Bamberger Auswanderer, die im 18. Jahrhundert nahe bei Posen ihre Dörfer errichteten. Heute besinnen sich ihre Nachfahren auf die alten Traditionen zurück. Unter den Posenern gelten sie immer noch als »Deutsche«, auch wenn sie kein Deutsch mehr sprechen können.

Die kleine Geschichte ist bezeichnend. Posen und die Region Großpolen waren, ähnlich wie Schlesien, permanenter Zankapfel zwischen Deutschland und Polen. Im Versailler Frieden 1919 wurde Posen dem neu geschaffenen polnischen Staat zugeschlagen. Allerdings ging die deutsche Staatsgewalt nicht ganz freiwillig. Es bedurfte eines blutigen Aufstands, um endlich die polnische Flagge auf dem Rathaus hissen zu können. Dieser Aufstand gilt als der einzige erfolgreiche Aufstand in der polnischen Geschichte, und da es viele solcher Aufstände gegeben hat, sind die Posener ganz besonders stolz darauf. Es gibt seither einen starken Posener Lokalpatriotismus, den man in den meisten anderen Städten Polens nicht so ausgeprägt findet. Ein Beispiel dafür ist seit einigen Jahren auch die Erinnerung an die deutsche Phase der Stadt. So erzählte mir ein aus Poznań stammender Filmproduzent einen Witz, der die deutsche Mentalität der Posener illustrieren soll: Während der Kämpfe im Winter 1918 konnte das Bahnhofsgebäude erst ganz zum Schluss erobert werden, weil sich die polnischen Aufständischen brav vor dem Kassenhäuschen anstellten, um das zuerst noch erforderliche Bahnsteigbillett zu kaufen.

(In Deutschland kennt man diese Anekdote leicht abgewandelt als Verspottung der deutschen Sozialdemokraten vor 1914.)

Hinter der Rückbesinnung auf deutsche Traditionen steckt nicht nur Lokalpatriotismus, sondern auch Polemik gegen den ehemals russischen Teil Polens. Immer wieder hört man in Poznań die Frage: »Wo beginnt Asien?« Und die humoristische Antwort lautet: »In Strzałkowo!« Wir erinnern uns: Gleich hinter Strzałkowo begann während der Aufteilung des polnischen Staates zwischen 1795 und 1918 das russische Besatzungsgebiet. Statt von »Westpolen« und »Ostpolen« spricht man in Poznań auch gerne von »Polen A« und »Polen B«. Mit dem reichen »Polen A« ist das Land bis zur Weichsel gemeint, »Polen B« bezeichnet den armen Osten bis zur weißrussisch-ukrainischen Grenze mit den Städten Białystok, Lublin, Zamość und Rzeszów. Tatsächlich ist die Arbeitslosigkeit dort höher als im Westen, sind die Kirchen stärker besucht, und die Auswanderungszahlen nach Chicago und London liegen seit hundert Jahren weit über dem Landesdurchschnitt.

Eine weitere berühmte Eigenschaft der Posener ist ihr Geiz. Den teilen sie angeblich mit den Krakauern. Der traditionelle Witz geht so: »Wie wurde der Eisendraht erfunden? Indem ein Posener und ein Krakauer jeder wütend an einem Złoty-Stück gezogen haben.« Es ist kein Zufall, dass ausgerechnet Krakau und Posen als geizig gelten, sind sie doch die einzigen polnischen Großstädte, in denen sich das alteingesessene Bürgertum mit den klassischen Bürgertugenden Fleiß und Sparsamkeit durch den Zweiten Weltkrieg hindurch halten konnte. Warschau, Stettin,

Danzig und Łódź wurden nach 1945 quasi komplett neu besiedelt, zumeist von armer Landbevölkerung, zum Teil auch von Umsiedlern aus den verloren gegangenen Städten Wilno/Vilnius/Wilna und Lwów/Lviv/Lemberg.

Inwieweit die Posener tatsächlich eine völlig andere Mentalität als die Warschauer oder Lubliner haben, braucht hier nicht mit Prozentangaben erörtert zu werden. Im Vergleich zu den Unterschieden zwischen einem Bewohner der norddeutschen Waterkant und einem granteligen Niederbayern fallen die innerpolnischen Unterschiede kaum ins Gewicht. Zum Glück ist der polnische Ost-West-Konflikt sowieso eher eine humoristische Angelegenheit und wird im Alltag nicht annähernd so bissig ausgetragen wie der deutsche Wessi-Ossi-Konflikt oder gar der italienische Nord-Süd-Streit.

Planung und Antiplanung

Jetzt möchte ich noch eine Eigenschaft erwähnen, die nicht zum üblichen Bild der Posener von sich selbst gehört, ja, die ihnen selbst meist nicht einmal bewusst ist, aber jedem Ostpolen sofort auffällt. Ich lernte sie anlässlich eines Auftritts in Poznań kennen. Zwei Wochen vorher rief mich der Theaterdirektor in Warschau an: »Ich höre, Sie kommen mit dem Zug. Können Sie mir Ihre Ankunftszeit mitteilen? Ich will Sie vom Bahnhof abholen.«

»Entschuldigung«, sagte ich erstaunt, »in den Fahrplan gucke ich immer erst einen Abend vorher.« Der Direktor wunderte sich: »Ich dachte, Sie sind ein Deutscher?«

»Das war einmal«, sagte ich. »Ich lebe seit über zehn Jahren in Warschau. Das färbt ab.«

Der Direktor flehte mich an, für ihn eine Ausnahme zu machen »Tut mir leid, wie soll ich denn dann planen? Ich muss an diesem Nachmittag auch noch meinen Sohn zum Basketball bringen!«

Der Ostpole – also ich – seufzte über die Zumutung, musste aber wohl oder übel einen Zug heraussuchen. Der Direktor schrieb sich die Ankunftzeit auf. Und das Beste: Bis zum Tag meiner Fahrt nach Poznań rief er mich nicht mehr an. Er ging wie selbstverständlich davon aus, dass ich gesund bleiben und meinen Plan ganze 14 Tage lang nicht mehr ändern würde. Daran bemerkte ich wieder einmal die deutschen Wurzeln der Posener. Und so wusste ich: Es ist in diesem Kulturraum ein gutes Zeichen, wenn man nach einer Verabredung nicht mehr angerufen wird, denn dann weiß man: Alles bleibt so, wie es abgemacht war. Ein Warschauer Veranstalter verhält sich da ganz anders. Er ruft mich in den letzten Tagen vor einem Auftritt quasi stündlich an, um sich zu vergewissern, ob meine Laune gut und der Koffer schon gepackt ist. Wenn er hingegen *nicht* anruft, dann ist das ein sehr schlechtes Zeichen. Dann kann man den Abend eigentlich schon anderweitig verplanen (wenn man als Warschauer planen würde).

An dieser Stelle muss ich eine ernste Warnung aussprechen. Je weiter die Reise nach Osten führen wird, desto mehr werden sich die bisherigen Kulturschocks – also *negative thinking*, keine Schäden melden, mit Vornamen angeredet werden, emotionale Intelligenz oder Katholizismus – als harmlos erweisen im Vergleich zu dem, was in Sachen Planung bevorsteht. Ein Posener lästert zwar über das Warschauer Planungschaos, verkraftet es in Wahrheit aber locker, weil seine Schwiegermutter aus Ostpolen stammt und er die Mentalität schon von klein auf kennt. Für die allermeisten Deutschen aber hört beim Thema Planung der Spaß komplett auf, es kommt zu echten Konflikten. Im Geschäftsleben dürfte es kein anderes Gebiet geben, auf dem Deutsche so häufig Klagen über ihre polnischen Partner führen. Hier wird ein Eckstein des deutschen Gefühlshaushaltes infrage gestellt, holen doch sogar alternative Kreuzberger, die mit einer bunt bemalten Ente zum Baikalsee fahren, erst einmal ihren Terminkalender raus, wenn man sie zu einer Party am Wochenende einlädt.

Die Organisatoren eines deutschen Musikfestivals, das im August stattfinden sollte, luden einen polnischen Pianisten aus Warschau ein. Sie verloren allerdings komplett die Nerven, als der Herr im März, also ein halbes Jahr vorher, immer noch nicht seine Stücke mitgeteilt hatte. Sie klagten mir, dass sich der Druck des gesamten Programms verzögern würde. Ach, man hätte so gerne einen Beitrag zur deutsch-polnischen Freundschaft geleistet, und jetzt so ein Malheur! Als der Pianist auf keinen ihrer dramatischen E-Mail-Appelle reagierte, baten sie mich, ihn anzurufen. Ich erreichte ihn nicht, besser gesagt: er nahm nicht den Hörer ab. Daraufhin strichen sie ihn aus ihrem Programm und ersetzten ihn durch einen jungen polnischen Pianisten, der in Deutschland lebte und sich schon so weit assimiliert hatte, dass er bereits Monate vorher seine Stücke durchgeben konnte. Enttäuscht rief ich den Pianisten noch einmal an, bekam ihn diesmal auch tatsächlich an die Leitung und sagte bedauernd: »Wäre es denn so furchtbar schwer gewesen, die Stücke anzukündigen?« Er sagte im ganzen Telefonat nur drei Worte: »Jawoll« und »zu Befehl«. Eine solche Frechheit war ihm offensichtlich noch nie untergekommen: Ein halbes Jahr vorher die Stücke durchgeben! Warschauer Festivalprogramme werden zwei Tage vor Beginn gedruckt. Wenn die ersten Gäste schon über den Parkplatz laufen, hängt man rasch noch die Türen des Konzertsaals ein.

Statt hier weitere Beispiele für die (ost-)polnische Antiplanung anzuführen, die alle darauf hinauslaufen, dass die Posener/Deutschen rationaler, effizienter und moderner sind, erlaube ich mir, ein bisschen Salz in die deutsche Suppe zu streuen. Seit ich einen Teil meiner Zeit wieder in Deutschland verbringe, fallen mir Dinge auf, die ich früher nicht bemerkt habe.

Planung ist gut und sinnvoll, wenn man dadurch existenzielle Zukunftsangst abbauen kann. Aber existenziell bedrohlich scheint in Deutschland jeder Anflug von Ungewissheit zu sein. Und schon wird Planung zur Planeritis. Ein Berliner Bekannter, der einen Teneriffa-Urlaub gebucht hatte, guckte sich Monate vorher mithilfe des Google-Street-View-Programms die Fahrtroute zwischen Flughafen und Hotel an, um zu wissen, wo im Fall einer Autopanne die Parkplätze sind. Er freute sich schon auf die verbesserte Google-Street-Version, da man dann auf den Parkplätzen auch die Mülleimer erkennen könne.

Bei zwischenmenschlichen Kontakten kann Planung geradezu ins Desaster führen. Harmlose Wochenendvisiten bei deutschen Eltern scheitern oft schon im Vorfeld. »Sabine, wenn ihr am Wochenende zu uns kommt, was wollt ihr denn essen?« – »Mama, wir wissen es noch nicht.« – »Fisch oder Braten?« – »Wir wissen es noch nicht, ehrlich.« – »Aber ich muss doch rechtzeitig einkaufen.« – »Mama, ich glaube, wir haben wahrscheinlich sowieso keine Zeit.«

Apropos Gastfreundschaft: Eine Polin namens Magda erzählte mir, dass sie vor vielen Jahren als Au-pair-Mädchen zu einer Familie nach Braunschweig gekommen sei. Der Aufenthalt dauerte ein ganzes Jahr. Die deutsche Gastfamilie mit zwei kleinen Kindern erwies sich als sehr nett, doch kam es gleich am ersten Abend zum Clash der Kulturen. Bei Tisch fragte der Hausvater: »Magda, wie viele Brötchen isst du eigentlich morgens zum Frühstück?«

Magda war überrascht: »Eins.«

Nun zog der Herr sein Handy aus der Tasche. »Ist dort Bäcker Schmitz? Wir würden gerne unser Brötchen-Abo für das kommende Jahr um ein Brötchen aufstocken …Ja richtig, ab morgen … Bis zum 30.Juni nächsten Jahres …Danke!« Magda traute ihren Ohren nicht. Der Gastvater erwartete allen Ernstes von ihr, dass sie in Sekundenbruchteilen ein ganzes Jahr im Voraus planen konnte? Außerdem hatte er natürlich auch nicht berücksichtigt, dass sie nicht die Schule des gesunden deutschen Egoismus durchlaufen hatte und auf die Frage: »Wie viel willst du essen?« selbstverständlich die bescheidenste Antwort gab. Nun hatte sie die Bescherung. Ein ganzes Jahr lang durfte sie morgens nur ein einziges Brötchen zum Frühstück essen.

Die Planeritis ist, neben dem Egoismus, das zweite deutsche Nationallaster. Auf die Planeritis führe ich es letztlich auch zurück, dass die deutschen Zugschaffner immer so großartig den »Ausstieg in Fahrtrichtung links« ankündigen. Das kommt anscheinend aber nur mir, dem entwurzelten Reemigranten, als überflüssige Serviceleistung vor. Die allermeisten Deutschen scheinen allen Ernstes dankbar dafür zu sein, dass sie schon Minuten vor der Ankunft wissen, an welcher Tür sie sich postieren müssen.

Die Planeritis besitzt noch eine Steigerung, nämlich die »Konsequenzeritis«. Mit angstblühender Phantasie malt man sich eventuelle Konsequenzen einer zukünftigen Handlung aus, also sozusagen zu-zukünftige Konsequenzen. Aus einer nicht existierenden Mücke wird ein rasender Luftelefant. Auch dieses Phänomen habe ich erst jetzt bemerkt, mit polnischen Augen.

Bei einem der ewigen Berliner Umzüge wurde ein schwerer Schrank die Treppe hinuntergewuchtet, ich durfte helfen. Der Besitzer hatte beim Schleppen noch so viel Kraft, dass er keuchen konnte: »Bitte nicht ans Geländer stoßen, sonst gibt es nach, und der Schrank stürzt hinunter – auf eine Nachbarin, die gerade zufällig die Treppe hochkommt. Dann darf ich ihren Krankenhausaufenthalt bezahlen und gleich auch noch das Treppenhaus renovieren.«

Kein Wunder, dass Deutschland europaweit die meisten Apotheken und Versicherungen hat.

Meiner Meinung nach gibt es überhaupt keinen Zweifel: Die Planeritis gehört zu den bösartigen Viren, die mitverantwortlich sind für zwei deutsche Modekrankheiten. Zum einen für das Burn-out-Syndrom, die neue deutsche Modekrankheit. Ich habe in sämtlichen Boulevardmagazinen, die über das Thema schreiben, keinen Hinweis auf übertriebene Planungswut der Deutschen gefunden. Kein Wunder – gehören doch die Redakteure allesamt derselben Kultur wie die Betroffenen selber an. Sie sind deswegen selbst viel zu stark infiziert vom deutschen Nationallaster, als dass sie die Planeritis sonderbar fänden. Bezeichnenderweise genießt das Thema Burn-out jedenfalls in einem Anti-Planungsland wie Polen keine große Prominenz – und das, obwohl Warschau zu den europäischen Hauptstädten mit den längsten Wochenarbeitszeiten gehört (41,2 Stunden). Schlussfolgerung: Man sollte im Krankheitsfall stets auch Ärzte aus einer anderen Kultur zurate ziehen.

Die andere deutsche Modekrankheit wird weltweit als »german angst« bezeichnet. Ob Atomkraft oder Ozonloch: Deutschland bibbert vor Angst, während die restliche Welt irgendwie weiterlebt. Ach, und was war das für eine Aufregung in Deutschland, als bekannt wurde, dass die Firma Google ein Auto durchs Land schicken will, das sämtliche Straßen fotografieren soll, um sie später ins Internet zu stellen. Welche Horrorvisionen wurden in Leserbriefen entworfen, welche erhitzten Kommentare waren in der »Zeit« zu lesen: Eingriff in die Privatsphäre, Verleitung zum Einbruch, totale Überwachung. Ein Jahr später gab selbst der härteste Kritiker zu: Das Google-Programm ist nur für Straßennostalgiker, Architekten und Wohnungssuchende interessant. Die Einbruchsziffern sind jedenfalls nicht angestiegen. Die einstigen Kläger lassen ihre Häuser inzwischen sogar wieder entpixeln.

Und nun Schluss mit diesem kleinen Exkurs, der eigentlich gar nicht in einen Polen-Reiseführer gehört. Ich – der Ostpole – musste mir einfach mal Luft machen!

Auf einem gewissen Gebiet herrscht allerdings auch in Polen schlimme Planeritis. Junge Leute sorgen sich in beängstigendem Maß um ihre Lebensplanung. In meinem Job an der Uni Warschau hat es mich immer wieder erstaunt, mit welchen Zwängen im Kopf zwanzigjährige Studenten herumlaufen. Mit 24 Jahren wollen sie ihr Studium abschließen, mit 25 den ersten Job antreten, mit 26 heiraten, mit 27 das erste Kind, mit 29 Jahren das zweite Kind bekommen. Und wehe, der Plan verzögert sich auch nur um ein einziges Jahr! Auf diesem Gebiet sind zur Abwechslung einmal die Deutschen entspannter. Oder zeigt sich da wieder nur ihr Egoismus? »Erst mal richtig ausleben, ehe man sich in Beruf und Familie stürzt!« Ja, so ist es wahrscheinlich. Ich weiß, wovon ich spreche.

Hobby

In Poznań steigt das junge Paar aus Dorsten (mit den verschiedenen Besteckhaltungen) aus. Ebenso verabschieden sich die drei T-Shirt-Männer und die drei jungen Künstler vom Oberkellner. Auf ihren Plätzen nehmen umgehend neu zugestiegene Gäste Platz, darunter zwei polnische Manager, die sehr ärgerlich wirken. Wie sie dem Kellner erzählen, sind sie mit dem Morgenzug von Warschau nach Poznań gekommen, um an einer Messe für Gartenmöbel teilzunehmen, haben sich aber um genau einen Monat im Termin geirrt. Aus Frust ordern sie pro Kopf zwei Gläschen Wodka.

Big Arnie hat den Zughalt zu einer weiteren Zigarettenpause auf dem Bahnsteig genutzt. Der Japaner ist ihm hinterhergeeilt. Nach fünf Minuten kommen sie zurück, der Japaner hinter seiner schwarzen Brille freundlich lächelnd, Big Arnie stolz und kerzengerade, den weißen Pullover um die Schultern drapiert wie nach einer makellosen Golfrunde.

Der Zug fährt weiter.

Es geht aus Posen hinaus, zuerst durch ein bürgerliches Stadtviertel mit hohen Bäumen und alten Villen, anschließend an einem Tennisklub vorbei – dem einzigen auf der gesamten Strecke. Einige Teenager spielen hier sehr ordentlich Tennis, mit vielen extrem überrissenen Top-Spins, wirken allerdings in ihren bunten T-Shirts alles andere als professionell. Als Deutscher glaube ich unwillkürlich, dass sie es nicht mehr besonders weit bringen werden: Klasse Spieler müssen für meinen Geschmack zünftiges weißes Tennis-Outfit tragen, Sponsoren-Schweißbänder und luftgepolsterte Sneakers. Aber das sieht man in Polen anders. Man schert sich nicht um Sport-Uniformen und hat auch nicht diesen verbissenen Gesichtsausdruck. Es gibt einen wohltuenden Unwillen zu Spezialisierung und Selbstquälerei. Die Zahl der Sportvereine ist ziemlich gering, und ich kenne in Warschau sogar Deutsche, die zu der Beobachtung gekommen sind, dass es in Polen viel weniger Leute mit einem Hobby gibt als in Deutschland. Diese Beobachtung mag (noch) stimmen. Das Hobby der meisten Leute ist ganz einfach ihre Familie. Was bleibt ihnen auch im Raubtierkapitalismus polnischer Bauart anderes übrig? Von einer 37-Stunden-Woche können sie nur träumen. Parallelen zum deutschen Wirtschaftswunder drängen sich auf: Hatten die Deutschen der 1950er-Jahre schon ein »Hobby«? Wurden Grundschüler in den frühen Sechzigerjahren nach ihrem »Hobby« gefragt? Das kam erst in der nächsten Generation auf. Ähnliches kündigt sich zeitverschoben auch in Polen an. Ein Indikator dafür ist die massenhafte Ansiedlung von Baumärkten. Wenn die Dachstühle erst einmal alle ausgebaut sein werden, geht es in den Hobbykeller. Und danach ist es auch nicht mehr weit zur 68er-Revolte.

Die Summe der Liebe

Während der Fahrt über das platte Land zwischen Posen und der nächsten Stadt, Konin, widme ich mich mal wieder meinem Leib- und Magenthema, der Beobachtung von Häusern und Dorfstrukturen. Interessant ist zum Beispiel, dass man auch bei neuen Einfamilienhäusern häufig das Hauptelement des klassischen polnischen Adelshofes findet, nämlich das Vordach auf zwei weißen Säulen. So viel Traditionsbewusstsein verwundert Deutsche meiner Generation. Unser Lieblingswort »spießig« liegt in der Luft.

Manche Häuser sind frisch gestrichen und von einem schönen Garten umgeben. Viele wirken aber verwahrlost. Das wäre in Deutschland undenkbar, man stutzt die Hecke, mäht den Rasen und pinselt abgeblätterte Fensterrahmen – nicht nur, weil es in den deutschen Genen knistert und man riesige Lust darauf verspürt, sondern hauptsächlich deshalb, weil man mehr oder weniger sanft von den Nachbarn dazu gedrängt wird. In Sachen Hausästhetik gibt es in Deutschland einen starken Gruppenzwang. Sichtbar wird das sogar in den von der deutschen Minderheit in Oberschlesien bewohnten Dörfern. Polen, mit denen ich durch diese Dörfer fuhr, haben mich immer wieder, halb ehrfürchtig, halb spöttisch, auf die picobello geharkten Vorgärten hingewiesen.

Ja, in jeder Gesellschaft gibt es Bereiche mit starkem Kollektivzwang und andere, in denen man nicht unbedingt mitmachen muss. Wer in einem polnischen Dorf wohnt, ist zum Beispiel am Sonntagvormittag einem starken Kirchgangdruck ausgesetzt. Zum Ausgleich dafür braucht er dreißig Jahre lang sein Haus nicht zu streichen. In Deutschland wiederum braucht man sonntags nicht (mehr) unbedingt in die Kirche zu gehen und bei einer Hochzeit nicht unbedingt zu tanzen. Die Gesellschaft toleriert den Atheisten und den Tanzmuffel lächelnd, während er in Polen als asozial gelten würde. Ein Pole strengt sich bei Tanz oder Gastfreundschaft an; ein Deutscher, der nicht tanzt und nur ein Mal im Jahr Fremde in sein Haus lässt, legt seine Liebe dafür in die Gestaltung von Hecke und Gartenteich. Die Summe von kollektivem Zwang und individueller Freiheit, von liebevoller Anstrengung auf einigen Gebieten und interesseloser Gleichgültigkeit auf anderen Gebieten, ist vermutlich in beiden Ländern gleich.

Braunkohletagebau in Konin

Weniger als eine halbe Stunde trennt uns noch von Konin, dem Zentrum des polnischen Braunkohletagebaus. Ich hatte einmal einen Auftritt im örtlichen Kulturhaus und weiß seither, wovon

Konin lebt. In der ersten Reihe saßen die Direktoren der größten Kohlegrube. Das Kulturhaus selbst hieß »Oskard – der Kohlepickel«. Höchste Zeit also, Fakten und Zahlen zum Thema Braunkohle zu präsentieren, angefangen bei der wöchentlichen Förderkapazität der gigantischen Schaufelbagger bis hin zu prägenden Persönlichkeiten des polnischen Braunkohletagebaus zwischen 1945 und 2012 – einfach alles. Das wird ein schöner Streckenabschnitt.

Bevor ich aber loslege, schiebe ich rasch noch einen kleinen Kontrollgang ein. Nennen wir es eine typisch polnische Misstrauensattacke. Seit fast drei Stunden sitze ich nun schon im Speisewagen; da lohnt es sich doch einmal nachzuprüfen, ob mein Gepäck noch im Abteil liegt. Nicht, dass mir persönlich jemals etwas abhanden gekommen wäre, aber die Tante einer alten Uni-Kollegin wurde einmal im Zug von Rzeszów nach Stettin bis aufs Hemd ausgeraubt – sagte mir zumindest ihr Ex-Mann.

Ich stehe auf und bitte den Japaner, kurz meinen Platz freizuhalten. Er schaut von seinem Buch auf, und ich sehe ihm dabei zum ersten Mal unter die blondierten Strähnen frontal ins Gesicht. Er hat ziemlich tiefe Ringe unter den Augen. Vielleicht sind das aber auch nur Schatten seiner riesigen schwarzen Brille.

»Jaja, ich kümmere mich darum«, sagt er in gutem Deutsch, aber irgendwie nervös. Warum schaut er mich so gestresst an?

Ich haste zurück in mein Abteil. Von den Gesichtern, die ich unterwegs in den Waggons sehe, kenne ich kaum noch eins. Der Zug ist in Poznań sehr voll geworden, viele Leute stehen genervt auf dem Gang. Nur die vier Musiker sind noch da. Einer bearbeitet seine Gitarre, die anderen singen leise. Fast hätte ich Lust, die Tür aufzuschieben und sie zu begrüßen. Reisende, die am selben Bahnhof einsteigen, sind wie Mitglieder einer Generation: sie kennen sich zunächst nicht, finden aber einander umso sympathischer, je mehr Fremde zusteigen.

Als ich die Tür meines Abteils aufschiebe, registriere ich mit Erleichterung, dass mein Köfferchen noch unversehrt auf der Ablage liegt. Auch das deutsch-polnische Ehepaar ist noch da, hat allerdings Gesellschaft bekommen.

In Poznań ist eine junge Frau zugestiegen. Sie wendet mir den Rücken zu, aber dass sie schön ist, erkenne ich an dem glückstrahlenden Lächeln, mit dem der deutsche Ehemann sich gerade von seinem Sitz erhebt, um das quadratische silberne Köfferchen der Dame auf die Ablage zu hieven. Seine Frau beobachtet den Vorgang mit Argusaugen.

Die junge Dame sagt »dziękuję« zu dem Professor, kauert sich dann auf ihren Sitz, streift die Schühchen von den Füßchen und zieht die Beinchen hoch. Sie ist zierlich, trägt eine riesige Sonnenbrille und einen hellblauen Trainingsanzug, der mit silbernem Strass besetzt ist.

Ich könnte jetzt eigentlich beruhigt in den WARS-Speisewagen zurückkehren, beschließe aber kurzerhand, mal wieder eine Weile meinen bezahlten Sitzplatz zu nutzen. Der Braunkohletagebau im Raum Konin kann noch einen Moment warten. Außerdem hält ja der Japaner meinen Platz im Speisewagen frei.

»Dzień dobry«, sage ich artig.

»Dzień dobry«, antwortet die Blondine verhuscht, andeutungsweise den Kopf in meine Richtung drehend.

Der deutsche Rentner sagt ebenfalls »dzień dobry«, merkt aber, dass mein Gruß der jungen Frau galt, und wendet sich seinem Buch zu.

Ich äuge mal schnell nach links. Die junge Frau ist etwa dreißig Jahre alt, zweifellos attraktiv, aber vielleicht ein bisschen zu blond gefärbt, ein bisschen zu stark geschminkt. Sie benimmt sich wie eine unnahbare Prinzessin, und mein Wuppertaler Herz rutscht mir sofort in die Hose. Zum Glück habe ich in Polen gelernt, dass Sprödigkeit zur Maske einer eleganten Dame gehört, und setze deshalb mutig das Gespräch fort.

»Jak tam?«

Sie scheint überrascht zu sein und wendet mir voll ihr Gesicht zu. Ich bekomme eine Breitseite ihrer Augen ab – brauner Kulleraugen. Mein erster Eindruck: Ich kenne diese Frau. Irgendwoher kenne ich diese Kulleraugen.

»Stara bieda«, antwortet sie und schürzt die prallen Lippen verächtlich.

Das war routiniert, aber trotzdem sexy. Nach wahrer Armut klang es jedenfalls nicht.

Der Zug rattert auf Konin zu. Ich sitze noch eine Weile blöd da und stiere vor mich hin. Irgendwoher kenne ich diese junge Frau. Sie hat gerade ihr Handy aus der Trainingshose genestelt und tippt mit den Fingerchen so flach auf den Tasten herum, dass die rosa-silbern manikürten Fingernägel nicht strapaziert werden.

Damit sie nicht glaubt, dass ich ihr beim SMS-Schreiben zugucke, stehe ich diskret auf, um das Abteil zu verlassen. Leider mache ich dabei in der Enge des Abteils eine hektische Bewegung, sodass ich mit dem Knie an das Handy der Braunäugigen stoße. Sie guckt kurz auf, als sei sie angeekelt. Dummerweise fällt mir nicht ein, was ich jetzt sagen soll. Achtzehn Jahre in Polen – aber ich habe momentan sogar vergessen, was »Entschuldigung« heißt. Das Leben eines Auswanderers ist manchmal demütigend. Während der ersten Monate ist man permanent der Totaldepp, später dann zum Glück in immer größeren Abständen. Heute ist wieder so ein Tag. Als ich endlich benommen auf dem Gang stehe, nehme ich mir vor, erst einmal in Ruhe die Lage zu überdenken.

Keine Frage – die Blondine mit den braunen Kulleraugen hat mich ein bisschen nervös gemacht. An wen erinnert sie mich? Ich muss jetzt erst einmal einen Tee trinken. Das Thema Braunkohletagebau wird an dieser Stelle endgültig auf mein nächstes Polenbuch verschoben. Tut mir leid!

Während ich wieder zurück in den Speisewagen stolpere, geht mir als altem Operettenfreund der klassische Beschreibungskanon einer schönen Polin durch den Sinn, so wie er verzeichnet ist in der Operette »Der Bettelstudent« von Carl Millöcker. Von den dort aufgezählten Merkmalen stimmt im vorliegenden Fall wirklich auffällig viel.

Die Nase hat sie griechisch-römisch,
Glutaugen von der Spanierin,
Der üpp' ge Mund ist slawisch-böhmisch,
Und lieblich wienerisch das Kinn.
Von der Pariserin das Füßchen
Und von der Britin die Figur,
Von allen Reizenden ein bisschen,
Doch immer grad das Beste nur!

Sie borgt sogar von der Mongolin
Etwas Pikanterie vielleicht,
Und gerade dadurch wird die Polin
Von keinem andern Weib erreicht.

Multitasking

Wenn die alte chinesische Weisheit stimmt, dass eine richtige
Reise stets ein Miniaturabbild des ganzen Lebens ist, gehört auch
eine kleine Verliebtheit dazu. Ich bin ein Glückspilz; bei mir hat
es heute funktioniert.

Doch wie stehen meine Chancen bei der jungen Frau? Muss
ich mir nicht große Sorgen machen? Habe ich vorhin nicht
höchstpersönlich die hohe emotionale Intelligenz der Polen ge-
rühmt? Und war nicht auch in der Arie von »Glutaugen« und
»Pikanterie« die Rede? Welche Chancen hat dann ein kühler
Deutscher bei einer Polin? Wäre es nicht das Beste, ich schlage
mir die Blondine gleich wieder aus dem Kopf?

Doch das wäre eine vorschnelle Kapitulation und auch ein
komplettes Missverständnis. Es ist keineswegs so, dass wir armen
Deutschen weniger Emotionen haben. Behauptet wurde lediglich, dass Polen wahrnehmungstechnisch breiter aufgestellt sind,
wacher durch die Welt laufen und nebenbei noch mit der Oma
telefonieren können.

Das Stichwort »Telefon« liefert ein allerletztes Beispiel dafür,
was mit »emotionaler Intelligenz« gemeint war. Eine stolze Kra-
kauerin, die seit zwei Jahren in Berlin lebt, beklagte sich bei
mir darüber, dass viele Deutsche immer abrupt stehen blieben,
wenn sie auf offener Straße angerufen würden. Ständig gebe es im
Passantenstrom kleine Kollisionen, wenn jemand unvermittelt
stehenbleibe, weil sein Handy klingelt. In Polen bleibe niemand
stehen! Sie sei auf den Berliner Bürgersteigen nun schon hundertmal gegen solche nervigen Telefon-Stehenbleiber gelaufen.

Ich war begeistert von der Beobachtung, investierte einige
Tage in Feldforschungen und musste am Ende zustimmen. Ja,
auch ich selbst bleibe stehen, wenn mein Handy piepst, und
zwar so lange, bis ich die grüne Sprechtaste gedrückt habe. Umso
neugieriger war ich auf die Erklärung des Phänomens. Meine

Bekannte, Doktorandin der ehrwürdigen Jagiellonen-Universität, sagte kritisch: »Sorry, aber ich schreibe es der allgemeinen Wichtigtuerei zu, dem deutschen Egoismus, den du ja auch immer beklagst. Wer angerufen wird, will der Welt demonstrieren, wie wichtig er ist, und spielt sofort breitbeinig den großen Hollywoodproduzenten.«

Ich protestierte heftig. Der von mir beklagte deutsche Egoismus hat nicht viel mit Arroganz und Eitelkeit zu tun, sondern ist eher eine Form von blindem Ehrgeiz. Nach einigem Nachdenken fand ich dann eine andere Erklärung. Sie basiert mal wieder auf dem Mangel an emotionaler Intelligenz. Der Augenblick des Angerufen-Werdens ist, so glaube ich, für viele Deutsche dermaßen absorbierend, dass sie alle übrigen Tätigkeiten einstellen müssen, sogar das Laufen. Um die Sprechtaste drücken und gleichzeitig weiterlaufen zu können, wäre die Fähigkeit zum Multitasking gefordert, doch ist sie nur bei einem sehr kleinen Teil der Deutschen ausgeprägt. In Polen hingegen kann man nur staunen, wie souverän viele Leute drei Sachen gleichzeitig machen können, übrigens ganz unabhängig vom Geschlecht. Ich sehe es bei meinem oberschlesischen Freund Marek. Während er Auto fährt, hält er das Handy ans Ohr, wechselt mit der anderen Hand die CD und verliert doch nie den Bildschirm des Navigationsgerätes aus den Augen. Nein, für Multitasking ist weder die Intelligenz noch das Geschlecht verantwortlich, sondern die Kultur, in der man aufwächst. Schauspieler und Chefsekretärinnen bilden die Ausnahme von der Regel.

Romantische Liebe

Doch jetzt kommt die tröstliche Pointe. Aus der schwächer ausgeprägten Fähigkeit zum Multitasking folgt keineswegs, dass es den Deutschen an Gefühlen mangelt – ganz im Gegenteil! Ein eminenter Kenner beider Mentalitäten, der polnische Soziologe Krzysztof Wojciechowski, meint sogar in seinem Buch »Meine lieben Deutschen«, dass die romantische Liebe in Deutschland häufiger auftrete als in Polen. Um die Liebe sei es in Deutschland gut bestellt, weil »das deutsche Gefühlsleben ein spitzer Berg mit einem hohen Gipfel, steilen Hängen und einem verhältnismäßig kleinen Sockel ist. Der Personenkreis, der mit Gefühlen bedacht wird, ist nicht groß. Er umfasst die nächste Familie, einige Freunde und Arbeitskollegen.« Infolge ihrer größeren Einsamkeit leben die Deutschen also permanent in einer Art Gefühlsstau. Wojciechowskis Schlussfolgerung: »Nicht die Polinnen, sondern die deutschen Frauen verlieben sich leidenschaftlich und verrückt. Sie sind es, denen die Gefühle den Verstand vernebeln, Lebensläufe durcheinanderbringen, zu unberechenbaren Taten verleiten.«

Die deutsche Kultur erzieht also dazu, die eigenen Gefühle auf wenige, ja sogar einen einzigen Menschen zu begrenzen, sodass wir dazu neigen, unsere(n) Auserwählte(n) mit einem Heiligenschein zu bekränzen. Polen hingegen, die in der Regel mehr soziale Kontakte haben, müssen ihre Liebe auf mehrere Menschen aufsplitten, auch auf den lästigen Onkel und die langweilige Kindergartenfreundin. Dadurch bleibt für den Geliebten weniger Romantik übrig.

Doch die Deutschen müssen büßen für ihre Romantik. Sobald sie ihre große Liebe verlieren oder der einzige Freund nach Wolfenbüttel zieht, stehen sie allein auf der Welt und surfen abends stundenlang auf Sozialportalen herum. Wer hingegen einen breiten Bekanntschaftspool unterhält und sich sogar mit unbequemen Familienangehörigen arrangiert, wird dadurch belohnt, dass er öfter eingeladen wird und ständig neue Leute kennenlernt. Die romantische Liebe ist also eher in Deutschland zu Hause, weil Liebe in Polen nur ein Gefühl von vielen ist, während die Deutschen sich aus ihrer emotionalen Wüstenei danach recken und strecken.

Wenn das wahr ist, kann ich getrost in die Offensive gehen. Ich werde diese schnippische Blondine mit deutscher Liebesromantik erobern! Allerdings brauche ich für meinen Schlachtplan noch ein bisschen Mut und einen kleinen Żubrówka-Wodka.

Kartoffelbauer

Ich schiebe mich wieder zurück durch den Zug in Richtung Speisewagen. Als ich gerade durch den letzten Waggon gehe, wird eine Abteiltür aufgerissen. »Panie Stefanie!«

Zwei ältere Damen stecken die Köpfe heraus. Sie sind um die sechzig und haben kurze, aufgesilberte Fönfrisuren. Die eine, in einem lila Kostüm, sagt auf Polnisch: »Panie Stefanie! Wo ist denn Ihr Bruder?«

Die andere, in einem grünen Kostüm, droht mir lustig mit dem Zeigefinger: »Und wann werden Sie wieder bei ›M jak Miłość‹ mitspielen?«

Sie schauen mich erwartungsvoll an. Ihre Fragen spielen auf die Rolle an, die ich sechs Jahre lang im polnischen Fernsehen gespielt habe, und zwar in der Serie »M jak Miłość – L wie Liebe«. Von 2002 bis 2008 mimte ich dort zweimal pro Woche den deutschen Kartoffelbauern Stefan Müller, der nach Polen kommt, um Frittierkartoffeln anzubauen. Müller wohnte im (fiktiven) Dorf Grabina bei Warschau, hatte zunächst viele Feinde, weil alle glaubten, er wolle den armen Polen ihr Land wegkaufen. Allmählich aber entspannte sich die Situation. Zunächst erfuhren die Einwohner, dass der Deutsche sein Land nicht gekauft, sondern lediglich gepachtet hat. Dann freundete er sich auch noch mit seinem Nachbarn Marek Mostowiak an, und es stellte sich heraus, dass er hauptsächlich auf der Suche nach einer Frau war. Daraufhin betätigten sich Marek und seine Frau Hanka als raffinierte Kuppler, und in 400 Folgen gelang es mir, insgesamt drei Mal zu heiraten. Meine beiden ersten Frauen, Jola und Małgosia, liefen mir jeweils schon nach wenigen Folgen wieder weg, doch mit der dritten, namens Ela (Kurzform von »Elżbieta-Elisabeth«), fand ich schließlich das Glück. Wir zogen nach Hamburg und betreiben seither dort ein Pub. Seit 2009 spiele ich nicht mehr mit, werde aber von treuen Zuschauern immer noch gelegentlich erkannt. Die Serie selbst läuft nach wie vor und hat pro Folge fast zehn Millionen Zuschauer.

Mit der Frage »Wo ist denn Ihr Bruder?« meinte die Dame meinen Serienhund und besten Freund, einen weißen, schwanzwedelnden Golden Retriever, mit dem ich immer über die Kartoffelfelder getrabt bin. Die Drehbuchautoren hatten für ihn den deutschen Namen »Bruder« ersonnen. Auf meine Beschwerde, dass man einen Hund doch nicht »Bruder« nennen könne, antworteten sie wegwerfend: »Mach dir keine Sorgen, die meisten Polen verstehen das deutsche Wort ›Bruder‹ doch gar nicht.«

Kartoffelbauer Stefan Müller und sein Bruder

Und damit hatten sie recht. Bis heute sagen mir polnische Kinder auf der Straße: »Panie Stefanie, ich kenne ein deutsches Wort! Ich weiß, was ›Hund‹ heißt – Bruder!«

Auch die Anredeform »Panie Stefanie« ist noch kurz erklärungsbedürftig. Da ich in der Rolle »Stefan« hieß, wurde ich auch im zivilen Leben so genannt. Steffen – Stefan, das klingt für einen Polen sowieso wie derselbe Name. Die Form »Stefanie« ist der siebente Fall von Stefan, der Vokativ. Man verwendet ihn immer dann, wenn man jemanden ruft.

»Meinem Bruder geht es gut«, erwidere ich der lila Kostümdame. »Er ist bei Marek Mostowiak in der Hundehütte.«

Sie lächelt. »Und wann werden Sie wieder in der Serie mitspielen?«

»Wünschen Sie mir eine vierte Frau?«

»Wer weiß!«, sagt sie zweideutig und grinst ihre Freundin an. Ich sehe den beiden an der Nasenspitze an: Sie mögen meine dritte Frau nicht. Bis heute werde ich von treuen Fans vor Ela gewarnt. Sie gilt als verschlagen. Es liegt vermutlich an ihren ungebärdigen schwarzen Naturlocken.

»Sie sehen übrigens in der Realität viel jünger aus als im Fernsehen!«, versichert mir die Dame in Grün mit charmantem Lächeln. »Vielen Dank«, sage ich. »Und Sie haben ein wirklich entzückendes Kostüm an.«

Ja, auch ich kann inzwischen charmant sein. Polen ist ein Komplimente-Land. Das habe ich nach vielen, vielen Jahren endlich akzeptiert. Gemerkt habe ich es schon gleich zu Beginn, als ich noch Deutschlehrer an einem Warschauer Lyzeum war. Zu Beginn der großen Pause strömten die Lehrer ins Lehrerzimmer, überwiegend Frauen. Während sie ihre Butterbrote auspackten, überschütteten sie sich gegenseitig mit Komplimenten. »Grażynka, du hast ein phantastisches rotes Jackett an, so eins hätte ich auch gerne, du verzaubertes Einhorn!« – »Und du, Oleńka, hast eine Brille aus Sternenstaub. Wenn ich jemals eine Brille brauchen sollte, kaufe ich mir auch so eine, du träumerische Lilie!«

Es war ein wechselseitiges Ritual, das sich durch die halbe Pause zog. Auch ich selbst bekam Komplimente ab, was mir in Deutschland noch nie passiert war. »Steffek – schöne Jacke« oder »Steffek – schöne Aktentasche.« Ich saß dann stockstreif wie ein zugeschnürtes Paket da. Einmal griff mir eine ältere Mathematiklehrerin wie rasend ans Schlafittchen: »Was für ein süßes Hemd! Deine Mutter ist sicherlich stolz auf so einen hübschen Jungen!« Anschließend warf sie sich vor mir in Positur und wartete auf ein Gegenkompliment. Denn so ist es üblich; man gibt und nimmt, nimmt und gibt. Ich saß da, feuerrot, und zerbrach mir den Kopf. Sollte ich zu ihr sagen: »Und du, feenhafte Iwona, hast eine verführerische Nase?« Nein, das kam mir schleimig vor, denn in der deutschen Sprödigkeitskultur sind Komplimente entweder eine Schleimerei oder eine sexuelle Belästigung. Weil aber irgendwas gesagt werden musste, murmelte ich schließlich: »Hauptsache gesund!«

In punkto Komplimente haben Polinnen und Polen in Deutschland ein schweres Leben. Ihre deutschen Kollegen und Kolleginnen beißen sich lieber auf die Lippen, als einen Kommentar zur neuen Brille abzugeben. Manche Polinnen fahren deshalb nach Feierabend mal schnell hinter die Grenze, um dort irgendwo an einer Bushaltestelle oder vor einem Kiosk ein Kompliment abzustauben.

Immobilienkauf in Polen

Als EU-Bürger kann man in Polen problemlos eine Wohnung oder ein Haus kaufen. Eine staatliche Genehmigung ist dafür nicht erforderlich. Anders ist die Lage, wenn es sich um landwirtschaftliche Flächen oder ein Waldgebiet handelt. Hier ist noch bis zum 2. Mai 2016 eine Genehmigung des Innenministeriums erforderlich, allerdings auch nicht, wenn die Fläche lediglich gepachtet und dort Landwirtschaft betrieben wird. Außerdem muss man eine Aufenthaltsgenehmigung und einen legalen Wohnsitz in Polen haben.

Warme Klöße

Die beiden Damen stellen sich strahlend vor. Die lila Frau heißt Jola (im Pass steht »Jolanta«) und die grüne ist Reni (offiziell »Renata«). Beide wohnen in Konin und sind Rentnerinnen. Sie waren gerade für ein paar Tage in Berlin, um Jolas Sohn zu besuchen, der dort mit seiner Familie wohnt. Bei dieser Gelegenheit haben sie auch das Café Kranzler am Ku'damm und ein paar noch heißere Orte besucht, nicht zuletzt mit dem Hintergedanken, einen neuen Mann für Reni zu finden.

Leider hat es aber nicht geklappt. Sie beklagen sich heftig. Die Deutschen seien zu schreckhaft, zu wohlerzogen. Auf Polnisch gebe es dafür – ob ich das schon wisse? – die abfällige Bezeichnung »ciepłe kluchy – warme Klöße«. Pani Reni erzählt: »Zu Beginn hatten wir noch keine Ahnung. Wir sind in dieses Café gegangen und haben uns hingesetzt. Die deutschen Männer machten von weitem ›Prost‹ – und weiter nichts. In Polen sind wir maximal fünf Minuten allein, schon kommt jemand und bietet uns einen Drink an. Im zweiten Café wurden wir von einem Türken angebaggert. Aber meine Freundin möchte ja nicht in einem Harem landen. Also sind wir in das dritte Café gegangen. Und dort haben wir gemerkt, wie man es machen muss. Die Deutschen brauchen einen Vorwand. Das fiel uns auf, als neben uns ein Mann mit einem Hund saß. Alle Männer kamen und fragten nach dem Hund – und sprachen dann auch uns an. Von nun an haben wir es so gemacht: Meine Freundin lachte sehr laut – das kann sie! –, dann kamen die deutschen Männer heran und fragten, worüber sie so laut lache.«

Freundin Jola gibt eine Kostprobe ihres Lachens. Hahahahihi-hi. Auf dem Gang öffnen sich einige Abteiltüren, Köpfe von Reisenden schieben sich heraus.

Zaborczość

Der grünen Reni ist es sichtlich peinlich, dass wir hier so ein Aufsehen erregen. Sie packt mich heftig an der Schulter. »Panie Stefanie, was trinken Sie? Wir laden Sie ein!« Sie möchte mich in den Speisewagen ziehen.

Die beiden Damen verfügen über eine gewisse Eigenschaft, die ab einem bestimmten Alter vielen Polinnen eigen zu sein scheint: Sie sind sehr besitzergreifend. Diese Eigenschaft ist so markant, dass sie in Israel sogar eine eigene Sorte von Witzen hervorgebracht hat. Geprägt wurde das Bild der polnischen Mama dort durch Tausende Einwanderer aus Osteuropa. Die polnische Mama versteht es, durch raffinierte Tricks bei ihrem Sohn starkes Schuldbewusstsein zu erzeugen. Hier ein Beispiel für einen israelischen »Polenwitz«.

Als der Sohn seine Mutter anruft und sie fragt, wie es ihr geht, ächzt sie nur undeutlich. Der Sohn erschrickt. »Mama, was ist denn, geht's dir nicht gut?« – »Doch, doch. Abgesehen davon, dass ich seit 34 Tagen nichts mehr gegessen habe, geht es mir gut.« – »Aber Mama, warum hast du denn nichts gegessen?« – »Ich wollte den Mund nicht voll haben, wenn du anrufst.«

In Deutschland dürften die Themen »Possessivität« und »Schwiegermutter« so passé wie Blondinen- oder Kohlwitze sein. Die 68er-Bewegung hat dazu geführt, dass das Verhältnis einer Mutter zu ihren erwachsenen Kindern im besten Fall freundschaftlich ist, im schlechtesten Fall nicht mehr existent.

In Polen aber ist die Familie noch stark. Auch die Hierarchie ist klar gegliedert, fast wie im WARS-Speisewagen. Eltern sind noch Eltern und Kinder bleiben ewig Kinder. Kontakte werden nicht abgebrochen, sondern mit Engelsgeduld gepflegt, und zwar mehrmals wöchentlich. Es ist unglaublich, wie oft man in Bus und Bahn liebevollen Eltern-Kind-Telefonaten beiwohnt. Die Grenze zwischen »liebevoll« und »besitzergreifend« ist dabei fließend. (Während übrigens das Wort »besitzergreifend« auf

Deutsch ziemlich sperrig wirkt, das Fachwort »possessiv« sogar äußerst sperrig, gehört das polnische Äquivalent »zaborczy« in die gewöhnliche Alltagssprache. Man benutzt es häufig und gerne.)

Eine »zaborcza« Mama telefoniert fast täglich mit ihrem Töchterlein – wobei der Begriff »Tochter« bis ins siebzigste Lebensjahr hinaufreichen kann, sofern die Tochter noch eine neunzigjährige Mutter hat, die weiterhin darauf achtet, dass »die Kleine« nicht raucht, flucht oder sich mit Männern herumtreibt.

Auch gestandene Frauen haben im Gespräch mit ihrer Mama plötzlich wieder eine Stimme, die so rein und silberhell wie die einer achtjährigen Ballerina ist. Gelegentlich ist es natürlich auch ein Vater, der possessiv ist. Aus Gdańsk ist mir ein Fall bekannt, wo ein Vater sich permanent Sorgen machte, weil seine inzwischen vierzigjährige Tochter seit einigen Jahren Vegetarierin war. Bei jeder gemeinsamen Mahlzeit fragte er sie freundlich: »Möchtest du nicht vielleicht doch ein Würstchen haben?« – »Wann hört das endlich auf, Tata?« – »Nie«, antwortete er mit entwaffnendem Lächeln. Immer wenn die unverheiratete Tochter Grippe hatte, ließ sie sich von ihrem Tata dazu überreden, »nach Hause« zu kommen. Der Vater war dann im siebten Himmel und brachte ihr Orangen ans Bett, die wie Rosenkelche geschält waren.

Das Allerseltsamste ist allerdings, dass dieselben Frauen, die mit zwanzig über ihre Mütter und Väter klagen, sich mit fünfzig selbst in besitzergreifende Drachen verwandeln. Wie kann so etwas passieren? Warum sind Menschen mit zwanzig so süß und mit fünfzig so possessüß? Die Antwort ist simpel und wiederholt sich ständig: weil ihre Kultur es so von ihnen verlangt.

Im Hausschuhland

Kaum hat die grüne Reni ihre Einladung ausgesprochen, ist ihre Freundin Jola schon in den Speisewagen vorausgeeilt, um Plätze zu reservieren. Sie kommt rasch zurück und winkt ärgerlich ab: »Hat keinen Sinn, alles voll!«

»Dann machen wir es eben hier bei uns im Abteil!«, sagt Reni. Sie zieht mich am Ärmel zur Tür hinein. Ich gehe widerstandslos mit. Eine Weigerung hätte, wie ich aus ähnlichen Begegnungen weiß, keinen Sinn. Die weiblichen Fans der Serie »M jak Miłość« sind stark wie Löwinnen und irrsinnig schnell beleidigt. In meinem Fall kompliziert sich die Situation noch dadurch, dass ich ein Deutscher bin. Sobald ich mich von einer etwas abweisenderen Seite zeige, heißt es sofort: Aha, jetzt schlagen die Gestapo-Gene durch!

Die lila Jola läuft noch mal los, um aus dem Speisewagen Tee und Kuchen zu holen. Reni und ich setzen uns. Ich bekomme den Ehrenplatz am Fenster. Reni klopft extra mein Sitzpolster sauber.

»Soll ich die Schuhe ausziehen?«, frage ich im Gegenzug höflich.

»Neeeein!« ruft sie.

Aber ich tue es trotzdem. Fast jeder polnische Gastgeber sagt »neeein!«, und fast jeder freut sich, wenn man dennoch die Schuhe auszieht. Polen war viele Jahrzehnte lang ein Hausschuhland. Bei manchen Leuten stehen immer noch eigene Hausschuhschränke im Flur. Wenn der Gast Schuhgröße 45 hat, kann es Probleme geben, aber selbst dann wissen sich die Leute zu helfen. Sie klingeln einfach beim Nachbarn: »Wojtek, hast du 45er-Hausschuhe?«

Doch die Hausschuhpflicht bröckelt inzwischen ab. Vor allem in den Großstädten bekommt man immer häufiger den Satz zu hören: »Aber bloß nicht die Schuhe ausziehen!« Das sind dann junge Leute, die sich von ihren traditionellen Eltern abgrenzen wollen.

Verwandeln jede Einladung in ein Heimspiel: meine polnischen Reisehausschuhe

Keine Frage: So eine polnische Privateinladung ist eine sehr herzliche Angelegenheit. Und das Allerbeste: Sie wird spontan und unkompliziert ausgesprochen. Man braucht sich als Gast absolut keine Sorgen zu machen, dass man dem Gastgeber insgeheim auf die Nerven geht. Das ist der Vorteil einer Antiplanungskultur. Selbst wenn der Kühlschrank leer sein sollte, werden alle Probleme mit spontaner Improvisation gelöst. Vor allem aber steckt ein lockeres Verständnis von Privatsphäre dahinter. Viele Deutsche, die schon am dritten Tag in die Wohnung ihres neuen polnischen Arbeitskollegen eingeladen werden, sind überrascht und fühlen sich sogar bedrängt. Nein, was sind die Polen doch für Ranschmeißer! Glauben die allen Ernstes, dass wir schon nach drei Tagen dicke Freunde sind? Dann sind sie aber oberflächlich!

Aber eine solche häusliche Einladung ist viel harmloser gemeint, als sie für deutsche Ohren klingt. Ziel der Einladung ist nicht, Freundschaft fürs Leben zu schließen, vielmehr geht es um eine Form der Repräsentation. Eine Einladung gibt die Gelegenheit, auf indirekte Weise zu zeigen, was man hat. Während ein Deutscher am Arbeitsplatz angeben darf, dass er erfolgreich ist und einen Passat Kombi besitzt, fällt es einem Polen wieder einmal sehr schwer, von sich selbst zu sprechen. Er serviert stattdessen lieber seinen Gästen gute Speisen und Getränke und weist so indirekt auf seinen sozialen Status hin. Gelegentlich artet es natürlich auch in eine Prestigedemonstration aus. Wenn die Gäste auf dem rundum verspiegelten Dachboden dann irgendwann bemerken, dass sie nur zu einer riesigen Selbstinszenierung eingeladen wurden, raunen sie sich ein bekanntes Sprichwort zu: »Zastaw się, a postaw się.« Das kann nur blumig umschrieben werden: »Egal, ob du ein armer Schlucker bist, decke den Tisch so, dass dich alle für reich halten.«

Kein Wunder, wenn Polen in Deutschland heftig darüber klagen, dass sie in zwanzig Jahren noch nie von jemandem nach Hause eingeladen wurden. »Sie mögen uns Polen nicht!« ist häufig die resignierte Schlussfolgerung. Übersehen wird dabei, dass auch die deutschen Arbeitskollegen sich untereinander noch nie eingeladen haben.

Bei der Einladung in eine Privatwohnung sind außer dem Hausschuhgebot noch andere Regeln zu beachten. Es beginnt mit einer kräftigen Dosis Aberglauben. Nachdem der polnische Gastgeber die Tür geöffnet hat, sollte man »Dzień dobry – Tag guten!« sagen, aber keinesfalls die Hand ausstrecken. Das würde ihn nämlich in größte Verlegenheit stürzen. Hektisch winkend sagt er dann, mit einem ängstlichen Blick zur Türschwelle: »Komm erst mal rein!« Der Hintergrund: Würde er die ausgestreckte Hand über der Türschwelle schütteln, brächte er Unheil über sich und sein Haus bis ins dritte Glied. In alten Zeiten wurden unter der Hausschwelle die Gebeine der Ahnen vergraben. Sie sollten das Haus bewachen, man durfte sie nicht stören. Das gilt auch heute noch, im siebten Stock eines Hochhauses. Eine andere Theorie sagt: Wenn man sich über der Türschwelle die Hand gibt, baut man den im Treppenhaus lauernden Dämonen eine Brücke ins Wohnungsinnere. Wie auch immer: Man schüttelt sich die Hände erst im Wohnungsinneren.

Der Dame des Hauses darf man, falls sie älter als dreißig Jahre ist, einen Handkuss geben. Ich selber tue es nie. Die Sitte ist noch seltener geworden als Hausschuhe. Meistens küsse ich die Gastgeberin drei Mal auf die Wange: links – rechts – links. Dann fragt sie geschäftig: »Kawa czy herbata? Kaffee oder Tee?«

Gelegentlich gibt es für die Gäste auch einen Begrüßungs-Wodka. Hier gilt die Regel: Das erste Gläschen muss man mittrinken, das zweite darf man ablehnen.

Was Deutsche häufig falsch machen: Sie sagen direkt nach dem Betreten der Wohnung: »Um 22 Uhr muss ich leider schon wieder gehen.« Der Gastgeber zuckt zusammen. Ein Pole würde seinen Besuch niemals mit einer solchen Ankündigung beginnen, auch wenn er dringend früher verschwinden muss. Er würde den Besuch beginnen, als wäre alles in bester Ordnung, würde aber irgendwann anfangen, unruhig hin und her zu rutschen, wiederholt auf die Uhr gucken und zwanzig Minuten vor der Zeit stammeln: »Ich muss leider demnächst gehen.« Bei deutschen Gastgebern würde er sich mit diesem Verhalten sehr unbeliebt machen: »Warum hast du uns das nicht gleich beim Kommen gesagt?« Sie hätten dann nämlich ihren Restabend ganz anders planen können!

Nun wird das Essen aufgetischt. Das Sprichwort »Gość w dom, Bóg w dom – Gast im Haus, Gott im Haus« ist unverändert gültig. Man darf hemmungslos essen und trinken, ja sogar Nachschlag fordern. Die Gastgeber freuen sich darüber. Für deutsche Gäste ist es angenehm und ungewohnt, dermaßen im Mittelpunkt zu stehen. Jeder Wunsch wird ihnen von den Augen abgelesen. Manche Gastgeber verkneifen sich sogar, während der Anwesenheit ihrer Gäste zur Toilette zu gehen. Sie wollen den Gast auch nicht eine einzige Minute allein lassen. Stattdessen bemühen sie sich, das Gespräch nicht abreißen zu lassen. Es ist oft rührend, wie selbst große Schwafler und Angeber (die es sogar im paradiesischen Polen gibt) sich in ihrer Gastgeberrolle plötzlich zusammenreißen und einen Tick weniger als sonst reden. Das hat schon manchem überraschten Deutschen die Zunge gelöst. Er zählte erst mal zwei Stunden lang seine Kinderkrankheiten auf und berichtete anschließend noch von den Urlauben der letzten Jahre.

Wenn man nach Hause gehen will, sollte man es schon lange vorher ankündigen und sich danach drei Mal zum Bleiben nötigen lassen. So ein Abschied kann deshalb leicht zwischen dreißig Minuten und drei Stunden dauern, eine Stunde im Wohnzimmer, zwei Stunden im Flur. Man trägt sich Grüße an Onkel und Tante auf, vor allem aber müssen die Gäste eine Gegeneinladung aussprechen: »Wenn ihr nach Krakau kommt, müsst ihr unbedingt bei uns vorbeischauen!« Vor der Türschwelle gilt wieder: Küsschen links – Küsschen rechts – Küsschen links. Ab und zu wird noch ein allerletzter »Strzemienny« angeboten, ein »Steigbügel-Likör«. Von jenseits der Schwelle muss man schließlich noch die Hausschuhe zurückgeben.

Regeln für den Gastgeber

Falls man selbst der Gastgeber ist, gelten andere Regeln.

Der alte deutsche Satz »Wer nicht will, der hat schon« ist auf Polnisch nicht vorstellbar. Ein polnischer Gast will nie. Man sollte seinen Gast deshalb immer drei Mal fragen, ob er Kaffee oder Kuchen will. Stets wird er am Anfang antworten: »Neeeeeiiiin, danke, ich bin nicht hungrig!« Das gebietet ihm seine gute kindersztuba (das polnische Wort für »Kinderstube«). Ein Gast muss also vom Gastgeber regelrecht angebettelt werden. Erst nach dem dritten Betteln darf er »zögernd« nachgeben.

Sehr taktlos ist die bei deutschen Gastgebern so beliebte Frage: »Wie viele Kartoffeln möchtest du haben?« Stattdessen sollte man dem Gast einfach seinen Teller vollmachen. Genauso verboten ist es, den Gast vor der Abfahrt zu fragen, ob er belegte Brote mit auf die Reise nehmen will. Brote werden dem Gast unaufgefordert in die Manteltasche gestopft.

Die atemberaubendste Gastgeberpflicht bleibt uns in Polen zum Glück erspart, sie beschränkt sich auf Russland. Angeblich ist es dort so, dass ein guter Gastgeber auf den Fotos seiner Gäste keine Miene verzieht. Der Grund: Er spart sich die Lächelenergie für das Gespräch mit dem Gast auf! Russen gucken deshalb (angeblich) auf Partyfotos immer stockernst.

Zum Schluss ist bedauernd zu sagen: Auch in Polen sind Privateinladungen bei Weitem nicht mehr so häufig, wie sie es noch bei meiner Ankunft in den Neunzigerjahren waren. Man rackert zwölf Stunden lang, und der Abend wird der Familie gewidmet. Dreißigjährige Menschen haben sich aus dem gesellschaftlichen Leben meist schon ausgeklinkt. Wer trotz Kindern eine freie Minute hat, wälzt Inneneinrichtungsmagazine.

Meine polnische Konkubine

In diesem Moment kommt die lila Jola zurück und jongliert drei Teetassen, auf denen Zuckerpäckchen, Minigebäck und Zitronenstückchen liegen. Auch ein Schüsselchen zum Ablegen der ausgequetschten Teebeutelchen hat sie sich unter den Arm geklemmt. Bei den Accessoirs für den Tee darf man nichts vergessen.

Reni und ich springen auf und helfen ihr beim Abstellen der Tassen. Dann sitzen wir gemütlich zusammen und schlürfen Tee. Als meine Gastgeberinnen sehen, dass mir mein Teeplätzchen schmeckt, reichen sie mir mütterlich ihre eigenen Plätzchen an. Ich bekomme auch gleich ihre Zuckerpäckchen geschenkt. Pani Jola schüttet mir ihr Zuckerpäckchen sogar eigenhändig in die Teetasse. Ich fühle mich schon fast wie ihr Sohn. Das Zugabteil hat sich in ein Wohnzimmer verwandelt, vielleicht auch ein bisschen in ein Kinderzimmer. Ich erzähle einige Anekdoten von meinem »Bruder«, zum Beispiel die Tatsache, dass er bei den Dreharbeiten immer gerne in die Weichsel sprang, um im Wasser herumzuplantschen. Golden Retriever sind bekanntlich auf die Entenjagd abgerichtet.

In diesem Moment macht Schaffner Mirek die Tür auf und schaut nach, ob hier neu zugestiegene Passagiere sitzen. Ohne Schuhe, mit bloßen Strümpfen, fühle ich mich plötzlich etwas nackt. Als Pan Mirek die idyllische Szenerie bemerkt, grinst er breit: »So ist es recht, Pan Stefan. Dieses Land ist crazy – aber schöne Frauen hat es bis zum bitteren Ende!«

Dann starrt er entsetzt meine Teetasse an. »Aber was sehe ich! Sie süßen Ihren Tee? Das kann ich nicht verstehen!«

»Warum nicht, Pan Mirek?«

»In Gegenwart von zwei so süßen Frauen braucht man doch keinen Zucker mehr!«

Er hat dick aufgetragen, bekommt aber von den Damen einen dankbaren Doppelblick geschenkt. Mit einer kleinen Handbewegung deutet die lila Jola sogar an, dass er sich für einen Moment dazusetzen soll. Doch Pan Mirek wehrt ab.

»Nein! Das geht leider nicht. In der ersten Klasse hat sich ein Schwarzfahrer in der Toilette eingeschlossen. Ich muss warten, bis er herauskommt!« Und damit schiebt er die Tür wieder zu.

Die Stimmung meiner beiden Gastgeberinnen hat sich durch das deftige Kompliment noch einmal verbessert. Ich nutze die Euphorie für ein erstes Rückzugssignal. »Ich muss jetzt leider …«

»Moment noch!«, wehrt Pani Jola energisch ab. »Sie müssen gar nichts. Ich wollte Sie gerade fragen, welche Ihrer drei Ehefrauen Ihnen persönlich die liebste gewesen ist. Ist Ihnen eigentlich aufgefallen, dass ich genauso heiße wie Ihre erste Frau? Reni, sei doch so gut, hol uns bitte noch eine Runde Tee.«

»Aber meine teuren Damen, ich muss wirklich gehen. Drüben im Abteil wartet meine Frau.«

»Ihre Frau?«, echoen beide Frauen unisono. »Sie meinen: Ihre echte Frau? Hier in der Realität? Nicht etwa Ela?«

»Nein, nicht Ela. Meine wahre Frau. Sie sitzt zwei Waggons weiter.«

»Stellen Sie uns ihr vor?«

»Das geht leider nicht. Sie fühlt sich nicht gut. Sie hat Kopfschmerzen. Ich war gerade auf dem Weg zum Speisewagen, um Mineralwasser für ihre Tablette zu holen.«

»Reni, hol noch eine Runde Tee und bring ein Mineralwasser für die Ehefrau von Steffek mit.«

»Nein, es tut mir wirklich leid, ich kann nicht mehr länger warten. Das wäre unverantwortlich gegenüber meiner Frau.«

»Wie heißt Ihre Frau denn, Steffek?«

»Äh, ich nenne sie nur Blondinchen.«

»Das finde ich süß. Aber bitte bleiben Sie noch einen Moment. Wir steigen doch sowieso schon in Konin aus. Wir wollen noch so viel über Sie erfahren!«

»Dann fragen Sie schnell.«

»Ist die Dame drüben im Abteil wirklich Ihre angeheiratete Gattin?«

»Nein, wir leben in wilder Ehe.«

»In wilder Ehe? Und stört das nicht die Eltern der jungen Dame?«

»Nein, die sind liberal.«

»Und wo feiern Sie dann Weihnachten? Bei Ihren Eltern in Deutschland oder bei Ihrer … Konkubine?«

»Bei meiner Konkubine hier in Polen.«

»Und feiern Sie Weihnachten auf deutsche oder polnische Art?«

»Auf polnische.«

Diese Auskunft erfreut die beiden Damen sichtlich. Polnische Weihnachtsbräuche sind heilig. Fernsehen und Radio berichten an den Festtagen ausschließlich über alte Sitten und Bräuche. Es gibt vermutlich kein zweites Land, in dem an Feiertagen so viel über die Tradition geredet wird. Auch Ausländer, die schon lange in Polen leben, dürfen von ihren Bräuchen erzählen, allerdings hört man am Ende gerne, dass sie inzwischen nur noch polnische Weihnachten feiern.

»Erzählen Sie mal, wie das bei Ihnen so aussieht! Vielleicht können wir Ihnen ja noch ein paar Tipps geben!«

Pani Reni und Pani Jola lehnen sich erwartungsvoll zurück. Ich schaue durchs Fenster in die großpolnische Ebene hinaus, um mich zu sammeln. In meinem Kopf schwirren so viele verschiedene Erlebnisse und Puzzleteilchen herum, dass es nicht ganz leicht ist, sie zu einer idealen polnischen Weihnachtsgeschichte zusammenzusetzen.

Weihnachten

»Wir wohnen im Stadtteil Saska Kępa«, beginne ich.

»Oh, dort ist es sehr elegant«, unterbricht mich die grüne Reni. »Ich habe zwar mein gesamtes Leben in Konin verbracht, aber ich kenne Warschau. Saska Kępa liegt auf der anderen Seite der Weichsel, da, wo ihr Deutschen nichts kaputt gemacht habt. Dort ist Warschau wirklich romantisch. Sie sind zu beneiden, Pan Steffcio. Bitte weiter!«

»Meine Frau ist in einer dieser chicen Bauhausvillen aus den Zwanzigerjahren aufgewachsen, mit Flachdach und verwildertem Garten. Das Haus ist vollgestopft mit alten Möbeln und Bildern, die die Großeltern irgendwie durch den Krieg gebracht haben. Überall gibt es alte braune Parkettböden, und wenn die Mutter von Blondinchen den Weihnachtsbaum aufbaut, sieht es sofort wie bei Hans Christian Andersen aus. Nur die Küche ist sehr klein, ein acht Quadratmeter großer, stickiger Raum mit abgewetzten sozialistischen Schränken. Während sich meine Schwiegermutter dort mit den traditionellen Gerichten abmüht, baut ihre Tochter den Weihnachtsbaum auf. Sie verziert ihn mit bunten Kugeln und nostalgischem Spielzeug. Nebenher läuft das Radio. Ein Engländer, der eine polnische Ehefrau hat, berichtet gerade, dass er als einziger Mann im Haus jedes Jahr die Ehre hat, den Weihnachtskarpfen töten zu dürfen. Er bekommt einen Holzknüppel mit einer Kugel am Seil in die Hand und wird ins Badezimmer geschickt. Dort schwimmt der Karpfen in der Badewanne. Fünf Frauen stehen um die Wanne herum und rufen: »Aber nicht auf den Kopf schlagen, denn der muss in Gelee eingelegt werden!« Beim ersten Mal hatte er keine Ahnung, wie es geht. Er schlug einfach mit der Holzkugel auf das Wasser ein. Die Frauen verließen das Bad, weil es ihnen um den Fisch leidtat. Leider vergaßen sie, ihm vorher zu sagen, dass er vielleicht zuerst das Wasser aus der Wanne ablassen sollte. So schlug er stundenlang auf den Fisch ein, der ihm im Wasser immer wieder entglitt.

Der weitere Verlauf des Heiligen Abends sieht so aus: Während die Schwiegermutter kocht, rennt meine Konkubine immer wieder an ihr Handy, weil sie ununterbrochen Weihnachtsgrüße per SMS von alten Schulkameradinnen und Ex-Boyfriends kriegt. Die meisten SMS-Botschaften enthalten ernste und religiöse Weihnachtswünsche, aber manchmal lacht sie, weil gewisse Leute immer nur frivole Wünsche schicken.

›Lecker Kärpfchen, lecker Barschtschchen, lecker Wodkachen und dass alle Gerichtchen bestens schmeckchen, dazu ein kaltes Fröstchen, tiefes Schneelein und heiße Liebe nach der Dämmerung – wünscht Zuzia.‹

Auch meine Schwiegermutter, die früher beim Finanzamt gearbeitet hat, bekommt eine SMS. Es ist seit Jahren immer dieselbe SMS, immer an Heiligabend. Ein verbitterter Frührentner erinnert sie daran, dass sie kurz vor ihrer Pensionierung einen Steuerbescheid erließ, mit dem sie ihn ruiniert habe. Meine Schwiegermutter ist schon abgehärtet und ruft nur noch verächtlich ›eeeeee!‹

Am späten Nachmittag wird auf den Esstisch im Wohnzimmer eine rote Tischdecke gelegt und darunter ein Häufchen Heu gestopft, als Symbol für die Krippe von Bethlehem. Das Heu macht eine kleine Beule unter der Decke. In der Mitte des Tisches liegt eine große Oblate. Außerdem wird noch ein zusätzliches Gedeck für einen überraschenden Gast aufgelegt.

Nach Einbruch der Dunkelheit, genauer: sobald der erste Stern am Himmel zu sehen ist, beginnt das Weihnachtsmahl. Zuerst wird die Oblate geteilt. Alle stehen auf. Meine Schwiegereltern, meine Konkubine und ich, jeder bricht mit jedem ein Stückchen von der Oblate ab. Das ist ein sehr warmherziger Moment, weil wir uns küssen, liebevolle Sachen sagen und Frieden für das neue Jahr wünschen.

Als erste Speise gibt es Matjeshering und einen Schluck Wodka. Dann kommt russischer Salat, also Erbsen, Möhrchen und Ei in Mayonnaise, dazu Räucherlachs, Krabbencocktail und Brot.

Als nächsten Gang gibt es eine klare Pilzsuppe, in der tagliatelleartige Nudeln schwimmen. Während des Essens wird pausenlos geredet. Meistens setzt sich der Schwiegervater durch. Aber er kann auch wirklich spannend erzählen – viel aus Algerien, wo er in den Siebzigerjahren als Ingenieur gearbeitet hat.

Am Schluss gibt es Piroggen (Maultaschen), aber wenn wir schon satt sind, verzichten wir darauf. Einen reich gedeckten Tisch erkennt man daran, dass am Ende viel übrig bleibt.

Nun findet die Bescherung statt. Letztes Jahr hat meine Schwiegermutter von ihrem Mann eine Mundharmonika bekommen, weil sie als junges Mädchen bei den Pfadfinderinnen immer Mundharmonika gespielt hat. Als Nächstes singen wir einige Weihnachtslieder, auf Polnisch ›Kolende‹. Die Schwiegermutter spielt dazu auf der Mundharmonika, der Schwiegervater singt laut mit. Anschließend müsste man eigentlich in die Kirche gehen, aber die Schwiegermutter kann seit zwei Jahren wegen Hüftbeschwerden nicht mehr das Haus verlassen. Deswegen gehen auch wir anderen nicht in die Mitternachtsmette. Stattdessen wird der Fernseher angemacht. Zuerst erzählt ein Pfarrer, dass kein Volk Europas, nein, der Welt! so viele Weihnachtslieder besitze wie die Polen. Anschließend kommt Papst Benedikt. Die Schwiegereltern haben nichts gegen ihn, aber über dem Bett der Mutter hängt immer noch das Bild von Johannes Paul II. Auf ihn lässt sie nichts kommen, während sie aus vollem Herzen über die polnische Kirche schimpft.

Während der Papst im Fernsehen den Segen spricht, klingelt es plötzlich. Alle wissen, wer das ist, die Mutter schleppt sich extra an die Tür. Es sind die Sternsinger, (die in Deutschland meist als Heilige Drei Könige kommen), vier Jugendliche im Alter von 14 Jahren. Einer, mit einem weißgeschminkten Gesicht, trägt einen weißen Mantel und hat eine Sense aus Pappe in der Hand; das ist der Tod. Ein anderer ist der Teufel, verkleidet mit einem schwarzen Mantel und einer Papp-Mistgabel. Der Dritte ist ein Engel, mit weißem Bettlaken und einem Papp-Heiligenschein, der Vierte spielt Gitarre, und dann gibt es noch einen Fünften, der aber kein Jugendlicher mehr ist, sondern ein straßenbekannter Alkoholiker, der einfach bei den Kindern mitläuft, um ein bisschen Geld zu schnorren. Er hat sich unter den Arm eine Krippe mit Joseph, Maria und den Tieren geklemmt. Die fünf singen zwei ›Kolende‹, und der Schwiegervater überreicht ihnen kleine Münzen. Später klingelt es noch mehrmals. Die Mutter sagt immer: ›Wir machen nicht auf‹, aber der Vater macht doch auf und gibt Geld, noch ehe die Sternensinger anfangen können zu singen. Sie sind dann zufrieden und gehen fröhlich weg. An einem Heiligen Abend verdienen sie jeder bis zu 80 Złoty (20 Euro).

Am nächsten Tag geht Weihnachten in die zweite Runde. Es gibt Ente mit Knoblauch und Majoran, dazu Mohnklöße. Beim Essen wird darüber gesprochen, wann wohl der Pfarrer seinen jährlichen Hausbesuch abstatten wird. Meistens kommt er zwischen Heiligabend und dem sechsten Januar. Dafür muss das Haus tipptopp sauber sein. Der Vater überlegt, wie viel Geld er dem Pfarrer in diesem Jahr geben soll. Die Priester sind schließlich auf die milden Gaben ihrer Gemeindeglieder angewiesen …«

An dieser Stelle unterbricht mich Pani Jola unwillig. »Entschuldigung, dass ich Ihnen ins Wort falle. Machen Sie sich bitte keine Sorgen um die Priester, Pan Stefan. Die sind reich genug.«

»Ich hätte gerne noch gewusst«, sagt Pani Reni versonnen, »ob Sie an Heiligabend Fleisch essen. Wie Sie als Ausländer vielleicht nicht wissen, darf bei den Bauern auf dem Land nicht einmal mit Fett gekocht werden, da der 24. ja ein Fastentag ist. Den obligatorischen Fisch brät man stattdessen in Leinöl.«

»Ja, das weiß ich natürlich«, sage ich und erhebe mich. »Aber nun muss ich wirklich zu meiner Frau zurück. Es war mir sehr angenehm.«

Ich ziehe mir wieder meine Schuhe an.

Pani Reni und Pani Jola erheben sich ebenfalls und geleiten mich auf den Gang. Pani Reni sagt: »Pan Steffek, könnten Sie uns vielleicht aus dem Fenster winken, wenn wir gleich in Konin aussteigen?«

Pani Jola fügt kichernd hinzu: »Am besten zusammen mit Ihrer Konkubine!«

»Mal sehen, wie es ihr geht. Also, alles Gute!«

Die Damen umarmen mich. Ich küsse jede von ihnen drei Mal auf die Wange: links – rechts – links. Winkend gehe ich davon. »Szerokiej drogi – breiten Weg«, rufen sie mir hinterher. »Und grüßen Sie Blondinchen von uns!«

Das kleine Teekränzchen hat mein Selbstvertrauen gestärkt. Bei der Ausmalung des Weihnachtsabends habe ich mich so sehr in die Familienidylle hineingesteigert, dass ich streckenweise tatsächlich das Gefühl hatte, die schöne Blondine sei bereits meine angetraute Gattin. Jetzt werde ich in die Offensive gehen und brauche dafür auch keinen Żubrówka-Wodka mehr.

Während ich zu meinem Waggon zurückschlendere, male ich mir versonnen meine Zukunft mit der braunäugigen Kulleraugenfrau aus. Wir werden sechs Kinder haben! Sie sollen die deutsche Sprache erlernen, damit sie beim Heimaturlaub in Deutschland mit meinen Eltern reden können. Aber ihre Hauptsprache wird natürlich Polnisch sein. Auf dem Hof werden sie mit den Nachbarskindern zusammen den beliebtesten polnischen Abzählreim singen:

Trumf trumf misia bela (»misia« wird »mischa« gesprochen)
Misia kasia komfacela (»kasia« = kascha)
Misia A misia B
Misia kasia komface

Wer keine Lust auf Polnisch hat, sollte zumindest diesen Abzählreim auswendig lernen. Er ist komplett sinnfrei, hat keinerlei polnische Sonderbuchstaben und löst jedes Mal, wenn man ihn auf einer Party rezitiert, allgemeines Entzücken aus. Ich weiß bis heute nicht, was er bedeuten soll.

Plötzlich bleibe ich wie angewurzelt stehen (als würde mein Handy klingeln). Mir kommt nämlich gerade in den Sinn, dass meine armen Kinder, wenn sie tatsächlich in Warschau aufwachsen sollen, zwölf harte Jahre in einer polnischen Schule überstehen müssen. Und Schule ist in Polen kein Zuckerschlecken!

Das Schulsystem

Das polnische Schulsystem wurde vor einigen Jahren grundlegend reformiert. Während es in kommunistischen Zeiten eine achtjährige Grundschule und anschließend ein vierjähriges Lyzeum gab, ist die Schule heute wie in Frankreich organisiert: 6+3+3. Die Kinder werden inzwischen auch überwiegend schon mit sechs Jahren eingeschult, früher erst mit sieben. Die Grundschule dauert sechs Jahre, anschließend müssen die Kinder drei Jahre lang das »Gimnazjum« besuchen. Wer will, kann in eine Berufsschule wechseln oder auch drei Jahre lang in ein Lyzeum gehen, das mit der »Matura« (Abitur) abschließt. Alternativ dazu gibt es das »Technikum«, eine Art berufsbezogene Fachoberschule, die ebenfalls mit der Matura und einer zusätzlichen Fachprüfung endet. Welche Schulform auch gewählt wird – die Schulpflicht ist erst mit dem 18. Lebensjahr abgeschlossen.

Im Vergleich zu Deutschland mussten die Schüler früher wesentlich mehr pauken. Inzwischen sollen auch hier verstärkt die mündlichen Fähigkeiten geschult werden. Trotzdem ist für den Polnischunterricht immer noch ein enormes Lektürepensum zu bewältigen. Jeder Schüler lernt Textbeispiele von den Anfängen der polnischen Literatur bis in ihre Gegenwart kennen. Dank dieses Kanons wimmelt das Alltagsleben von unzähligen literarischen Anspielungen, sei es im Fernsehen, sei es auf Partys oder im Büro. Man kann nur staunen, wenn eine Putzfrau der anderen zuflüstert: »Guck mal, der Mann dort mit den verstrubbelten Haaren sieht aus wie Konrad Wallenrod!« Gemeint ist der Held einer Dichtung von Adam Mickiewicz, ein romantischer Träumer.

Pflichtlektüre für das Abiturfach »Polnisch als Grundkurs«

Bogurodzica – »Lied der Gottesgebärerin«, der älteste poetische Text in polnischer Sprache
Jan Kochanowski – Epigramme, Lieder und Klagelieder
Jan Andrzej Morsztyn – Gedichte
Daniel Naborowski – Gedichte
Wacław Potocki – Gedichte
Ignacy Krasicki – Märchen und Satiren, »Hymne an die Vaterlandsliebe«
Adam Mickiewicz – Gedichte + Ballade »Romantik« + Versepos »Herr Thaddäus« + Drama »Totenfeier«
Juliusz Słowacki – Drama »Kordian« + Gedichte
Zygmunt Krasiński – Drama »Die Ungöttliche Komödie«
Cyprian Kamil Norwid – Gedichte
Bolesław Prus – Roman »Die Puppe«
Eliza Orzeszkowa – Roman »Am Njemen« + Novelle »Gloria Victis«
Maria Konopnicka – Novelle »Mendel Gdański«
Henryk Sienkiewicz – Trilogie: »Die Sintflut«, »Mit Feuer und Schwert«, »Herr Wołodyjowski«

Kazimierz Przerwa-Tetmajer – Gedichte
Jan Kasprowicz – Gedichte
Leopold Staff – Gedichte
Stanisław Wyspiański – Drama »Die Hochzeit«
Władysław Stanisław Reymont – Roman »Die Bauern«
Stefan Żeromski – Roman »Die Heimatlosen« + Roman »Vorfrühling«
Witold Gombrowicz – Roman »Ferdydurke«
Zofia Nałkowska – Roman »Die Grenze«
Tadeusz Borowski – KZ-Erzählungen »Abschied von Maria«
Gustaw Herling-Grudziński – Gulag-Bericht »Welt ohne Erbarmen«
Bolesław Leśmian – Gedichte
Julian Tuwim – Gedichte
Maria Pawlikowska-Jasnorzewska – Gedichte
Czesław Miłosz – Gedichte
Krzysztof Kamil Baczyński – Gedichte
Tadeusz Różewicz – Gedichte
Zbigniew Herbert – Gedichte
Miron Białoszewski – Gedichte
Wisława Szymborska – Gedichte
Stanisław Barańczak – Gedichte
Jan Twardowski – Gedichte
Sławomir Mrożek – Drama »Tango«
Hanna Krall – »Schneller als der liebe Gott.« Bericht über Marek
Edelman

Erwartet wird ebenso die Kenntnis biblischer, antiker und anderer
Texte.

Weltliteratur
Sophokles – »König Ödipus«
Horaz – Auszüge aus den »Oden«
William Shakespeare – »Macbeth«
Molière – »Tartuffe«
Johann Wolfgang von Goethe – »Die Leiden des jungen Werther«
Fjodor Dostojewski – »Schuld und Sühne«
Joseph Conrad – »Das Herz der Finsternis«
Albert Camus – »Die Pest«

Zusätzliche Pflichtlektüre für das Abiturfach »Polnisch als Leistungskurs«

Polnische Literatur
Witold Gombrowicz: – Roman »Trans-Atlantik«
Maria Kuncewiczowa – Roman »Die Ausländerin«
Stanisław Ignacy Witkiewicz – Drama »Die Schuster«

Weltliteratur
Dante – »Die Göttliche Komödie«, Ausschnitte aus »Hölle«
Johann Wolfgang von Goethe – »Faust I«
Franz Kafka – »Der Prozess«
Michail Bulgakow – »Der Meister und Margarita«

Deutsch in der Schule

Diese Liste kann schockieren, vor allem, wenn man ein deutscher Einwanderer mit NRW-Abitur ist. Werden meine armen Kinder an einer polnischen Schule überhaupt noch Zeit für Sport und Gitarrenunterricht haben? Immerhin sehe ich einen Trost für sie: Zumindest im Fach Deutsch werden sie ja hoffentlich als Kinder eines deutschsprachigen Vaters die Besten in der Klasse sein!

Deutsch wird mittlerweile an fast jeder polnischen Schule angeboten. Dadurch ist Polen das Land mit den meisten Deutschlernern weltweit. Im Jahr 2010 gab es insgesamt 2 328 940 Schüler, die Deutsch lernten, das waren 33 Prozent aller Schüler. Polen hat außerdem 18 000 Deutschlehrer, was weltweit die zweithöchste Zahl ist (nach Russland). Von 343 824 Abiturienten des Jahres 2011 wählten 47 702 Deutsch als Abiturfach auf Grundkursniveau, das sind fast 14 Prozent aller Abiturienten. Darüber hinaus wählten 4923 Abiturienten Deutsch sogar als Leistungskurs (1,43 Prozent).

Der Hunderttageball

Nein, das Abitur wird den polnischen Schülern wahrlich nicht hinterhergeschmissen. Trotzdem sind nicht die Prüfungen der größte Stress im Leben eines Abiturienten. Viel wichtiger ist der

Abi-Ball, der seltsamerweise hundert Tage vor den Mai-Prüfungen stattfindet, Ende Januar oder Anfang Februar. Deswegen heißt er auch »Studniówka – Hunderttageball«.

Dieser Ball ist eine heilige Tradition. Viele Schulen halten ihn in der eigenen Turnhalle ab, manche mieten aber auch Gaststätten oder teure Hotels an. Der Saal wird tagelang von den Abiturienten geschmückt, mit Luftballons, Fotos und Konfetti. Sehr wichtig ist die Kleiderordnung: Die Mädchen tragen unter ihrem schwarzen Kleid obligatorisch rote Strapse oder zumindest ein rotes Höschen, die Jungen einen dunklen Anzug mit Krawatte oder Fliege. Auch einige Lehrer dürfen teilnehmen, aber nur die, die von den Abiturienten dazu eingeladen werden. Mancher Lehrer wurde in dreißig Jahren Schullaufbahn noch nie zu einem Abi-Ball eingeladen. (Überhaupt ist das Lehrerdasein in Polen ziemlich hart. Das durchschnittliche Monatsgehalt betrug im Jahr 2011, bei zwanzig Wochenstunden, exakt 2618 Złoty, das sind circa 650 Euro. In Deutschland gab es für 27 Wochenstunden etwa 3000 Euro.)

Wie beim Abschlussball in der Tanzschule kommen die Schüler in Paaren. Schon im Vorfeld des Balls gibt es deshalb das Problem: »Mit wem gehe ich?« Viele Jungen laden sich Partnerinnen aus tieferen Klassen ein. Das ist ein glänzender Vorwand, einer jüngeren Schulhof-Flamme näherzukommen. Viele Mädchen holen sich dagegen ältere Partner von außerhalb der Schule und brüskieren damit ihre Klassenkameraden.

Der Hunderttageball beginnt am frühen Abend. Zunächst müssen die Abiturienten am Schul- oder Hoteleingang die Leibesvisitationen des Einlasskomitees über sich ergehen lassen. Es wird von den üblichen übereifrigen Elternvertretern sowie einem Lehrer gebildet. Konfiszierte Wodkaflaschen fliegen in die Mülltonne. Dann beginnt der eigentliche Ball, traditionell mit einer Polonaise. Bei diesem Tanz denken Deutsche sofort an Gottlieb Wendehals und seine »Polonäse Blankenese«. Nichts könnte falscher sein. Die Polonaise in ihrer ursprünglichen Version ist ein alter polnischer Adelstanz – wie ja eigentlich schon der Name nahelegt. Doch Namen können trügen. Die »Polka« zum Beispiel kommt nicht aus Polen, sondern aus Böhmen!

Verantwortlich für das Einüben der Polonaise ist der Sportlehrer. Wochenlang hat er die Abiturienten durch die Sporthalle gescheucht. Schwierig ist dabei nicht der Tanz an sich. Man marschiert einfach nur hintereinander durch die Halle, mit einer Art elegantem Schlurfschritt. Es wird bis »drei« gezählt, bei »eins« federt man leicht in die Knie. Schwierig sind die Gruppenfiguren. Die lange Zweierreihe von bis zu hundert Abiturienten teilt sich, findet wieder zusammen, dann wird eine »Brücke« gebildet, hierbei hält das vorderste Paar die Arme hoch, und die anderen marschieren wie unter einem Portal hindurch.

Die berühmtesten Polonaisen der Welt wurden selbstverständlich von Frédèric (polnisch: Fryderyk) Chopin komponiert. Sie haben leider einen großen Nachteil: Sie sind so dramatisch wie die polnische Geschichte selbst und eignen sich folglich schlecht zum Tanzen. Deswegen werden die schulischen Tanzparkette von zwei anderen Werken dominiert. Zum einen ist das die Polonaise »Abschied vom Vaterland« des Komponisten Michał Kazimierz Ogiński, zum anderen die aus dem Film »Pan Tadeusz – Herr Thaddäus« bekannte Polonaise des zeitgenössischen Komponisten Wojciech Kilar.

Phantasievolle Abi-Jahrgänge brechen den traditionellen Polonaisenablauf mit rockigen Einlagen auf, beginnen brav in Zweierreihe, hüpfen dann plötzlich wild durch die Halle und formieren sich am Ende wieder schwer atmend zur eleganten Zweierreihe.

Im weiteren Teil des Abends gibt es ein ausführliches Bankett, gerne auch mit kleinen Kabaretteinlagen, vor allem aber mit Tanz, Tanz, Tanz. Obligatorisch läuft das Lied »Za sto dni matura – In hundert Tagen Abitur« der Oldie-Band »Czerwone Gitary – Die roten Gitarren«.

Nach Mitternacht erlahmt die Disziplin der wachhabenden Eltern am Schulportal. Die ein- und ausgehenden Abiturienten haben ohnehin schon durch Toilettenfenster oder per Pizzakurier so viele Champagner- und Wodkaflaschen in die Schule geschmuggelt, dass weiteres Wachehalten eine Farce ist. Nun knallen die Korken den Lehrern direkt ins Gesicht. Gegen vier Uhr morgens ist die Party vorbei. Die härtesten Schüler fahren noch in die Stadt und tanzen in Klubs weiter. Nüchtern müssen sie erst wieder in 99 Tagen sein.

Abitur-Aberglauben

Um Erfolg im Abi zu haben, sollte man beim Hunderttageball auf keinen Fall die Schuhe ausziehen, auch wenn die Füße vom Tanzen noch so schmerzen.

Nach dem Hunderttageball darf man sich bis zum Abitur nicht mehr die Haare schneiden, da man sonst durchfallen wird.

Es bringt Glück bei den Abi-Prüfungen, wenn man die gleiche Unterwäsche trägt, die man beim Ball anhatte.

Das ideale Kompliment

Inzwischen bin ich schon fast an meinem Abteil angekommen. Nun muss ich definitiv festlegen, welches Kompliment ich meinem Blondinchen mit den braunen Kulleraugen machen will.

Sicherlich – ich könnte energisch die Tür aufschieben, auf die Knie fallen, meine Lippen auf ihre nackten Füßchen drücken und ergriffen stammeln: »Dein göttlicher Fuß erinnert mich an die Gestalt einer morgendlichen Tauträne!«

Aber das liegt leider außerhalb meiner Möglichkeiten. Selbst wenn ich schon fünfzig Jahre in Polen wohnen würde, könnte ich einen solchen Satz nicht glaubwürdig über die Lippen bringen. Er käme mir hoffnungslos kitschig, ja sexistisch vor.

Ich muss es also leider etwas schlichter verpacken, sozusagen eine coole deutsche Sparversion finden. Trotzdem muss darin zumindest doch die Essenz des »göttlichen Fußes in Gestalt einer morgendlichen Tauträne« enthalten sein. Plötzlich habe ich eine Idee.

Ich werde beiläufig murmeln: »Super buty!«

Das bedeutet auf Deutsch: »Super Schuhe.«

Und gleich anschließend werde ich lässig nachschieben: »Kawa czy herbata – Kaffee oder Tee«?

Damit nicht genug. Ich werde die beiden Heißgetränke aus meiner eigenen Tasche bezahlen! Ja, ich bin ja nicht so wahnsinnig, meiner Traumfrau den Kulturschock zuzumuten, den schon unzählige Polinnen in Deutschland erleben mussten.

Eine in München lebende Polin schrieb mir, dass sie von einem deutschen Arbeitskollegen nach dreimonatiger Bekanntschaft ins Kino eingeladen wurde. An der Kasse geschah das Unglück: Er kaufte nur für sich selbst ein Ticket, für die junge Polin aber nicht. Sie war so wütend, dass sie sich Popcorn und Cola besorgte und ihm dann sagte: »Du sitzt dort und ich hier.«

Eine andere Polin, Austauschstudentin in Marburg, schrieb: Ein gut aussehender Jurastudent habe sie in der Bibliothek gefragt: »Gehst du mit mir essen?« – »Ja!« – »Also dann: morgen Mittag in der Mensa.« Schon dieser Ort war für sie ein Schock. Aber das Beste kam noch: Als sie sich ihren Teller in der Mensa vollgeladen hatte und zur Kasse ging, wartete da schon ihr Date-Partner und ließ sie die sechs Euro für das romantische Mensamahl seelenruhig selbst bezahlen. Sie war so wütend, dass sie die Bekanntschaft platzen ließ, obwohl der Jurist wirklich gut ausgesehen haben soll.

Andere Mail-Schreiberinnen führten Klage über deutsche Männer, die ihren Frauen keine Geschenke kaufen, bei der Ankunft am Bahnhof keine Blumen zum Zug bringen und nicht einmal bereit sind, mit ihrem Handy ein Taxi zu rufen. Das führt zu der fundamentalen Frage: Sind die Deutschen etwa geizig?

Deutscher Geiz

Neunundneunzig Prozent aller Polen in Deutschland würden jetzt heftig nicken, nicht nur im Kontext von Liebesangelegenheiten. Der deutsche Geiz ist für sie ein Kulturschock wie für uns die polnische Antiplanung.

Ein Pole aus Magdeburg, Jugend-Fußballtrainer, brannte für die deutsche Mutter eines seiner kleinen Spieler liebevoll eine CD mit Fotos vom letzten Fußballturnier. Er schenkte ihr die CD. Beim nächsten Sommerfest kam er an ihren Kuchenstand – und musste 50 Cent für ein Stück Streuselkuchen zahlen. Zähneknirschend schwor er sich, ihr niemals mehr einen Gefallen zu tun.

Ein anderer Pole erlebte bei einer deutschen Firmen-Weihnachtsfeier zum ersten Mal, was »Schrottwichteln« ist. Erstaunt sah er, wie die Mitarbeiter sich alte Schellackplatten, ölverschmierte Fahrradbremsen oder dreifingrige Handschuhe schenkten. Er empfand es so, dass hier nur ein pseudowitziger Vorwand zum Geldsparen gesucht wurde. Würden die lustigen Kollegen ihren Lieben ebenfalls nur Müll schenken?

Aber die Sache ist natürlich etwas komplizierter. Deutsche Männer lassen eine Frau beim ersten Date nicht nur aus Geiz selbst bezahlen, sondern vor allem deshalb, weil sie Rücksicht darauf nehmen müssen, dass die Regeln der Emanzipation es der Frau verbieten, eine solche Einladung mit einem begeisterten Juchzen anzunehmen. Wer einer Frau einen Orangensaft ausgibt – und sei es nur in der Mensa! –, der will mit ihr ins Bett und sonst nichts.

Das hat übrigens auch die oben erwähnte Polin aus München kapiert. Erst viel später, schloss sie ihre Mail, habe sie gelernt, dass ihre Wut auf den armen Deutschen damals im Kino ein Fehler war. »Der Mann hatte eine tierische Angst, dass ich ihm vorwerfe, dass er mich für eine billige Polin hält.«

Eine Laienbehandlung

Inzwischen nähert sich der Zug schon der Stadt Konin. Gerade führt Schaffner Mirek den erwischten Schwarzfahrer am Schlafittchen vorbei. Es handelt sich um eine ältere, durchaus anständig aussehende Frau. Sie weint und behauptet, ihre Fahrkarte aus Versehen in der Toilette runtergespült zu haben. Pan Mirek macht immer nur »eeeeee!« Er schleift sie in sein Dienstabteil, wird sie dort lange ausschimpfen und am Ende doch umsonst weiterfahren lassen mit dem verzweifelten Ausruf, dass der polnische Staat seine Rentner verhungern lässt.

Und nun stehe ich unwiderruflich vor meinem Abteil. Ich schiebe leicht zitternd die Tür auf, nehme erst einmal unauffällig Platz und sondiere die Lage.

Die Blondine kauert immer noch mit angezogenen Füßchen auf dem grünen Sitzpolster, unterhält sich aber inzwischen lebhaft mit der polnischen Frau des deutschen Professors. Er selbst hat sein Buch beiseitegelegt und starrt verzückt die schöne Frau gegenüber an. Obwohl er mit seiner Gattin schon geschätzte 35 Jahre verheiratet ist, sieht man ihm an, dass er kein Wort der Unterhaltung versteht. Das darf man ihm nicht übelnehmen. Er gehört zu den Hunderttausenden deutscher Ehemänner, die an Weihnachten und Ostern zur Schwiegermutter nach Polen fahren, dort drei Feiertage lang festgekettet am Esstisch sitzen und kauen müssen, was auf den Tisch kommt. Wenn sie am dritten Tag einen Blinddarmdurchbruch simulieren, hilft ihnen das auch nicht. Die Schwiegermama kommt jeden Tag ins Krankenhaus und flößt ihnen stärkende Kutteln ein, polnisch »Flaki«, eine ziemlich gewöhnungsbedürftige Suppe aus in Streifen geschnittenem Vormagen oder Pansen. Das Einzige, was diese armen Menschen auch nach 35 Polenjahren sagen können, ist deshalb meist nur »dziękuję«.

Leider fehlt es mir an Mut, sofort mit »super buty – super Schuhe« herauszuplatzen. Ich bin eben nicht in einer Unterbrechenskultur aufgewachsen, sondern warte stets höflich ab, bis die anderen Leute zu Ende geredet haben. In diesem Moment spüre ich darüber allerdings keine Befriedigung, sondern eher das Gefühl, ein »warmer Kloß« zu sein.

Das Thema des Damengeprächs ist typisch polnisch. Es geht um Gesundheit. Was ich dabei erfahre, ist nicht angenehm. Es sieht ganz so aus, als ob meine Blondine schon einen Sohn hat. Sie macht sich Sorgen um ihn. Die Frau des Professors erteilt medizinische Ratschläge. Ihr ist eine gewisse Befriedigung darüber anzusehen, dass die junge Schönheit kein freies Vögelchen mehr ist, sondern sich ebenfalls mit den banalen Niederungen des Menschlichen herumschlagen muss.

Blondine: Mein Sohn hat zum Beispiel immer Schnupfen.

Frau: Isst er denn viel Schokolade?

Blondine: Ja, Schokolade mag er sehr.

Frau: Aha, da haben wir's! Schokolade ist nicht gut. Hat er denn alle erforderlichen Impfungen?

Blondine: Ja, hat er.

Frau: Na bitte! Impfungen bewirken doch nur eine Schwächung der Abwehrkräfte. Affen haben die gleiche DNA wie Menschen und werden überhaupt nicht krank. Warum? Weil sie nicht geimpft werden!

Blondine: Wir haben schon alles versucht, wir waren auch schon an der Ostsee.

Frau: Wo waren Sie denn?

Blondine: In Międzyzdroje.

Frau: Ach so! Na, dann brauchen Sie sich auch nicht zu wundern. Fahren Sie lieber nach Dębki. Da ist es besser.

Blondine: Da waren wir auch schon, im letzten Jahr, aber da hat es mir nicht gefallen.

Frau: Ja, da müssen Sie sich wohl opfern. Sonst dürfen Sie sich auch nicht wundern, dass Ihr Kind immer krank ist.

Die Damen reden noch weiter, aber ich klinke mich aus. Ich kenne solche Gespräche inzwischen. Es handelt sich um eine typische Laienbehandlung. In Deutschland gibt es ja inzwischen auf jeder Hochzeit gut gemeintes Laienkabarett, in Polen dafür gut gemeinte Laienbehandlungen. Um die Beliebtheit dieses Phänomens zu verstehen, benötigt man ein paar Informationen über das polnische Gesundheitswesen.

Das Gesundheitssystem

Wir müssen uns auf einen weiteren Kulturschock gefasst machen. Gesundheit ist in Deutschland eine Domäne von seriösen Fachleuten. In der »Apotheken-Umschau« äußern ausschließlich Ärzte, Professoren oder allenfalls staatlich diplomierte Heilpraktiker ihre erlauchte Meinung. Ein weißer Kittel und ein redlich erworbener Doktortitel sind das Ziel unzähliger Medizinstudenten, und deswegen ist Deutschland auch die Nation mit den meisten Arztbesuchen Europas. Durchschnittlich 18 Mal pro Jahr geht ein Deutscher zum Arzt. Deutschland hat die meisten Apotheken und den höchsten Verkauf rezeptpflichtiger Medikamente pro Kopf in Europa.

In Polen dagegen haben Ärzte einen miserablen Ruf, und die Apotheken verzeichnen den höchsten Verkauf nicht verschreibungspflichtiger Medikamente in Europa. In einer Warschauer Apotheke am Plac ONZ gibt es bereits geteilte Schalter: Rechts, wo gähnende Leere herrscht, kann man nur Medikamente auf Rezept bekommen. Und links, da, wo die lange Schlange steht, gibt es rezeptfreie Medikamente.

Der Grund für die Misere: Das polnische Gesundheitssystem ist noch reichlich sozialistisch organisiert. Alle Arbeitnehmer müssen Mitglied im Nationalen Gesundheitsfonds sein, vergleichbar einer gigantischen gesetzlichen Krankenkasse. Private Versicherungspolicen können zusätzlich abgeschlossen werden, gelten aber nicht als vollwertige Alternative. Pro Monat kostet der polnische Gesundheitsfonds neun Prozent des Einkommens. Zum Vergleich: In Tschechien und Deutschland zwackt die gesetzliche Krankenkasse etwa 13 Prozent vom Einkommen ab.

Ausnahme sind Bauern. Ihr Gesundheitsbeitrag ist viel niedriger, nämlich abhängig von der Hektarzahl ihrer Felder und vom Kornpreis, der natürlich schwankt. Hier klafft eine seit Jahren heiß diskutierte Gesetzeslücke. Auch Geschäftsleute und Advokaten kaufen sich Ackerfläche, um auf diese Weise als Bauern zu gelten und weniger Beitrag zu zahlen.

Jeder Bürger muss sich in einer gesetzlichen Praxis registrieren lassen. Diese Praxis darf maximal 5000 Patienten haben. Pro Patient bekommt der Arzt vom Gesundheitsfonds 70 Złoty pro Jahr (ca. 17 Euro). Für die guten Ärzte ist das sehr wenig. Sie werden von Dauerpatienten und Senioren bestürmt, die sich alle bei ihnen registrieren lassen wollen. Häufige Praxisbesucher bringen ihnen aber keinerlei Zusatzeinnahmen.

Der Praxisbesuch ist kostenlos, was von Hypochondern natürlich weidlich ausgenutzt wird. Der Arzt ist aber verpflichtet, jeden Patienten zu empfangen, bis zu hundert Patienten täglich. In der Slowakei, wo ein ähnliches System existiert, wurde eine minimale Praxisgebühr eingeführt, prompt sank die Zahl der Patienten. In Polen sind alle Initiativen dieser Art bislang kläglich gescheitert. Wehe, ein Politiker spricht den Übelstand an. Er wird zum Buhmann der Nation.

Die Wartezeiten in den staatlichen Praxen sind lang. Man muss sich morgens vor sechs Uhr anstellen, um sieben Uhr wird geöffnet. Wer in ein Krankenhaus möchte, benötigt zuerst eine Überweisung der staatlichen Praxis, in der er registriert ist. Anschließend muss er sich um einen Termin beim operierenden Facharzt der Klinik bemühen, etwa einem Endokrinologen oder Augenarzt, was mindestens einige Monate dauert, manchmal bis zu zwei Jahren. Dafür ist die Operation dann auch kostenlos. Ausnahmen sind psychiatrische und onkologische Kliniken, zu ihnen darf man auch ohne Überweisung kommen. Die größte polnische Krebsklinik im Warschauer Stadtteil Ursynów bietet jeden Montagmorgen, wenn sich neue Patienten registrieren lassen, ein Bild des Elends: Dutzende schwer kranker Menschen sitzen viele Stunden lang auf den Korridoren, um sich anzumelden.

Die Krankenhäuser sind überfüllt, es gibt zumeist Mehrbett-zimmer mit bis zu acht Personen. In vielen Krankenhäusern stehen sogar am Ende des Korridors noch Betten, die durch improvisierte Gardinen abgetrennt werden. Wer eine private Zusatzversicherung abgeschlossen hat (etwa beim deutschen Versicherer Iduna), kann Leistungen wie Einzelzimmer oder Fernseher in Anspruch nehmen.

Die Krankenschwestern sind überfordert und unterbezahlt. Die Ärzte kommen besser zurecht, denn sie haben neben ihrer Arbeit im Krankenhaus meist noch eine einträgliche Privatpraxis und arbeiten deshalb nur bis 14 Uhr im Krankenhaus. Trotzdem ist eine hohe Zahl guter Ärzte ins skandinavische und sonstige westliche Ausland abgewandert. Um die letzten Ärzte zu halten, mussten die Krankenhäuser – meist gehören sie den Kommunen und Universitäten, doch gibt es landesweit auch siebzig private Hospitäler – die Gehälter stark anheben. Sie geben teilweise bis zu 90 Prozent ihres Budgets für Ärzte aus.

Wegen des katastrophalen Zustands der gesetzlichen Praxen und Krankenhäuser sucht jeder, der es sich leisten kann, private Arztpraxen auf. Hier wird zu 100 Prozent selbst bezahlt. Eine normale Arztvisite kostet etwa 30 Euro, eine ambulante Warzen-entfernung beim Hautarzt etwa 120 Euro, eine Zahnbehandlung ohne Weiteres 300 bis 400 Euro.

Nach diesen Informationen ist es kein Wunder mehr, dass die circa 90 000 polnischen Ärzte die wohl unbeliebteste Berufs-gruppe Polens darstellen. Jeder Bürger kann fünf Horrorstories erzählen. Das Handlungsgerüst ist stets das gleiche: ›Ich hatte einen Herzinfarkt und wurde von der Ambulanz abgeholt. Erst fuhren sie mich vier Stunden lang ziellos durch die Stadt, weil sie dadurch mehr Geld aus mir herauspressen konnten. Dann musste ich an der Aufnahme drei Stunden lang warten, wurde endlich in den OP-Saal geschoben und irrtümlich an allen vier Gliedma-ßen amputiert. Als ich aus der Narkose erwachte, musste ich das Taxi nach Hause selber bezahlen, begann eine alternative Behandlung bei einer mongolischen Heilpraktikerin, basierend auf Vitamin A und E, und mit der Zeit sind meine Hände und Füße dann wieder nachgewachsen. Inzwischen arbeite ich übrigens selbst als Heilpraktiker.‹

Nun ist klar, warum Laienbehandlungen so beliebt sind. Im Grunde genommen trügt das Wort »Laie«. Wenn man näher hinschaut, besteht ganz Polen aus 38 Millionen hoch kompetenten Ärztinnen und Ärzten sowie 90 000 staatlich diplomierten Kurpfuschern. Zwei dieser Ärztinnen sitzen bei mir im Abteil.

Tipp: In den polnischen Großstädten gibt es zunehmend private Versicherer, die nach amerikanischem Vorbild Großpraxen mit vielen Fachärzten einrichten (in Warschau etwa die Firmen LIM oder Medicover). Für einen monatlichen Beitrag zwischen 100 und 250 Euro kann man die meisten dieser Fachärzte gratis aufsuchen. Viele Firmen bieten ihren Mitarbeitern inzwischen an, 50 Prozent des Monatsbeitrags für eine private Großpraxis zu übernehmen. Derzeit nutzen bereits etwa eine Million Polen diese Art der Krankenversorgung.

Zu spät!

In diesem Moment kratzt es im Lautsprecher. Maso-Schaffner Mirek kündigt den Bahnhof Konin an. Er erinnert uns wieder daran, keine persönlichen Gegenstände liegen zu lassen. Über die etwa halbstündige Verspätung, die der Zug mittlerweile hat, verliert er kein Wort. Werden wir wichtige Anschlusszüge verpassen? Auch darüber keine Auskunft.

Wegen der Durchsage unterbrechen die beiden Frauen ihr Gesundheitsgespräch. Jetzt ist der ideale Moment für meine Attacke gekommen. Doch just, als ich meine Lippen zu dem Satz »super bu …« forme, reißt die Blondine ihre schwarze Handtasche auf und holt einen Lippenstift heraus. Ohne auf uns drei Mitpassagiere zu achten, steht sie auf und zieht sich im Spiegel, der über den Sitzen hängt, sorgfältig die Lippen nach. Der alte Professor sieht ihr schamlos zu. Ich selbst bin etwas diskreter und schaue zum Fenster hinaus. Aus den Augenwinkeln beobachte ich den Professor. Noch interessanter als schöne Frauen sind die wuschigen Männer, die sich nach ihnen verzehren.

Nun hält der Zug. Die Blondine mit den braunen Kulleraugen springt mit nackten Füßchen auf den Gang hinaus. Der Professor, seine Frau und ich gucken ihr verständnislos hinterher.

Entfernung: 79 km
Fahrzeit: 42 Minuten
Kulturschock: Familie
Wort der Strecke: kombinować

Der traurige Wind im Schilf

Ein Bahnhofsgebäude ist in Konin nicht so leicht zu erkennen, auch keine Bahnsteigüberdachung. Der Zug steht nackt unter dem großpolnischen Himmel. In Sichtweite ragt eine locker gestaffelte Plattenbausiedlung in ebendiesen Himmel. Konin wirkt vom Bahnhof aus wie eine kasachische Retortenstadt mitten in der spiegelglatten Ebene. Doch der Eindruck täuscht. Die Stadt ist viel größer, als es vom Bahnhof aus den Anschein hat. Sie hat 80 000 Einwohner und wird von der Warta (Warthe) in zwei Teile geteilt, die wie zwei verschiedene Welten wirken. Auf der einen Seite die realsozialistischen Trabantenblöcke, die man vom Zug aus sieht, auf der anderen Seite die malerische Altstadt. Lange Jahre bot sie ein trauriges, verfallenes Bild. Der australische Regisseur Peter Weir soll deshalb bei einem Besuch Konins gesagt haben: »Ich habe niemals traurigere Gesichter gesehen.« Dieser Satz inspirierte den polnischen Drehbuchautor Jarosław Sokół zu seiner Komödie »Die Statisten« (2005). Sie erzählt von einem chinesischen Filmteam, das nach Polen kommt, weil sich bis nach China herumgesprochen hat, dass in Konin die traurigsten Menschen der Welt leben. Die Chinesen wollen mit lokalen Statisten den Film »Der traurige Wind im Schilf« drehen. Mitten in der Altstadt wird ein quirliges Chinatown voller Buden und Wimpel errichtet. Unter den polnischen Statisten ist ein schwieriges Pärchen, das sich abwechselnd streitet und liebt. Richtig komisch ist es am Ende nicht mehr. Eben genau wie Konin.

Um das Trauerimage ihrer Stadt aufzupolieren, erinnerte eine Bürgerinitiative 2011 an einen Sohn der Stadt, der zu weltweitem Ruhm kam. Der Chemiker Julius Fromm, der 1883 im großen jüdischen Schtetl von Konin geboren wurde, erfand 1916 das nahtlose Latex-Kondom. Ihm zu Ehren zogen die Initiatoren deshalb einer auf dem Marktplatz von Konin befindlichen Säule ein Riesenkondom über, sehr zum Ärger der Stadtverwaltung.

Der unwürdige Liebhaber

Meine Blondine steht mit nackten Füßchen draußen auf dem Gang und guckt intensiv zum Fenster hinaus. Ich bewundere ihre Fußnägel, die so wie ihre Fingernägel rosa-silbern lackiert sind. Die große Frage lautet: Für wen hat sie sich schön gemacht?

In diesem Moment marschieren draußen auf dem Bahnsteig meine beiden Fans Jola und Reni vorbei. Sie gehen langsam und schauen aufmerksam durch die Glasscheiben ins Innere. Ich stürze zur offenen Waggontür, um mich von ihnen zu verabschieden. Erstens habe ich es ihnen versprochen, zweitens sind diese

Im März 2011 erinnerte eine Bürgerinitiative in Konin an Julius Fromm, den Erfinder des Latexkondoms.

beiden charmanten, gastfreundlichen Frauen vielleicht meine beiden letzten Fans in Polen.

»Tu jestem – hier bin ich!« rufe ich fröhlich. Sie stehen keine fünf Meter von mir entfernt.

Die beiden Rentnerinnen sind stehen geblieben, schauen kurz her, winken mir auch flüchtig, starren aber gebannt ins Zuginnere. Nanu, was sehen sie denn da? Es scheint fast, als ginge es ihnen um meine Blondine. Ja, woher wissen sie denn, dass es sich um meine angebliche Konkubine handelt? Ich habe sie ihnen doch gar nicht vorgestellt. Wie haben sie es herausgefunden?

»Tu jestem!«, wiederhole ich schreiend.

Schaffner Mirek pfeift, der Zug ruckt an, die Tür schließt sich. Ich bollere von innen gegen das Türfenster. Draußen auf dem Bahnsteig gehen unbegreifliche Dinge vor sich. Meine beiden letzten polnischen Fans lassen mich gleichgültig abfahren und starren mit offenen Mündern meiner vermeintlichen Frau hinterher. Der Anblick dieser Frau hat ihnen die Sprache verschlagen und die Sinne vernebelt. Ich kann es mir nur mit Eifersucht erklären.

Nachdenklich gehe ich zurück ins Abteil. Ich hatte keine Ahnung, welche ungeheure Macht die Eifersucht über berentete Fans einer harmlosen Telenovela besitzt.

Und plötzlich durchfährt mich ein Schock.

Gerade als ich ins Abteil zurückgehe, fest entschlossen, meine Blondine – kranker Sohn hin oder her! – mit dem charmanten Kompliment »super buty!« gefügig zu machen, eilt von der anderen Seite des Gangs ein Mann herbei, über dem Arm seinen Mantel. Die Blondine hat ihn von dieser Seite nicht erwartet und ist völlig außer sich vor Freude. Sie fällt ihm um den Hals und knutscht ihn ab. Auf seinen Wangen bleiben rosa Schminkespuren zurück.

Der Kerl busselt kräftig zurück und bellt: »Jak tam?«

»Stara bieda!«, haucht sie.

Ich stehe sehr unbeholfen direkt neben dem Paar und bin entsetzt. Welch ein Unglück, welch ein Goldkettchen! Ein Gorilla im schwarzen Shirt, ein gebräunter Muskelbubi, ein Türstehertyp! Mädchen!

Rasch springt sie ins Abteil, fährt mit den nackigen Füßchen in ihre Pantöffelchen, und dann verschwinden die beiden händchenhaltend in Richtung Speisewagen. Und ich darf wieder ins Abteil zurück, aufs Äußerste bedröppelt. Super Schuhe – haha. Und wo bleibt, bitteschön, der kranke Sohn? Vielleicht beim Vater?

Wirklich, ich sitze sehr verstört da. Jetzt könnte ich mich eigentlich mit dem Thema Braunkohletagebau beschäftigen. Schade nur, dass ich keine Lust und keine Kraft mehr dazu habe.

Auch der Professor scheint enttäuscht zu sein. Er nimmt nicht mehr sein Buch auf, sondern starrt hinaus auf den Gang, als würde er dort den Fußabdruck der göttlichen Blondine suchen.

Plötzlich sagt er: »Maria, willst du einen Kaffee haben? Ich hole einen.«

»Wir haben doch Kaffee!« sagt Pani Maria sehr energisch. Und schon holt sie eine dicke rote Thermoskanne hervor, schraubt den Deckel ab und schüttet Kaffee in zwei Plastikbecher. Sogar an Kaffeesahne hat sie gedacht.

»Ach so, na dann …« Ihr Mann sinkt zurück in den grünen Sitz. Sie trinken ihren Kaffee.

Ich halte den Geruch nicht aus, stehe auf und schiebe die Abteiltür hinter mir zu. Es geht mal wieder in Richtung WARS-Speisewagen.

Licheń

Inzwischen fährt der Zug schon aus Konin heraus, zunächst durch leicht hügeliges Gelände. Ein schön renoviertes rosa Herrenhaus sticht ins Auge.

Nach einigen Minuten sieht man in nördlicher Richtung, also »in Fahrtrichtung links«, eine goldene Kuppel über den Wäldern aufragen. Der Anblick wirkt wie ein Vorgeschmack des himmlischen Jerusalems, stammt aber noch von der Erde. Es handelt sich um die Basilika von Licheń, die größte Kirche Polens. Sie wurde zu Beginn des 21. Jahrhunderts rein aus Spendengeldern errichtet, zur Erinnerung an zwei Marienwunder, die sich hier im 19. Jahrhundert ereignet haben sollen. Licheń ist ein Hort der Volksfrömmigkeit, ein Schauspiel, wie man es allenfalls noch in Lourdes oder Fatima findet. Jeder Polentourist sollte einen Ausflug nach Licheń unternehmen. Ich selber habe dort einmal vor lauter Staunen meinen Fotoapparat liegen lassen.

Der Zug fährt durch ein riesiges Sonnenblumenfeld. Auf einer Bodenwelle längs der Bahntrasse stehen Kinder in grünen und orangefarbenen Trainingsjacken und winken.

Während ich zurück zum Speisewagen gehe, denke ich über das deutsch-polnische Ehepaar in meinem Abteil nach. Erstaunlich, wie hart Pani Maria ihrem Professor untersagt hat, in den Speisewagen zu gehen. Lieber schmiert sie ihm Brote, kocht Eier und Kaffee; alles nur, um den Speisewagen zu sparen. Dabei ist es dort gar nicht sehr teuer, keine zehn Euro für ein sattes Frühstück! Aber das weiß die gute Frau vermutlich nicht – und will es auch gar nicht wissen.

Polnischer Geiz

Sind etwa nicht nur wir Deutschen, sondern auch die Polen geizig?

Viele winken jetzt ab: »Es gibt überall Geizhälse, egal ob Deutsche oder Polen.« Gemeint sind Leute, die stets nur ein lächerliches Trinkgeld geben und jedes Papier doppelseitig bedrucken. Man spottet über sie, und manchmal räumen sie sogar selbst ein, »sparsam« zu sein.

Dann gibt es noch eine zweite Form von Geiz. Das Seltsame an diesem Geiz ist, dass er von den Mitgliedern der eigenen Kultur nicht bemerkt wird, geschweige denn vom Geizkragen selbst.

In Deutschland ist dies der Egoismus-Geiz: Ich kaufe mir selbst Blumen, aber meinen Mitmenschen fast nie. So ist es normal. Wenn also Pani Maria ihren Mann als geizig bezeichnen würde, weil er ihr niemals Blumen kauft, würde er sich empört verteidigen: »Ich habe uns dafür bei der Krankenkasse in einer höheren Schadensklasse angemeldet. Das ist viel teurer als Blumen!« Wenn er ihr wiederum vorwerfen würde, dass sie geizig sei, weil sie sich kein Frühstück im Zug leistet, würde sie auch protestieren: »Ich bin sehr großzügig und nicht wie deine Mutter, die jedem Gast nur ein Salamibrötchen anbietet!« – »Dann gönn dir doch mal das Frühstück!« Doch seine Frau bleibt fest: »Zu teuer! Das tut man nicht!« Jeder verhält sich so, wie es ihm die »Vernunft« seiner Kultur vorschreibt. In Polen muss man gastfreundlich sein, in Deutschland eine gute Versicherung haben. In

Deutschland spart man am Mitmenschen, und in Polen – ja, wie sieht Geiz in Polen aus?

Wer sich nicht intensiv nach der billigsten Ware erkundigt, gilt als asozial, wer eine Ware zum Normalpreis kauft, als Snob. Vor der Anschaffung eines Staubsaugers werden sämtliche Geschäfte der ganzen Stadt abgegrast. Und am Ende wird der Kauf doch wieder verschoben. Denn nichts wäre schlimmer, als mit einem normalteuren Staubsauger nach Hause zu kommen. Hier greift wieder die emotionale Intelligenz, diesmal als übertriebene Angst vor dem Kollektiv, vor Arbeitskollegen und Familie. Sie werden nach dem Kauf ankommen und mit einer in Deutschland nicht bekannten Indiskretion bohrend fragen: »Ile za to dałeś? – Wie viel hast du dafür gegeben?«

Und wenn man dann einen leicht überhöhten Preis zugibt, ist man erledigt. »Jesteś już tak zepsuty! – Du bist schon so kaputt!«

Auch die Deutschen sind Schnäppchenjäger, auch die Deutschen fahren stundenlang durch die Stadt, um an der Billigtanke zehn Cent zu sparen. Sie tun es aber nicht aus Angst vor der Familie, sondern für das eigene Portemonnaie. Ein Pole spart, weil er sich sonst vor seiner Familie nicht mehr blicken lassen könnte, also letztlich aus Angst vor Schande.

Ich habe plötzlich eine Schreckensvision. Zweimal im Jahr besucht der arme Professor mit seiner Gattin Maria die polnische Verwandtschaft in Rzeszów oder Terespol. Inzwischen reisen sie nur noch mit dem Zug, denn als sie noch mit dem Auto fuhren, gab es immer Streit. Wenn der Professor nach einigen Stunden an einer Raststätte anhalten wollte, zog seine Gattin die Proviantbrote heraus. »Ich habe Brote geschmiert. Diese Raststättenbesitzer sind Ausbeuter!« Nach neun Stunden Fahrt – die gesamte Reise dauerte fast 14 Stunden – war er todmüde und flehte seine Frau an, die Nacht in einem Motel verbringen zu dürfen. »Motel? Bist du wahnsinnig? Mein Vater ist mal in zwanzig Stunden von Rzeszów nach Paris gefahren. Und er hat unterwegs nur zwei kurze Pinkelpausen eingelegt! Reiß dich zusammen! Motel!« Am nächsten Tag spaziert er mit seiner Gemahlin durch die Stadt, um sich für die goldene Hochzeit der Schwiegereltern neue Manschettenknöpfe zu kaufen. In einem Juweliergeschäft am Marktplatz sieht er schöne Knöpfe (»Spinki«)

für 135 Złoty (34 €). Seine Frau schlägt die Hände über dem Kopf zusammen. »Das sind ja fast 1,5 Millionen Złoty!« In extremen Situationen rechnet sie die Preise plötzlich in die alte Währung um, die bis 1994 galt. Seit der Denominierung im Jahr 1995 sind 10 000 Złoty so viel wie ein Złoty. Sie rät ihm stattdessen zu den Knöpfen für 25 Złoty: »Die sind doch auch schön!« Plötzlich sieht er ein drittes Paar, für 35 Złoty. Er fragt, wie sie die finde. Sie zögert: »Na ja, auch nicht schlecht – wenn du unbedingt willst.« Er spürt aber ihren Unwillen und nimmt die billigsten – denn sogar mit den 35-Złoty-Exemplaren könnte er sich vor ihr und den Schwiegereltern niemals mehr blicken lassen.

Vor einiger Zeit haben sie sich in Deutschland eine schöne Wohnung gekauft, für knapp 175 000 Euro. Im Einverständnis mit seiner Frau nannte er der Verwandtschaft in Polen eine Kaufsumme von nur 50 000 Euro. Trotzdem gab es am anderen Ende der Telefonleitung Verzweiflungslaute: »Koniec świata! – Ende der Welt!« Bei Kenntnis der wahren Summe wäre die Tochter aus der Großfamilie verstoßen worden.

Deutsche geizen fürs eigene Portemonnaie, Polen geizen für ihren guten Ruf. Hauptsache, die Familie ist zufrieden. Irrational ist der eine wie der andere. Nur böse sein darf man keinem von beiden.

Rohgemüse

Als ich in den Speisewagen komme, höre ich schon von Weitem Stimmengebrodel. Es herrscht hohes Passagieraufkommen. Zum Glück hat mir der Japaner gegen alle Welt meinen Platz verteidigt. Ich setze mich hin und möchte ihm danken, doch er schläft gerade. Dabei bietet er einen interessanten Anblick. Statt seinen Kopf gegen die Glasscheibe zu lehnen, ist er auf dem Stuhl zusammengesunken, der Kopf sackt ihm permanent nach vorne weg. Spätestens jetzt erkenne ich definitiv den Japaner in ihm. Bei einem Urlaub dort habe ich an Schlafenden in Tokios U-Bahnen genau diese Körperhaltung beobachtet. Es wunderte mich, wie schamlos sie in aller Öffentlichkeit ihre Nickerchen hielten, wo sie doch sonst so auf äußerste Rücksicht achteten. Der Mund steht offen, der Sabber rinnt heraus – niemand schämte sich dafür, niemand vergrub sein schlafendes Gesicht in den Armen oder im Mantel.

Auch Big Arnie sitzt noch an seinem Vierertisch. Vor ihm steht ein Mini-Laptop, er guckt einen Film, hat Kopfhörer aufgesetzt und amüsiert sich prächtig. Immer wieder grinst er breit, offensichtlich eine Komödie. Etwa der »Tag des Spinners«? Laptop-Benutzung ist im Speisewagen eigentlich verboten, aber der Kellner schimpft nicht; einen so guten Konsumenten stößt man nicht vor den Kopf.

Die übrigen drei Plätze an seinem Tisch werden von einem alten Ehepaar mit seinem etwa zehnjährigen Enkel eingenommen. Der Enkel sagt gerade auf Deutsch: »Das ganze polnische Autobahnnetz, Oma, ist so lang wie in Deutschland nur die A 1.«

Ich wette, der kleine Mann verbringt seine Ferien bei den Großeltern in Polen. Vermutlich haben sie ihn gerade in Deutschland bei den Eltern abgeholt. Sehr zum Leidwesen der Großeltern identifiziert er sich aber nicht mit dem Land seiner Ahnen, sondern mit dem viel mächtigeren, in dem er die Grundschule besucht. Die Oma versteckt ihren Unwillen über seine Bemerkungen, indem sie plötzlich aus dem Fenster zeigt und lustig ruft: »Kosmita!« Wir fahren gerade unter einer Fußgängerbrücke durch, und sie meint einen Bauarbeiter, der auf einem Gerüst steht und mit einer merkwürdigen Gesichtsmaske vermummt ist, wie ein Tuareg. Der Enkel versteht das Wort »kosmita« (Marsmännchen) nicht, fragt aber nicht nach, sondern sagt verständig: »Das nennt man Sandstrahlen!« Dann fährt er unbeirrt-altklug fort: »Polen ist ungefähr zwanzig Jahre hinter Deutschland zurück. In Deutschland kochen die Frauen zum Beispiel nicht mehr. Das ist in zwanzig Jahren auch in Polen so!«

Die Oma und der Opa amüsieren sich nicht, sondern hören jetzt wirklich sorgenvoll zu. Dann schaut sich der Junge im ganzen Speisewagen um: »Guck mal, Oma, der WARS ist nicht gerade gigantisch … Früher war er größer!« Ich persönlich freue mich darüber, dass hier ein wacher kleiner Ethnologe heranwächst.

Die Schöne und das Biest

Und da vorne, an einem Zweiertisch, sitzt meine Blondine mit ihrem Kerl.

Ab und zu spaziert der Chefkellner vorbei und guckt irgendwie nervös in ihre Richtung. Auch als er zurück zur Bar geht, sieht man ihm an, dass er in Gedanken immer nur um die Blondine und ihren Gorilla kreist. Sie studieren gerade die Speisekarte.

Jetzt tritt er wieder zu ihnen. »Proszę?« fragt er, seltsam aufgeregt.

Der Kerl mit dem Goldkettchen stößt hinter seiner Speisekarte nur ein einziges Wort hervor, das für mich wie »Grummel« klingt. Der Kellner guckt fragend. Glücklicherweise ist meine Blondine plötzlich sehr beredt. Sie beeilt sich, dem Kellner alles, was ihr Liebster knurrend-abgerissen von sich gibt, in grammatikalisch sinnvolle Sätze zu übersetzen. »Wir hätten gerne das Kotelett mit Kartoffeln. Bärchen, willst du Rohgemüse haben?«

»Grummel.«

»Also Kotelett mit Rohgemüse. Dazu nehmen wir noch einen Tomatensalat, aber ohne Zwiebeln. Oh, schau mal, Bärchen, in der Speisekarte ist sogar Żurek-Suppe, die hattest du doch schon lange nicht mehr!«

»Grummel.«

»Also, wir hätten gerne die Żurek-Suppe, anschließend das Kotelett mit Kartoffeln und Rohgemüse. Sag mal, Bärchen, und was willst du als Dessert haben?«

»Grummel.«

»Ja, und als Dessert nehmen wir noch die Schokoladentorte mit Kirschen und Sahne.«

Der Chefkellner sagt »dziękuję«, nimmt die Speisekarte mit und geht zur Bar, um die Bestellung weiterzugeben. Ich kenne ihn von vielen Reisen und sehe seinem freundlichen Gesicht an, dass er nur mühsam die Fassung bewahrt. Vermutlich lacht er sich innerlich kaputt über die Schöne und ihr Biest. Auch er fragt sich, wie es dazu kommen konnte, dass eine so zarte Blondine mit einem solchen Stiernackentürsteher zusammen ist. Gegen diesen Muskelheini ist Witalij Klitschko ein anorektischer Poet. Das von der Blondine benutzte Kosewort

»Bärchen« heißt übrigens auf Polnisch »misiek« (gesprochen: Mischek). Das häufigste Kosewort für Frauen lautet dagegen »kotek – Kätzchen«.

Was um alles in der Welt hat mein Kätzchen bewogen, sich mit diesem Grummelbär zu verbinden? Es muss hier klar gesagt werden, dass der Anblick solcher asymmetrischen Paare in Polen nicht ganz selten ist. Wo liegt der Grund?

Eine polnische Bekannte erklärte es mir so: Die guten Männer seien alle nach England ausgewandert oder verheiratet. Viele schöne Polinnen stünden deshalb mit dreißig Jahren ratlos im Regen und erhörten am Ende zähneknirschend den Türsteher der nächstgelegenen Tanzbude.

Gegen diese Theorie spricht, dass viele der angeblich so torschlusspanikartig geschlossenen Ehen keineswegs unglücklich zu sein scheinen. An der Seite der Goldkettchen-Bodybuilder habe ich oft sehr selbstbewusste Frauen gesehen, die auf dem Spielplatz noch lauter schreien können als ihre krakeelenden Kinder. Unglück sieht anders aus. Mit der Zeit habe ich mir deshalb eine eigene Theorie gebastelt. Sie geht so: Seit der Steinzeit wollen Frauen nicht hübsche, sondern erfolgreiche Männer haben, im Idealfall den Leitwolf des Rudels. Tja, und wie sieht der Leitwolf aus? Das ist modeabhängig. Während das gesellschaftliche Ideal im Kommunismus durch den Parteibonzen im grauen Anzug oder durch den oppositionellen Intellektuellen mit Vollbart und Monsterbrille repräsentiert wurde, ist es im Frühkapitalismus der Muckimann mit Vierradantrieb. Er muss kein kritisches Zwölf-Punkte-Manifest mehr verfassen können, sondern einfach nur einen BMW besitzen.

So war es zumindest in den Neunzigerjahren, der Babyzeit des polnischen Kapitalismus. Seit aber das Durchschnittseinkommen steigt, wird auch der Anblick ästhetisch ungleicher Paare allmählich seltener. Das Männerideal verschiebt sich schon wieder. Die jungen Sprösslinge der reichen Warschauer Vorstädte, der Millionärsvillen in Konstancin, Powsin oder Józefów, machen sich nichts mehr aus Geld, weil der Papa es ja schon hinreichend erwirtschaftet hat. Also geht auch in Polen die Entwicklung weg von Türstehermuskeln hin zum metrosexuellen DJ mit langer Stirntolle und knallengen schwarzen Jeans.

Eine interessante Frage lautet, ob mit dem zunehmenden Wohlstand Polens auch die Zahl der deutsch-polnischen Ehen sinken wird. In den letzten Jahren kommt es mir so vor, als ob ich häufiger als früher vom Scheitern gemischter Ehen höre.

Deutsch-polnische Ehen

Im Augenblick sind Polinnen noch die beliebtesten ausländischen Ehepartnerinnen der Deutschen, vor Thailänderinnen und Russinnen. Die Zahl der Ehen und Partnerschaften geht in die Hunderttausende. Was zieht die beiden Seiten gegenseitig an? Alles deutet auf das Tarzan-und-Jane-Prinzip hin. Westliche Männer genießen bei polnischen Frauen hohes Prestige, weil sie angeblich alle als Vorstandsvorsitzende bei Mercedes arbeiten. Deutschen Männern wiederum fällt es vor traditionell erzogenen Polinnen leichter, den Tarzan zu spielen, als vor ihren emanzipationsverdorbenen Landsmänninnen. Die traditionelle Rolle der polnischen Frauen bestand in der Geschichte darin, Maß zu halten und Bigos für ihre desperaten Rebellenmänner zu kochen. Ob sie das als Intellektuelle taten, die die ausufernden Manuskripte ihrer Doktoranden-Ehemänner auf korrekten Satzbau durchsahen, oder als Bauersfrauen, die ihren Bauer abends aus der Kneipe schleifen mussten – ohne die polnischen Mütter wäre alles zusammengebrochen. Deutsche Männer können sich dagegen angeblich auch aus eigener Kraft nach Hause schleppen.

Es kommt also zur Hochzeit, meist in Polen. Die deutsche Verwandtschaft reist an, erlebt ein rauschendes Fest und fährt nach vier Tagen fröhlich zurück nach Hause. Das Brautpaar begibt sich auf Hochzeitsreise, sagen wir: nach Südafrika. Wenn es zurückkommt, bezieht es seinen Wohnort, meist in Deutschland. Und nun beginnt der Alltag.

Kleine Patzer sind zunächst nicht der Rede wert. Einmal schenkt der deutsche Mann seiner Frau zum Geburtstag Schuhe – nach polnischem Aberglauben ein absolutes No-Go. Frauen, die von ihren Männern Schuhe bekommen, werden darin weglaufen. Der Mann lacht, als seine Frau ihm das halb liebevoll, halb ironisch erklärt.

Dann passieren schlimmere Dinge. Die Frau schmeißt brav den Haushalt, ist aber zunehmend gelangweilt. Das Maßvolle und Vernünftige, das sie einst so vertrauenserweckend fand, geht ihr allmählich auf die Nerven; sie sehnt sich nach polnischer Romantik, nach Blumen, Komplimenten, ein wenig Säbelrasseln. Außerdem kommen so gut wie nie Gäste; ihr Mann pflegt keine Kontakte, hat keine Familie. Abends liegt er vor dem Fernseher, und die Entscheidung, wohin es im Urlaub gehen soll, überlässt er ihr. Wenn das so ist, hätte sie sich ja gleich einen Polen suchen können! Beim abendlichen Telefonat mit ihrer besten Freundin in Lublin nennt sie ihren deutschen Mann inzwischen den »pantoflarz – Pantoffelheld«. Die Freundin kann eine gewisse Schadenfreude nicht unterdrücken. Ach, wie hatte sie ihre Freundin anfangs um den Deutschen beneidet! Sehnsüchtig stellte sie sich vor, wie er abends mit schwarzen Stiefeln durchs Schlafzimmer hämmert. »Ciepłe kluchy« resümieren die beiden Frauen seufzend – »warme Klöße«, und zwar diesseits wie jenseits der Oder.

Doch es bleibt nicht beim Seufzen, wieder gehen die Jahre ins Land, und neue Verletzungen kommen hinzu. Sie drehen sich hauptsächlich um den Bereich der emotionalen Intelligenz. Die polnische Seite kann manchmal nicht glauben, wie unsensibel sich die deutsche Seite verhält.

Eine Polin aus dem Rhein-Main-Gebiet erzählte mir: »Einmal kam mein Mann morgens von der Nachtschicht zurück und legte sich ins Bett. Wir hatten eine Wohnung von 180 Quadratmetern. Bei mir war gerade mein Bruder aus Polen zu Gast. Wir saßen unten im Wohnzimmer und hatten uns viel zu erzählen. Plötzlich kommt mein Mann aus dem Schlafzimmer, mit dem Bettzeug unterm Arm, und sagt, dass er ins Auto umziehe. Unser lautes Reden sei nicht auszuhalten. Mein Bruder war davon so beleidigt, dass er nie wieder zu uns gekommen ist.«

Die Deutschen wiederum haben ein stärkeres Bedürfnis nach Distanz und Vereinzelung. Ein deutscher Fernsehredakteur: Was ihn bei den weihnachtlichen Familienbesuchen in Polen genervt habe, sei nicht die Esserei, sondern das Aufeinanderglucken gewesen. Drei Tage lang hätten zehn Menschen um einen einzigen Tisch zusammengesessen, im Hintergrund brabbelte nonstop der Fernseher. Wenn er es wagte, ins Schlafzimmer zu gehen, um ungestört ein Buch zu lesen, kam gleich seine Frau angelaufen und beschwerte sich, dass er asozial sei und ihre Familie verachte. Nach drei Jahren ließ er sich scheiden.

Nach meiner subjektiven Statistik überwiegen trotz allem die glücklichen Partnerschaften. Die Bauer-sucht-Frau-Zeiten sind vorbei. Hübsche Polinnen greifen sich hübsche Deutsche; ab und zu gibt es auch einen polnischen Orchestermusiker, der mir seine deutsche Reisekauffrau vorstellt: »Wir sind die Ausnahme von der Regel!« Vielleicht klappt es besonders dort ganz gut, wo beide Seiten schon von Hause aus gewisse Eigenschaften der anderen Kultur mitbringen. Eine Warschauerin, die immer schon wütend auf die permanente Improvisation ihrer Landsleute war und auch keine Lust auf Familie hatte, wird sich in Deutschland wohler fühlen als eine Bilderbuchpolin. Und ein Deutscher, der sich schon zu Schulzeiten kirchlich engagiert hat, wird in Polen besser zurechtkommen als ein strikter Individualist.

Kombinieren

Die Bauernhöfe und Felder auf dem Weg nach Kutno wirken ärmlicher als in Westpolen. Wir kommen an vielen kleinen Bauernhöfen vorbei, die nur aus Wohnhaus, Scheune und schadhaften Zäunen bestehen. Bisweilen sieht man gar keine asphaltierten Zufahrtswege, nur holprige Pfade, eine Hecke und eine Birke. Auf einem dürftigen Grasstück weiden eine Ziege und einige magere Kühe. Zwei Frauen hängen Wäsche auf, neben sich einen schwanzwedelnden Spaniel. Weiter unten im sumpfigen Teich steht ein Storch. Polen wird von 40 Prozent der Welt-Storchenpopulation bewohnt.

In diesem Moment klingelt bei Big Arnie das Telefon. Mit breit abgespreiztem Ellenbogen hält er sich das Handy ans Ohr. »Hello?« Danach redet er auf Deutsch weiter.

Der ganze Speisewagen hört mit. Zuerst lästert er ein bisschen über Jan Kulczyk, den reichsten Polen. Er, Big Arnie, habe gehört, dass Kulczyk sich inzwischen die grauen Haare lang wachsen lasse, um wie ein Künstler auszusehen; dass er in London mit einer neuen Frau lebe, aber immer noch sehr hartnäckig in den polnischen Autobahnbau investiere. Dann dämpft Big Arnie plötzlich seine Stimme und schaut starr zum Fenster hinaus, als würde ihn dadurch niemand mehr hören. Leider wirft die Scheibe aber jedes Wort zurück. Er zischt in den Hörer, dass polnische Manager zypriotischer Firmen in Polen keine Steuern zahlen müssten. Man brauche nur symbolisch eine Firma zivilen Rechts zu eröffnen und könne sich den Löwenanteil aller Geschäfte auf ein zypriotisches Konto überweisen lassen. – Pardon? Ja, natürlich könne man das Bankkonto ganz normal bei einer polnischen Bank haben! Man müsse nur seine Firma in Zypern registrieren lassen. Es gebe fertige Formulare und spezielle Rechtsanwälte, die nur mit dem Zyperngeschäft befasst seien. Er besitze die Telefonnummer eines guten Anwalts, und im Laufe einer einzigen Woche seien alle Papiere da. Wer nicht kombiniere, sei selbst schuld.

Offensichtlich versteht der deutsche Gesprächspartner das Wort nicht.

»Kombinieren!«, wiederholt Big Arnie noch lauter. Während er redet, wirft er mir einen Mörderblick zu, weil er mit einer raschen Seitwendung des Kopfes erhascht hat, dass ich ihn mit offenem Mund anstarre.

Es ist für einen Deutschen ein sonderbares Wort: »kombinieren«. Was soll denn da kombiniert werden? Man kombiniert ein schwarzes Hemd mit einer blauen Hose. Die zweite Bedeutung ist »schlussfolgern«. Sherlock Holmes sagt: »Kombiniere, der Butler ist der Mörder!«

Aber Big Arnie benutzt das Wort »kombinieren« in einem dritten Sinn. Es könnte mit »tricksen« übersetzt werden. Kombinieren ist in Polen ein beliebtes Hobby, so wie in Deutschland Beschwerdebriefe-Schreiben. Einige Beispiele:

Auch in Polen wird seit einigen Jahren Wein angebaut, und zwar in der hügeligen Landschaft rings um Zielona Góra. Im September findet dort das Fest der Weinlese statt, ein einwöchiges Spektakel mit Weinkönigin im Zentrum der Stadt. Dort dürfen die Winzer endlich auch mal ihren Wein verkaufen, was ihnen auf ihren Weingütern nämlich absurderweise untersagt ist. Die Bürokratie sieht für den Direktverkauf enorm hohe Steuern vor. Das ist eine missliche Situation, da logischerweise alle Gäste einer Weinprobe anschließend gerne ein paar Flaschen nach Hause mitnehmen möchten. Zum Glück gibt es hier eine pfiffige

»Kombination«. Die Weingüter verkaufen offiziell keinen Wein, wohl aber ihre Visitenkarten. Fünfzehn Złoty (3, 75 Euro) kostet so eine Karte, und als Gratisgeschenk gibt es noch eine Flasche Wein dazu.

Sogar die staatliche polnische Telefongesellschaft TP S.A. kombiniert, ganz legal und offiziell. Seit einigen Jahren bekommt jeder TP-Kunde seine monatliche Telefonrechnung mit einer Metallplatte. Sie ist an den Briefumschlag geklebt und hat eine imposante Größe von 7 x 6,5 Zentimetern. Dahinter steckt ein günstigeres Versandsystem für die Millionen von monatlichen Rechnungen. Die Telefongesellschaft hat nämlich eine private Brieffirma beauftragt. Diese ist um einige Groschen billiger als die staatliche Post »Poczta Polska«. Leider gibt es einen Haken: Die staatliche Post hält noch bis 2013 das Monopol für Briefe mit einem Gewicht unter 50 Gramm. Briefumschlag und Telefonrechnung wiegen aber zusammen höchstens 20 Gramm. Deswegen ist man bei TP S.A. auf die Idee gekommen, massive Metallplatten auf die Briefumschläge zu kleben. Dadurch erhöht sich das Gewicht der Briefsendung auf etwa 60 Gramm. Das aufwendige Herstellen und Aufkleben der Eisenplatten ist also immer noch lukrativer als der Versand mit der staatlichen Post. Millionen Polen wissen nicht, was sie mit dem Alteisen anfangen sollen und schmeißen es einfach weg. Einige aber kombinieren. In einem Telefonladen in Warschau war ich Zeuge, wie eine gut gekleidete Frau mit einer großen Plastiktüte erschien und die Schalterbeamtin fragte, ob sie hier einige Eisenplatten loswerden könne. Sie habe sie von allen Bekannten eingesammelt und sei bereit, sie für eine kleine Summe abzugeben, dadurch spare die TP S.A. Geld! Die Beamtin schüttelte energisch den Kopf, sie schien die Idee schon einige Male gehört zu haben. Die Frau zog enttäuscht mit der schweren Tüte ab.

Kombinieren ist in diesem Land die erste Bürgerpflicht. Ein deutscher Architekt erzählt, dass sein polnischer Bauherr höchst ungehalten wurde, als er das Entwurfshonorar gemäß offizieller Architekten-Gebührenordnung bezahlen sollte. »Kann man das nicht auch irgendwie anders regeln?« Es kam für ihn einer Beleidigung seiner Ehre gleich, dass er nach dem Buchstaben des Gesetzes und nicht individuell, sprich: kombinatorisch, behandelt

Meine letzten Telefonrechnungen – alle mit angeklebter Eisenplatte

werden sollte. Der deutsche Architekt schwor mir, er werde es in Zukunft so machen: Er werde dem Kunden zunächst umständlich vorrechnen, wie hoch der offizielle Preis wäre, danach verschwörerisch ein Auge zukneifen und auf die Rückseite einer Taxiquittung ein paar Zahlen werfen: »Das ist mein Honorar!« Der Betrag wäre fast derselbe wie in der Gebührenordnung, aber der Kunde hätte den Eindruck, dass verteufelt »kombiniert« wurde. Am Ende will der Architekt schreien: »Mehr kann ich nicht, mehr ist nicht drin.«

Wer nicht mehr kombiniert, lebt nicht mehr. Unter dieser polnische Maxime haben am meisten die Verkehrspolizisten zu leiden. Sie bringen es nicht übers Herz, ihren Landsleuten die offiziellen Geldbußen abzuknöpfen, weil es für den Schnellfahrer oder Falschparker eine doppelte Strafe wäre, nicht nur erwischt zu werden, sondern auch noch die volle Buße entrichten zu müssen. Ein Deutscher zahlt seine Strafe ohne Mucks – ein Pole läuft zu Hochform auf und mobilisiert erst mal seine Kombinationsfähigkeiten. Kombinieren heißt allerdings nicht automatisch, Bestechungsgeld anzubieten. Das wäre plump. Kombinieren heißt vielmehr, die eigene Phantasie zu mobilisieren und dem Polizisten eine unerwartete Lösung anzubieten: »Ich putze Ihnen Ihr Motorrad!« Das bietet dem Polizisten die Möglichkeit, seinerseits ein Auge zuzukneifen.

An dieser Stelle muss Einspruch gegen ein beliebtes polnisches Vorurteil erhoben werden, nämlich dass Polen frech über rote Ampeln marschieren, während deutsche Fußgänger brav stehen bleiben. Schon unzählige Warschauer Touristen haben mir bezeugt, dass es nicht so ist. Polen bleiben im Allgemeinen lammfromm vor roten Ampeln stehen. Ausländer sind dann immer erstaunt – das hätten sie den alten Kombinierern niemals zugetraut! Doch Ampeln eignen sich einfach nicht zum Kombinieren. Es gibt da keine Grauzone, keinen riskanten Ermessensspielraum, keine unerwartete Alternative. Man kann sich lediglich zwischen Stehenbleiben und Gehen entscheiden, und Gehen wäre eine eindeutige Gesetzesüberschreitung. Genau dies wäre aber eine Überstrapazierung der Kombination.

Überkombinieren

Für solche Überstrapazierungen, die böse enden können, hat die polnische Sprache ebenfalls ein Wort gefunden. »Przekombinować« heißt »überkombinieren«. Ein Beispiel: In den 1980er-Jahren, also noch im Kommunismus, hatte der Bürgermeister einer kleinen Gemeinde in der Tucheler Heide eine neue Idee, um an westliche Devisen zu kommen. Er inserierte in westdeutschen Jägerzeitungen: »Bärenjagd – Erfolg garantiert.« Ein Oldenburger Jägersmann biss an, bezahlte 2000 Mark und kam nach Polen, erfreut darüber, dass in der Tucheler Heide noch echte Bären existierten. Natürlich gab es sie nicht. Der Bürgermeister war ein Kombinierer und hatte einem Wanderzirkus seinen alten Tanzbären abgekauft. An einem schönen Herbstmorgen erkletterte der westdeutsche Waidmann erwartungsfroh einen Hochstand am Waldesrand. Einige Hundert Meter tiefer im Wald ließ der Bürgermeister den Zirkusbären von der Kette. Just in diesem Moment kam der Briefträger auf seinem Fahrrad vorbeigefahren. Als er den Bären erblickte, warf er vor Schreck das Fahrrad hin und floh Hals über Kopf in den Wald hinein. Das Pech wollte es, dass der Bär jahrzehntelang auf einem Fahrrad durch die Zirkusmanege gefahren war. Brummend stieg er auf den Sattel und radelte los in Richtung Hochstand. Als der deutsche Jäger einen Bären auf einem Fahrrad auf sich zukommen sah, fiel er vor Schreck vom Hochstand und brach sich beide Arme. Die Tucheler Gemeinde musste ihm die Krankenhausrechnung bezahlen, der Bär ward nie mehr gesehen. Ob die Geschichte, die angeblich eine Lieblingsanekdote des ehemaligen Regierungssprechers Jerzy Urban ist, wirklich den Tatsachen entspricht, weiß niemand. Vielleicht hat Urban sie auch nur als Abschreckung gegen Devisenkombinierer auskombiniert.

Merke: Kombination ist nicht gleich Korruption. Woran erkennt man ein korruptes Land? In Deutschland oder Polen muss man einem Beamten Schmiergeld dafür anbieten, dass er etwas Illegales tut. In einem wirklich korrupten Land muss man ihm Geld dafür anbieten, dass er einfach nur das tut, was sowieso seine Pflicht wäre.

Gleiswelt und Straßenwelt

Kurz vor Kutno kreuzen wir die neu gebaute Autobahn. Am Horizont sind einige Windräder zu sehen. Wind gibt es hier in der Ebene genug, man sieht es an den Wolkenformationen, die in vielen Schichten über- und untereinander hertreiben, was einen dreidimensionalen Himmel zu ergeben scheint. Schäfchenwolken, graue tief hängende Wolken, weiße Wattebäusche, schnell treibende Fetzen – alles da.

Neben dem Bahndamm führt ein baumloser Feldweg entlang. Eine junge Frau mit einer lustigen Bommelmütze radelt vor sich hin. Es ist ein schöner Weg, der endlos durch die Felder führt, ein angenehmer ländlicher Kontrast zur Zivilisationshektik. Jedes Mal fasse ich bei so einem Anblick den Vorsatz, in Zukunft auch mal genüsslich neben einem Bahndamm herzuradeln. Doch das ist nicht leicht zu realisieren. Wenn man am Wochenende einen Ausflug machen will, geht es doch wieder zu den üblichen Seen und Parks. Man macht einfach keinen Ausflug »zum Bahndamm«. Wo sind diese Bahndämme überhaupt? Die Gleiswelt ist groß, solange man sich auf ihr bewegt, aber sobald man am Bahnhof ankommt und wieder eintaucht in die Straßenwelt, sind die Gleise so abgeschieden wie Schneewittchen hinter den sieben Bergen.

Während ich so grübele, donnert der Zug gerade an einer abzweigenden Nebenlinie vorbei, die nicht elektrifiziert ist. Da stapft ein einsamer Bahnarbeiter in orangener Leuchtweste und Mütze mit heruntergeklappten Ohrenschützern vor sich hin, mitten in die Unendlichkeit hinein. Das ist ein romantischer Anblick. Noch nie habe ich in Deutschland einen Menschen auf offener Strecke so einsam vor sich hin marschieren sehen, so sinnlos und trotzig. Der Mann kontrolliert vielleicht nur die Schienen; vielleicht hat er sich aber auch mit seinem Chef zerstritten und geht jetzt nach Hause, drei oder 13 Kilometer die Gleise entlang. Man muss ihn dafür mögen, wie er so schwach und rebellisch gegen den Wind marschiert.

Einer reicht schon, ein einziger Sympath reicht schon, um ein ganzes Land zu mögen.

Aus meinen Träumen werde ich durch eine weitere Ansage von Schaffner Mirek geschreckt. In wenigen Momenten treffen wir am Bahnhof Kutno ein. Aus irgendeinem Grund schließt Pan Mirek diesmal auf Englisch: »Ladies and gentlemen: Kutno.«

Die Ansage hat den Japaner geweckt. Er erwacht und schaut schlaftrunken durchs Fenster. Als er mich an seinem Tisch bemerkt, zuckt er wieder zusammen. Wirkt meine Visage so unangenehm auf Japaner?

Entfernung: 123 km
Fahrzeit: 66 Minuten
Kulturschock: Kommunikation
Wort der Strecke: kocham cię

Kutno

Auf dem Bahnsteig stehen wieder zwei schwarz uniformierte Bahnpolizisten, die SOKisten. Sehr langsam wandeln sie an den Waggons entlang, schauen neugierig in jedes Fenster hinein und kratzen sich gelegentlich mit den Gummiprügeln am Hinterkopf.

Kutno hat den stolzesten Bahnhof der gesamten Trasse zu bieten, ein imposantes, schlossartiges Gebäude mit majestätischem Turm an der Seite. Lange Jahrzehnte war es auch das desolateste Gebäude der Trasse, mit olivgrün abblätternden Farbresten und einer archaischen Kaffeebar, in der noch Wladimir Iljitsch Lenin auf dem Weg zur Oktoberrevolution gefrühstückt haben könnte. Im Zuge der EM-Vorbereitungen 2012 wurde das Gebäude gründlich saniert, verlor seine olivgrüne Farbe und seinen Charakter als lebende Ruine des Sozialismus. Heute erstrahlt es weiß und imposant wie ehedem. Allein dafür hat sich die Europameisterschaft in Polen schon gelohnt.

Auffällig sind die großen Wiesen innerhalb der Stadt. Sie sind eigentlich keine Grünflächen mehr, sondern wirken wie Steppenausläufer mitten im Wohngebiet. In einer dieser Mini-Tundren befindet sich eine Sandgrube. Zwei kleine Jungen spielen hier, fünfzig Meter entfernt von einer Plattenblocksiedlung, als wären sie in der Wildnis. Noch in Posen wäre dieser Kontrast undenkbar gewesen. Wir sind jetzt wirklich im Osten angekommen. Schluss mit kommunaler Begrünung. Hier in Ostpolen beginnt eine Welt, die kein Wuppertaler mehr kennt. Da stört es auch

Der majestätische Bahnhof von Kutno kurz nach seiner Generalrenovierung 2012

niemanden, dass es in Kutno eigentlich von keinerlei Sehenswürdigkeiten zu berichten gibt. Ich fühle mich deshalb in Kutno immer wie Marco Polo, der gerade in China ankommt.

Łódź

Der Eindruck, weit nach Asien vorgedrungen zu sein, täuscht natürlich. Nur wenige Kilometer hinter Kutno befindet sich die kleine Ortschaft Piątek. Sie ist stolz darauf, der geografische Mittelpunkt Polens zu sein. Auch vom Mittelpunkt Europas sind wir nicht weit entfernt. Einige verorten ihn nämlich seit dem 18. Jahrhundert in der Nähe der ostpolnischen Stadt Białystok. Von dort sind es dann bis zum Ural noch ungefähr 2500 Kilometer.

Sechzig Kilometer südlich von Kutno liegt Polens zweitgrößte Stadt, das von Vicky Leandros 1974 besungene »Lodsch«. Eigentlich handelt es sich dabei übrigens um ein viel älteres Lied, das schon im Dreißigjährigen Krieg existierte und im Ersten Weltkrieg von österreichischen Soldaten gesungen wurde. Erst Vicky Leandros' Vater, der Komponist und Musikproduzent Leo

Leandros, textete es um zum heutigen »Theo, wir fahr'n nach Lodsch«.

Auf Polnisch wird die Stadt »Łódź« geschrieben und »Wudsch« ausgesprochen. Schon an dieser fatalen Häufung von unaussprechlichen Buchstaben ist das traurige Schicksal der Stadt zu erkennen. Łódź, nur etwas mehr als 100 Kilometer von Warschau entfernt, ist so etwas wie der verlorene Sohn Polens. In keinem anderen europäischen Land liegt die zweitgrößte Stadt des Landes (über 700 000 Einwohner) so dicht an der Hauptstadt und dadurch total in ihrem Windschatten. Im 19. Jahrhundert noch eine blühende Textilmetropole, war Łódź nach dem Zweiten Weltkrieg hauptsächlich durch seine renommierte Filmhochschule bekannt, an der Roman Polański und Krzysztof Kieślowski studiert haben. Bemerkenswert ist auch die Piotrkowska-Straße im Zentrum, mit einer Länge von 4,2 Kilometern eine der längsten Einkaufsstraßen Europas.

Einkaufen wollen die Lodzer heute allerdings am liebsten im Einkaufszentrum »Manufaktura«, der größten neueren Attraktion der Stadt. Hierbei handelt es sich, ähnlich wie in Posen, um eine ehemalige Fabrik aus dem vorvorigen Jahrhundert, die zum eleganten Konsumtempel umgebaut wurde. Das aus mehreren modernisierten Backsteingebäuden bestehende Ensemble umfasst auch das edle Andel's Hotel mit einem Swimmingpool im obersten Stock, von dem aus man einen phantastischen Blick über die ganze Stadt hat.

Das 20. Jahrhundert war nicht freundlich mit Łódź, doch jetzt hat die Zukunft endlich begonnen. Für Hunderte von Millionen Euro wird ein neuer, unterirdischer Hauptbahnhof gebaut, eine Art Stuttgart 21. Auch die Autobahnverbindung nach Warschau soll in absehbarer Zeit fertiggestellt werden.

Menel

Der Zug fährt wieder an. Die beiden Bahnpolizisten in ihren gelben Leuchtwesten postieren sich unter einem Schatten spendenden Baum und schauen uns finster-sehnsüchtig hinterher. Warschau ist für einen Kutnianer das, was für einen Wolfsburger Berlin ist.

Wir passieren einen Bahnübergang, vor dessen Schranken einige Kinder den wartenden Autos die Windschutzscheiben putzen. Dann kommt ein langes Garagenareal, kaum asphaltiert, eine wilde Gegend. Hier streifen zwei dünne Männlein in Trainingsjacken und mit flatterigen Plastiktüten herum. Sie heißen auf Polnisch »Menele«, was aus dem Jiddischen kommt und »Männlein« bedeutet. In der gesellschaftlichen Hierarchie stehen sie auf der alleruntersten Sprosse, Objekt vieler Billigfuselwitze. Doch nicht einmal sie sind ganz aus dem sozialen Netz herausgefallen. Nach tagelangen, nächtelangen Streifzügen durch die Peripherie der Hochhaussiedlungen kommen sie irgendwann nach Hause zurück. Dort wohnen Frau und Kinder, verfluchen den Tata, wärmen ihm trotzdem noch eine Pilzesuppe auf. Auch in meinem Warschauer Stadtviertel gibt es solche Figuren. Sie schleppen Obstkisten in den Tante-Emma-Laden oder fegen den Bürgersteig vor dem Friseurladen. Allerdings fällt mir auf, dass es ihnen seit Jahren an Nachwuchs mangelt. In der jungen Generation ist der Wodkakonsum um fast 70 Prozent zurückgegangen.

Unser Zug fährt jetzt irgendwo durch die ländliche Einöde. Neben einem abgewrackten Bauernhof geht ein Bauer am Feldrain entlang. Er trägt ein rotes ausgeleiertes Netz-T-Shirt über dem nackten, sehr mageren Oberkörper. Langsam geht er sein Minifeld ab, auf dem Kartoffeln wachsen. Mit müden Augen und auf dem Rücken verschränkten Händen schaut er, wie die Kartoffelstauden wachsen. Er wirkt resigniert. Polen hat seit dem EU-Beitritt 2004 enorme Fördergelder gerade für die Landwirtschaft erhalten, aber bei diesem Mann ist vom Euroregen garantiert nicht viel angekommen. Ich vermute fast, dass er ein Selbstversorger ist, der nur das Nötigste im Supermarkt kauft. Viele ländliche Gegenden bieten immer noch einen herben Gegensatz zum Wirtschaftswunder in den Großstädten.

Die berühmteste lebende Polin

Wer für diesen Kontrast keinen Sinn hat, ist meine kulleräugige Blondine. Sie hat kein einziges Mal aus dem Fenster geschaut, sondern immer nur busy-busy mit ihrem Kerl getalkt. Den ganz überwiegenden Teil des Gesprächs hat sie dabei selbst bestritten.

Vielleicht liegt das Geheimnis dieser Beziehung also in seiner Fähigkeit zuzuhören?

Jetzt möchte sie aber ins Abteil zurück. Ihr Begleiter zahlt beim Kellner die Rechnung. Der Chefkellner bringt die Rechnung, hält aber in der anderen Hand einen Schreibblock. Nun sagt er atemlos: »Pani Doda Elektroda? Mogę autograf? – Kann ich ein Autogramm haben?« Hinter der Bar lugen gespannt der zweite Kellner und der Koch hervor.

Die Blondine lacht ärgerlich auf. Ihr Begleiter will schon wütend werden, beschließt aber ebenfalls zu lachen. »Pomyłka – Irrtum!« sagt er, reicht der Blondine seinen Arm und führt sie schnurstracks aus dem Waggon. Ein Missverständnis, eine Verwechslung! Der Kellner sieht ihnen enttäuscht hinterher und ruft: »Przepraszam!«

Doda Elektroda! Natürlich! Endlich geht mir ein Licht auf. Ich hatte ja von Anfang an ein Déjà-vu gehabt. Nun bestätigt es sich. Meine Blondine sieht Doda Elektroda ähnlich, und zwar zum Verwechseln ähnlich! Ich kam nur deshalb nicht darauf, weil sie bei Fernsehauftritten ganz anders aussieht, geschminkt, gestylt und kostümiert.

Jetzt verstehe ich plötzlich auch, dass Jola und Reni, meine beiden Fans aus Konin, keine Augen mehr für mich hatten. Als sie im Fenster die Blondine sahen, wussten sie sofort, um wen es geht und vergaßen die restliche Welt. Ja, Doda Elektroda ist aber auch eine ganz andere Nummer! Ich übertreibe nicht, wenn ich sie als berühmteste lebende Polin bezeichne, als polnische Antwort auf Lady Gaga. Sie ist alles in einer Person: Popsängerin, Sexikone und Skandalnudel.

Mit bürgerlichem Namen heißt sie Dorota Rabczewska. »Doda« ist einer ihrer Kosenamen, »Elektroda« ein Künstlername, so wie wenn ich mich »Steffek Elektryczek« nennen würde. Doda wurde 1984 in dem Städtchen Ciechanów bei Warschau geboren und nahm schon als Kind an Gesangswettbewerben teil, errang ersten Ruhm aber bei den polnischen Leichtathletikmeisterschaften der Junioren, und zwar als Gewinnerin der Bronzemedaille im Weitsprung. Mit 16 Jahren gewann sie unter Hunderten von Teilnehmern ein Casting zur Frontsängerin der Band »Virgin«. Mit dieser Band landete sie erste Hits. 2007 begann sie eine Solokarriere, ihr Album »Diamond Bitch« errang dreifaches Platin, ihr Hit »Szansa« wurde zum Hit des Jahrzehnts gewählt. Abgesehen von ihrer Stimme machte sie von sich reden durch Silikonimplantate, »Playboy«-Sessions und Tätowierungen sowie die Heirat mit dem (kurzzeitigen) polnischen Nationaltorwart Radek Majdan. Die öffentlichen Fetzereien des Traumpaares, seine Trennungen und Wiederversöhnungen gaben Legionen von Journalisten über Jahre hinweg Brot und Arbeit. Dodas am meisten geklickter Film auf Youtube ist denn auch ein zweiminütiger Talkshow-Ausschnitt, in dem sie freimütig von Toilettensex mit ihrem Torwart erzählt, keiner ihrer Songs erreicht auch nur ein Zehntel dieser Klickzahlen. 2009 bestätigte sie wieder einmal ihren Ruf als Provokateurin. In einem Interview sagte sie: »Die Bibel ist super, wirklich geil, voller interessanter Geschichten. Ich frage mich nur, warum es darin keine Dinosaurier gibt. Ich bin ein sehr realistischer Mensch. Ich glaube nur, was ich mit eigenen Augen sehen kann. Daher fällt es mir schwer, an ein Buch zu glauben, das von einem besoffenen Weintrinker und Kiffer geschrieben worden ist.«

Popsängerin Doda Elektroda, die berühmteste lebende Polin

Bier

Bei so viel Ruhm ist es kein Wunder, dass so manche Polin sich à la Doda stylt. Auch im vorliegenden Fall scheinen wir, sämtliche Passagiere und Kellner, einer Verwechslung aufgesessen zu sein. Doch warum regt sich die hübsche Blondine so darüber auf? Will sie etwa so tun, als wäre der Effekt nicht beabsichtigt? Dann sollte sie vielleicht mal ein ernstes Wörtchen mit ihrem Friseur wechseln. Doch genau das wird sie natürlich nicht tun. Es handelt sich nämlich um das übliche Doda-Elektroda-Phänomen: Jegliche Ähnlichkeit mit dieser »Schlampe« wird bestritten – und insgeheim wird sie dennoch kopiert. Man rennt in ihre Konzerte, schmettert ihre Hits und lässt sich beim Coiffeur für viel Geld den gleichen Blondton ins Haar färben.

Wie dem auch sei: Jetzt ist die Doda-Kopie samt Lover davongerauscht und der Speisewagen um eine Attraktion ärmer. Ich bestelle auf meinen Frust ein Bierchen. Auf Polnisch heißt Bier »Piwo«. Der Kellner bringt mir eine Flasche der bekanntesten polnischen Marke »Żywiec« (gesprochen: Schüwijetz). Wer will, kann aber auch ein Bier der Marke »Dawny« versuchen, ein nicht pasteurisiertes, frisches Bier, das unter den Passagieren neuerdings sehr beliebt ist.

Das vielleicht beste Bier Polens gibt es in der Minibrauerei des Danziger Restaurants »Hotel Gdańsk« gleich an der Mottlau unweit des Grünen Tors. Es ist vielfach preisgekrönt, heißt »Brovarnia« und wird nach dem deutschen Reinheitsgebot von 1516 in den drei Sorten hell, dunkel und Weizen gebraut. Die Bierkessel stehen direkt neben dem Schanksaal. Meister Bogdan, der Brauherr, ist mit einer Bayerin verheiratet, die für Brezeln und Obas (Brotaufstrich) sorgt und ihre Kellnerinnen mit feschen Dirndln versorgt. Neben dem Hotel ist eine Segeljacht aufgebockt, deren Takelage man mit einem Knopfdruck hell erleuchten kann.

Eine letzte Schadenmeldung

Vor uns liegt noch etwas mehr als eine Stunde Fahrzeit. Während ich das Bier schlürfe, spreche ich meinen Tischnachbarn, den Japaner, an und frage ihn, was er da gerade liest. Er ist mal wieder erschrocken und guckt unruhig zwischen seinem Buch und mir hin und her. Endlich sagt er: »Adam Mickiewicz.«

»Ach so, verstehe«, sage ich hyperfreundlich.

»Entschuldigung?«

»Wieso können Sie so gut Deutsch?«

»O nein«, wehrt er bescheiden ab, »ich spreche nicht so gut.«

Ich beteuere ihm das Gegenteil und erfahre, dass er seit sieben Jahren in Heidelberg lebt, wo er sich mithilfe einiger Kurse in die deutsche Sprache eingearbeitet hat. Studieren tut er allerdings seit drei Jahren ganz etwas anderes, nämlich Slawistik. Sein Spezialgebiet ist ebendieser Adam Mickiewicz, den man »Mitzkjewitsch« ausspricht.

»Warum gerade Polnisch?«

»Ich habe eine polnische Freundin!«, lächelt er. »Wir haben uns in Heidelberg am Sprachkurs kennengelernt.«

»Im Sprachkurs.«

»Bitte?«, Er guckt mich erschrocken an.

»Sie haben ›am‹ Sprachkurs gesagt. Es heißt aber ›im‹ Sprachkurs.«

»Entschuldigung!«

Er guckt betroffen. Und ich habe sofort Gewissensbisse. Verflixt – jedes Mal dasselbe Spiel. Wenn ich von Deutschland nach Polen fahre, ertappe ich mich noch einige Tage lang bei Schadenmeldungen. Erst allmählich lässt es dann nach. Zur Vorsicht wechsle ich jetzt die Sprache und unterhalte mich mit dem Japaner auf Polnisch. Da sinkt die Neigung zum Korrigieren sofort auf Null.

Wie sich in unserem nun folgenden Gespräch herausstellt, schreibt der Japaner sogar schon eine Doktorarbeit über den Dichter Mickiewicz. Konkret geht es um das Verhältnis von Adam Mickiewicz zu Mao Tse Tung, Stichwort Messianismus. Hochinteressant! Vor lauter Respekt bestelle ich ihm ebenfalls ein Żywiec-Bier.

Der polnische Nationaldichter

Adam Mickiewicz ist 1798 in Zaosie, im heutigen Weißrussland, als Angehöriger des Kleinadels geboren. Diese große Gruppe hieß »Szlachta«, man schätzt, dass sie im 17. Jahrhundert etwa 10 Pro-

Nationaldichter Adam Mickiewicz (1798–1855), in der Hand den Pilgerstab

zent aller Polen umfasste. Mit 14 Jahren war Mickiewicz Zeuge, wie die Armee Napoleons unter dem Jubel der Polen nach Osten zog, um den verhassten russischen Zaren niederzuwerfen. Wenige Monate später kehrten die Reste dieser Armee geschlagen zurück. Mit 18 Jahren verliebte sich der junge Mickiewicz in eine Angehörige des Hochadels, doch wurde sie von ihren Eltern überzeugt, eine standesgemäße Ehe einzugehen. Mit zwanzig veröffentlichte er seine erste Gedichtsammlung. Mickiewicz, der nie nach Warschau gekommen ist, studierte im heutigen Kaunas und arbeitete danach vier Jahre lang als Dorfschullehrer. Weil er sich polnischen Untergrundzirkeln anschloss, wurde er von der zaristischen Geheimpolizei verhaftet und ein halbes Jahr lang in einem Kloster interniert. Anschließend wurde er fünf Jahre lang nach Russland verbannt, durfte allerdings munter herumreisen, unter anderem durch die Halbinsel Krim, wo er seine berühmten Krim-Sonette schrieb. 1829 durfte er nach Westeuropa ausreisen. Im selben Jahr traf Mickiewicz auch mit Goethe in Weimar zusammen. Mehr als zwanzig Jahre lang lebte er dann in Paris, nur wenige Querstraßen von Heinrich Heine entfernt. Er heiratete eine Polin und hatte fünf Kinder mit ihr; das jüngste starb erst 1938. In Paris schrieb er sein berühmtestes Werk, das Versepos »Pan Tadeusz«, dessen Handlung im Jahr 1812 spielt. Der Prolog, den jeder Pole auswendig kann, beginnt mit den Worten: »Litauen, mein Vaterland!« Gemeint ist damit der litauische Teil des alten Polens. Als seine Frau psychisch erkrankte, zog Mickiewicz den Arzt Andrzej Towiański hinzu, der nebenbei Mystiker und Vertreter des »Messianismus« war. Durch ihn wurde auch Mickiewicz zum Anhänger dieser Lehre. Die Botschaft lautete: Das unterdrückte Polen ist zum Messias, zum Retter der Völker bestimmt. Von seiner Mitwelt wurde Mickiewicz fortan nicht mehr bloß als Dichter, sondern als »Seher« verehrt. Folgerichtig schrieb er in den letzten zwanzig Jahren seines Lebens so gut wie keine Zeile mehr. In materieller Hinsicht war sein Pariser Alltag umso ärmlicher. Er bestritt seinen Lebensunterhalt mit Vorlesungen und als Bibliothekar. Als 1853 zwischen dem Osmanischen Reich und Russland der Krimkrieg ausbrach, war es endlich vorbei mit dem traurigen Emigrantenleben. Mickiewicz schiffte sich mit einer polnischen Freiwilligen-Legion nach Konstantinopel ein, um auf der Seite der Türken gegen die Russen zu kämpfen. Im November 1855 starb er plötzlich, von einem Tag auf den anderen, in einem ärmlichen Hüttchen im Konstantinopoler Stadtteil Pera. Offiziell wurde eine Cholerainfektion angenommen, sofort war aber auch die Rede von Vergiftung durch den russischen Geheimdienst. Neueste Spekulationen sind leider viel unspektakulärer: Mickiewicz war am Vorabend seines Todes zu einem opulenten Zwölfgängemenü eingeladen und starb vielleicht an einer banalen Darmverschlingung. Seine Leiche wurde nach Frankreich überführt. 1890 erfolgte die Umbettung auf den Krakauer Wawel-Burgberg, wo Mickiewicz heute an der Seite des zweiten polnischen Nationaldichters liegt, Juliusz Słowacki.

Eine echte Fremd-Sprache

Warum erfahren deutsche Schüler nichts von so abenteuerlichen Gestalten der Weltliteratur, geschweige denn von ihren Werken? Die Polen beschäftigen sich doch umgekehrt auch mit Goethe! Dieser Adam Mickiewicz hatte jedenfalls ein dramatischeres Leben als Goethe, Schiller und Max Frisch zusammengenommen.

Nachdem der Kellner das zweite Bier gebracht und der Japaner zum Dank höflich mit mir angestoßen hat – »na zdrowie!« –, vertieft er sich wieder fleißig in sein Buch, eben das erwähnte Versepos »Pan Tadeusz – Herr Thaddäus«. Das große Gedicht besitzt

11 000 Verse, bei denen sich immer zwei aufeinanderfolgende reimen. Im Deutschen existieren zwar einige Übersetzungen, doch wie immer bei Gedichten kann man den poetischen Zauber und auch den (bei einem Seher nicht unbedingt erwartbaren) Humor des Werkes nur im Original würdigen. Und wenn ein Japaner es schafft, sollte auch ein Europäer die Nuss knacken können!

Doch vielleicht hat gerade ein Japaner weniger Hemmungen, sich in die polnische Sprache zu stürzen? Für ihn ist sie einfach eine von mehreren exotischen europäischen Sprachen. Dadurch ist er viel offener gegenüber einer Sprache, die in Deutschland nicht in den schulischen Bildungskanon gehört. Die Offenheit wird den Deutschen also von der Schule ausgetrieben. Dort heißen Englisch und Französisch »Fremdsprachen« – dabei versteht man schon am ersten Tag die Hälfte aller Vokabeln. Auch nach der Schulzeit verpassen es die meisten, sich mal einer wirklich fremden Sprache auszusetzen. Was man sich in Sachen Urlaub und Essen nie durchgehen lassen würde – bei Sprachen ist es so: Kein Hunger nach Exotik. Welche Erfahrungen werden so verpasst!

Beachten muss man natürlich, dass jeder Mensch auf unterschiedliche Weise eine Sprache lernt. Manche Leute, zum Beispiel ich, kommen mit der schulischen Art des Lernens nicht zurecht. Latein lief gut, weil meine Eltern mit mir büffelten, aber Englisch und Französisch waren eine Katastrophe. Ich hatte einen furchtbaren deutschen Akzent, verstand irgendwelche grammatikalischen Regeln immer erst nach der Rückgabe der Klassenarbeit oder nie. An der Uni gab ich mir noch eine zweite Chance, diesmal mit Italienisch. Und wieder endete die Sache fatal. Ich war, ohne Koketterie, der schlechteste Teilnehmer des ganzen Kurses. Die Unterrichtssituation schüchterte mich ein, die Konkurrenz mit den anderen Kursteilnehmern, die trockenen Grammatikübungen. Auch bei den Polnisch-Sprachkursen in Krakau war es nicht besser. Der Durchbruch kam erst, als ich einige Monate im Land lebte und gezwungen war, das Taxi zu bezahlen oder Äpfel zu kaufen. Plötzlich war die Sprache nur noch Mittel zum Zweck. Niemand störte sich daran, dass ich hunderttausend Fehler machte, kein Lehrer schrieb mir »üben üben üben« unter den Test. Ich hatte mein eigenes Tempo und bekam sogar Komplimente, allerdings von Leuten, die keine professionellen Lehrer waren. »Sie haben ja ein großes Sprachtalent!«, sagte mir die Gemüseverkäuferin, die selber keine Fremdsprache beherrschte – und von da an lief es wie geschmiert.

Die Polen wissen natürlich, dass ihre Sprache schwer und unpopulär ist. Wer auch nur ein paar Sätze radebrechen kann, wird von ihnen auf Händen getragen. In einer französischen Firma ist niemand beeindruckt, wenn man am ersten Arbeitstag »Bonjour« sagen kann. Die polnischen Kollegen hingegen klatschen bereits für ein gestammeltes »Dzień dobry« fröhlichen Applaus. Noch zwei, drei Sätze mehr, und sie melden ihren ausländischen Kollegen heimlich bei einem TV-Casting an.

Sonderbuchstaben

Drei große Schockwellen rollen auf den Anfänger zu. Die erste davon ist die Aussprache.

Polnisch ist eine slawische Sprache, die mit lateinischer Schrift geschrieben wird. Bulgarisch, Russisch und Serbisch sind eng verwandt, werden aber aus historischen Gründen mit kyrillischen Buchstaben verschriftlicht. Schon das ist ein Hinweis auf die eigentümliche Zwischenstellung Polens zwischen slawischer und lateinischer Welt.

Die polnische Orthografie ist ziemlich logisch, jedenfalls viel logischer als das (nach Meinung vieler Polen) angeblich so logische Deutsch. Wenn man einige wenige Regeln kennt, wird man – anders als im Englischen oder Französischen – praktisch keine Überraschungen mehr erleben.

Einige Sonderbuchstaben haben wir schon kennengelernt, etwa das »Ł« in der Stadt »Łódź«. Bei der Aussprache des »Ł« sollte man an ein breites amerikanisches »W« denken, wie in »Woody Allen«. Das Pech aller Nachrichtensprecher will, dass drei der international berühmtesten Polen das seltsame »Ł« im Namen haben: Karol Wojtyła, Lech Wałęsa und Skispringer Adam Małysz.

Das Unangenehme am Buchstaben »Ł« ist, dass er unhörbar wird, wenn er am Ende eines Wortes steht (so wie das »h« im deutschen Namen »Ruth«). »Super pomysł« wird tatsächlich ausgesprochen wie »Super Pommes«, heißt aber »super Idee«.

Der Name »Wałęsa« bietet noch eine zweite Hürde. Bei dem »ę« handelt es sich, wie früher schon erwähnt, um einen Nasallaut, den man aus dem Französischen kennt. Das »ę« wird ausgesprochen wie das »aint« in »Saint Tropez«. Neben »ę« gibt es auch noch das »ą«, das so ausgesprochen wird wie das »a« in »France«. Die beiden Nasallaute »ą« und »ę« sind dafür verantwortlich, dass man Polnisch, wenn man es auf eine Entfernung von drei bis vier Metern hört, klanglich leicht mit Französisch verwechseln kann. Wenn die beiden Buchstaben in der Mitte eines Wortes auftreten, muss man sich anschließend ein kleines »n« oder »m« denken.

»Trąbka« (Trompete) wird ausgesprochen: Trombka.

»Prąd« (Strom) wird ausgesprochen: Prond.

»Lęk« (Furcht) wird ausgesprochen: Lenk.

Die restlichen Sonderzeichen ś, ź und ż sind alle Zischlaute. Es gibt feine kleine Unterschiede zwischen ihnen, doch darf man sie im Großen und Ganzen alle wie »sch« aussprechen. Zumindest Papst Benedikt macht es bei seinen polnischen Grußworten so. Und die Polen sind dann jedes Mal begeistert – also kann es nicht ganz falsch sein.

Deklination in sieben Fällen

Wer die Aussprachehürde genommen hat, wird als Nächstes von der Nachricht schockiert, dass es im Polnischen für Substantive, Adjektive, Pronomina und Zahlwörter ganze sieben Fälle gibt.

Die Sache mit den sieben Fällen hat aber auch ihr Gutes. Mancher Deutsche mit Abitur erfährt in Polen zum ersten Mal, dass es im Deutschen ebenfalls »Fälle« gibt, und zwar vier an der Zahl. Wenn er das einmal kapiert hat, ist der Rest nicht mehr schwer. Er muss sich nur für jeden Fall an die berühmten W-Fragen aus der Grundschule erinnern. »Wer oder was? Wessen? Wem? Wen oder was?« Engländer, Franzosen oder Spanier haben es da wesentlich schwerer. Da es in ihren Sprachen nur einen einzigen Fall gibt, können sie auf Polnisch auch nach vielen Jahren noch kein Bier bestellen. Rühmliche Ausnahme ist Polens bekanntester Engländer, Kevin Aiston, der sich vor lauter Begeisterung sogar den polnischen Wappenadler auf seinen Bizeps tätowieren ließ. Gerne erzählt er folgende Anekdote aus seiner schwierigen Anfangszeit in Warschau:

Eines Tages ging er mal wieder in sein Lieblingspub. An der Bar stand sein Kumpel, der Pole Jurek. Kevin sagte fröhlich zu ihm: »Jurek, gestern habe ich Andrzej gesehen, den Taxifahrer.«

Jurek hob den Zeigefinger: »Kevin, WEN hast du gestern gesehen?« Kevin schlug sich an den Kopf. Er hatte schon eine dunkle Kunde von den sieben Fällen erhalten, aber vergessen, dass auch Eigennamen strikt durchdekliniert werden müssen. Auf die Frage »Wen?« folgt der vierte Fall. Bei einem männlichen Namen hängt man ein »a« an den Namen.

»Na gut«, sagte Kevin. »Also noch mal: gestern habe ich Andrzeja gesehen, den Taxifahrer. Und da habe ich Andrzeja gesagt, dass ich …«

»Moment mal – WEM hast du das gesagt?«

»Ach so! Dritter Fall! Ja! Im Dativ hängt man ein ›owi‹ an den Namen. Also: Gestern haben ich Andrzeja gesehen und habe Andrzejowi gesagt, dass ich gerne mit ihm, also mit Andrzejowi, ins Kino gehen würde …«

»Stop, Kevin! MIT WEM würdest du gerne ins Kino gehen?«

»Entschuldigung. Fünfter Fall, Instrumental – richtig! Ich muss also ein ›em‹ anhängen. Also noch mal von vorne: Ich habe gestern Andrzeja gesehen und habe Andrzejowi gesagt, dass ich gerne mit Andrzejem ins Kino gehen würde.«

Jurek nickte zufrieden, doch in diesem Moment ging die Tür des Pubs auf. Ein Mann kam herein. Es war Andrzej. Jurek hob fröhlich die Hand und rief: »Hallo Jędruś!«

Kevin verstand die Welt nicht mehr und dachte: Nanu? Was geht hier vor? Das muss der achte Fall sein!

Dann erfuhr er von Jurek: »Jędruś« (gesprochen »Jendrusch«) war eine der vielen Koseformen von Andrzej, so wie »Doda« eine Koseform von »Dorota« ist. Als Jurek ihm dann vormachen wollte, dass auch »Jędruś« wieder siebenfach dekliniert werden müsse, winkte Kevin ab und bestellte sich erst einmal ein großes Bier.

Der ehemalige deutsche Botschafter in Warschau, Michael Gerdts, berichtete mir von ähnlichen Problemen. Zu Beginn seiner Warschauer Amtszeit bekam er per Post die Einladung zu einem Ball. Auf dem Briefumschlag stand: »Do Michaela Gerdtsa«. Belustigt ging er zu seiner Sekretärin und sagte: »Könnten Sie bitte mal bei dem Veranstalter anrufen? Der glaubt anscheinend, der neue Botschafter sei eine Frau: Michaela Gerdtsa!« – »Nein, nein«, beruhigte ihn die Sekretärin. »Das ist schon richtig so. Im Polnischen wird alles in sieben Fällen dekliniert, sogar Ihr Name. Und weil auf dem Briefumschlag ›Do‹ steht, also ›An‹, muss anschließend der zweite Fall folgen. Bei Männern hängt man ein ›a‹ an den Namen.« – »Na gut, dann rufen Sie da halt nicht an.«

1. Nominativ:	Doktor Harald Schwechtersheimer
2. Genitiv:	Doktora Haralda Schwechtersheimera
3. Dativ:	Doktorowi Haraldowi Schwechtersheimerowi
4. Akkusativ:	Doktora Haralda Schwechtersheimera
5. Instrumental:	Doktorem Haraldem Schwechtersheimerem
6. Lokativ:	Doktorze Haraldzie Schwechtersheimerze
7. Vokativ:	O Doktorze Haraldzie Schwechtersheimerze!

Der Aspekt

Die dritte Schockwelle ist die stärkste, es handelt sich um einen Tsunami, der nicht zehn Minuten, sondern zehn Jahre andauern kann. Er betrifft die Verben. Genau genommen gibt es hier drei Nachrichten, zwei gute und eine richtig schlechte.

Hier die erste gute. Fast alle polnischen Verben enden – und das kann man sich kinderleicht merken – auf dem Buchstaben »ć« (gesprochen: tsch), so wie im Deutschen fast alle Verben auf »-en« enden. Das klassische Beispielwort aller Polnischkurse lautet: »Kochać«. Das heißt nicht »kochen«, sondern »lieben«.

By the way: »Ich liebe dich« heißt »Kocham cię«. Das Wort »cię« (dich) wird ungefähr »tschjä« ausgesprochen.

Die zweite Nachricht ist immer noch gut, wenn auch schon das Vorspiel zur schlechten. Im Polnischen gibt es nur drei Zeitformen: Vergangenheit, Gegenwart und Zukunft. Endlich mal eine logische Sprache! Im Deutschen gibt es bekanntlich sechs Zeitformen. Diese Tatsache trieb mich als Deutschlehrer in den Wahnsinn. Obwohl auch die größten Philosophen noch keine vierte Zeitdimension gefunden haben, musste ich meinen armen Schülern immer erklären, dass es im Deutschen drei Möglichkeiten allein für die Vergangenheit gibt, nämlich Plusquamperfekt, Perfekt und Imperfekt, außerdem noch zwei für die Zukunft, nämlich Futur I und Futur II. Nur die Gegenwart – die ist zum Glück simpel.

Die Konstruktion der polnischen Vergangenheitsform ist ganz einfach. Man hängt an das jeweilige Verb die Buchstaben »łem« dran. Aus »kocham – ich liebe« wird so »kochałem – ich liebte« (gesprochen: kochawem). Damit es nicht allzu simpel wird, darf die Form »kochałem« nur von Männern benutzt werden. Für Frauen gibt es eine eigene Verbform, sie sagen »kochałam«.

Doch auf diese beiden harmlosen Nachrichten folgt nun die bitterböse Rache. Sie trägt den Namen »Aspekte«.

Es gibt im Polnischen und allen anderen slawischen Sprachen jedes Verb in doppelter Ausführung. Ein ähnliches Phänomen trifft man gelegentlich auch im Deutschen, etwa »lernen« und »erlernen«. Wer eine Sprache *lernt*, beherrscht sie noch nicht, sein Lernprozess ist noch unvollendet. Sobald der Lernprozess beendet ist, sagt man, dass man eine Sprache *erlernt* hat. Es wäre also sinnlos zu sagen: »Ich habe gestern zwei Stunden lang Spanisch *erlernt*.« Stattdessen sagt man: »Ich habe gestern zwei Stunden lang Spanisch *gelernt*.«

Die beiden Wörter »lernen« und »erlernen« könnte man auch als zwei »Aspekte« ein und derselben Sache verstehen, nämlich des jahrelangen Lernprozesses. »Lernen« bezeichnet den unvollendeten Aspekt, »erlernen« hingegen den vollendeten Aspekt.

So weit, so einfach. Das Problem besteht aber leider darin, dass es im Polnischen für so gut wie jedes Verb zwei Aspekte gibt. Manchmal lässt sich das im Deutschen nur schwer nachfühlen, etwa im Fall von »iść – gehen« und »chodzić – gehen«. Worin besteht bitteschön der Unterschied zwischen vollendetem und unvollendetem Gehen?

Hinzu kommt, dass man den vollendeten Aspekt nicht nur für Dinge verwendet, die in der Vergangenheit vollendet wurden, sondern auch für die Zukunft – aber niemals für die Gegenwart.

Wie kann etwas vollendet sein, das erst noch in der Zukunft stattfinden soll?

Die Verbalaspekte sind so etwas wie die Abseitsregel der polnischen Sprache. Auch nach vielen Jahren tappe ich noch in jede
dritte Abseitsfalle hinein. Allmählich beginnt mich das Problem
aber zu faszinieren. Man kann hier mit einem einzigen Wort
überraschend viele Informationen gleichzeitig transportieren.
Auf Deutsch braucht man dafür oft einen ganzen Schwall an Er-
klärungswörtern.

Interessant und Mut spendend ist vielleicht eine Beobachtung,
die ich bei den anderen Ausländern in Polen und mir selbst gemacht habe: Wer sich einmal mit Polnisch angefreundet hat, wird
mit einer lebenslangen Liebesgemeinschaft belohnt. Gerade weil
er sich jahrelang mit den diversen Problemen herumgeschlagen
hat, verspürt er keine Lust mehr auf eine neue Fremdsprache. Er
fühlt sich, als hätte er den Mount Everest erklommen, und wird
sein ferneres Leben streng monogam verbringen. Ich glaube, guten Schachspielern geht es ähnlich. Jedes andere Brettspiel erscheint ihnen banal.

Der Mythos der langen Wörter

Von den spezifischen Problemen, die polnische Schüler und Studenten mit der deutschen Sprache haben, möchte ich hier nur
ein einziges herausgreifen. Alle jammern über die langen, zusam-
mengesetzten deutschen Wörter, sei es »Funktionsunterhose«
oder »Eingabegebietsschemaleiste«. Seit einigen Jahren geistert
ein besonders hässliches Monstrum durchs Internet. Es lautet:

»Hottentottenstottertrottelmutterbeutelrattenlattengitterkof-
ferattentäter«.

Dieses Wort wurde von einem polnischen TV-Komiker live in
seine Bestandteile zerlegt; das Publikum lachte sich halbtot.

Ich saß dabei und vergoss Tränen der Wut. Die Nummer war
ungerecht. Wenn jemand das Recht hat, die langen deutschen
Wörter zu beklagen, sind es allenfalls Franzosen, Italiener, Spanier oder Engländer. Die meisten Wörter in diesen Sprachen
haben nur ein oder zwei Silben; bereits dreisilbige Wörter sind
selten. Das ergibt ein völlig anderes Druckbild. Wenn ich ein

englisches Buch aufschlage, das ich zuvor schon auf Deutsch kannte, werde ich immer von unwillkürlichen Zweifeln befallen, ob in den kurzen englischen Wörterlein die gleiche Substanz wie im Original stecken kann. Das mag ein dummer, kindischer Zweifel sein, trotzdem kann er aufgrund optischer Gewohnheiten aufzucken.

Ein flüchtiger Blick in ein polnisches Buch offenbart Überraschendes: Das Druckbild mit seinen vielen langen Wörtern erinnert stark an den Anblick einer deutschen Buchseite! Zwar gibt es im Polnischen nur wenige zusammengesetzte Wörter. Was aber die Zahl der Silben anbelangt, bewirkt die permanente Deklination der Substantive, Adjektive und Eigennamen ellenlange Ungetüme wie zum Beispiel: »Rozczarowanemu burmistrzowi brakowało słów«. Dieser Satz hat 15 Silben. Die wörtliche deutsche Übersetzung kommt, obwohl sie immerhin zwei Wörter mehr aufweist, mit nur 13 Silben aus: »Dem enttäuschten Bürgermeister fehlten die Worte.«

Angesichts dieser Lage sollten Deutsch und Polnisch solidarisch zusammenhalten und nicht übereinander herziehen. Für einen Deutschen bietet jedenfalls der Anblick einer polnischen Druckseite mit Sicherheit einen höchst soliden, inhaltsreichen Eindruck!

Hat sich Englisch als Weltsprache möglicherweise auch deshalb durchgesetzt, weil es die meisten einsilbigen Wörter aufweist? Es wäre eine interessante Frage, ob es in der Welt der Sprachen ein »survival of the shortest« gibt. Deutsch und Polnisch hätten dann keine allzu große Zukunft. Nutzen wir also die Restzeit. Noch gibt es zusammen etwa 130 Millionen Sprecher. Die erstaunliche Parallele beider Sprachen im äußeren Erscheinungsbild könnte dazu beitragen, die Sprache des anderen mit etwas mehr Sympathie zu lernen.

Tipps zum Polnischlernen

Die deutschen Volkshochschulen sind eine schöne Sache. Man kann da jahrelang auf dem Niveau »Dzień dobry – jak tam? – stara bieda!« herumkrebsen. Wer es aber ernst meint, sollte schon gleich zu Beginn einen Intensivkurs machen. Als seriöse Adresse sei hier die »Polnisch-deutsche akademische Gesellschaft« (PNTA) empfohlen, die in Krakau das ganze Jahr über zweiwöchige Kurse samt preiswerter Unterbringung und Freizeitprogramm organisiert.

www.polnischkurse.org

Wer nicht gleich nach Krakau fahren will und vom Typ her ein Selbstlerner ist, kann sich die mit lockerer Musik unterlegten Hör-CDs von »The Grooves – der Popstar unter den Sprachführern« besorgen.

http://www.thegrooves.de/site/archive/No-to-w-droge-Los-gehts

Allen denjenigen, die schon ein bisschen Polnisch können und täglich weiterüben wollen, empfehle ich einen Sprachkalender, bei dem man für jeden Tag ein Sprichwort, eine Vokabel oder eine interessante Information abreißen kann. Außerdem sind die Namenstage verzeichnet – sehr brauchbar, da ältere Leute in den östlichen Teilen Polens nur ihren Namenstag, nicht aber ihren Geburtstag begehen.

http://www.buske.de/product_info.php?products_id=3417

Bei dieser Gelegenheit möchte ich übrigens kurz meine beiden polnischen Lieblingssprichwörter einschmuggeln:

»Krzykiem skrzypiec nie nastroisz« – Mit Geschrei stimmst du keine Geige.

»Nie ma tego złego, co by na dobre nie wyszło« – Es gibt kein Übel, das nicht zum Guten ausschlagen würde.

Denjenigen, die nach diesen Tipps immer noch keine Lust auf Polnisch verspüren, bleibt noch eine allerletzte Möglichkeit, sich mit den Polen zu verständigen: Sie sollten eine polnische Hochzeit besuchen. Wenn man nicht gerade Abstinenzler ist, bekommt man dort in den frühen Morgenstunden einen kostenlosen Crashkurs in drei Stufen geboten. Stufe 1: Verlust der Feinmotorik. Stufe 2: Verlust der Grobmotorik. Stufe 3: Verlust der Muttersprache. Anschließend wird reibungslose Kommunikation über sämtliche Sprachgrenzen hinweg garantiert.

Die besten Firmennamen

Als Einwanderer verbringt man zunächst einige Jahre am Rand der Gesellschaft. Wer sich aber beharrlich in die neue Sprache hineinfräst, wird irgendwann ehrgeiziger, möchte ins Innere der Gesellschaft vordringen und Karriere machen. Mir selbst kam nach sieben Jahren Deutschunterricht die Idee, ein polnisches Kabarettprogramm zu machen; andere Einwanderer gründen eine eigene Firma. Dabei stehen sie dann vor dem Problem, einen Firmennamen zu wählen. Sollen sie einfach ihren Nachnamen nehmen und ein »z o.O. – GmbH« dranhängen? Doktor Harald Schwechtersheimer wäre schlecht beraten, wenn er diese Methode wählen würde. Viel sicherer ist es, wenn man einen Namen wählt, der für die polnischen Kunden angenehm auszusprechen ist und irgendwie sogar vertraut klingt. Hierfür gibt es in Polen ein absolut sicheres Rezept: Unzählige Firmen tragen die Silbe »Pol« in ihrem Namen, kombiniert mit der jeweiligen Branche. Man kann sogar mitunter den Eindruck haben, dass jeder zweite Lebensmittelladen und jede dritte Autowerkstatt nach diesem Prinzip benannt wurden. Die Firmenbesitzer unterstreichen so ihren Patriotismus, die Kunden belustigen sich darüber – und gehen trotzdem hin (der Doda-Elektroda-Effekt). Hier einige Beispiele, um sich zu inspirieren.

Firmennamen mit »Pol«

Jupol-Car	Polkomtel (Handys)
Polskapresse	Baupol
Airpol	Akropol Elektronics
Alpol Gips	APOLlo Tour
Budpol (Baufirma)	Chempol
Dalpol Yacht	Drukpol
Finpol (Rohre)	Flexpol
Herbapol Lublin (Tee)	Inwestpol-Consulting
Polanglo (Englisch-Sprachkurs)	Polsat (Fernseh-Sender)

Kulturschock Kommunikation

Plötzlich bleibt unser Zug auf einem unscheinbaren Minibahnhof namens »Żychlin« stehen. Was ist geschehen? Schnell dehnt sich die Wartezeit auf fünf Minuten aus. Die Zugpassagiere warten auf eine Durchsage. Erstens würden sie gerne wissen, was los ist, zweitens beläuft sich die Verspätung des Zuges mittlerweile auf fast vierzig Minuten. Aber Schaffner Mirek schweigt. Das tut er immer in solchen Fällen. Sobald ein Sturm aufzieht, verschwindet der Kapitän in seiner Kajüte. Und wehe, man bedrängt ihn! Einmal hielt ihn eine Passagierin am Uniformrock fest und jammerte, dass sie infolge der Verspätung ihren Anschlusszug nach Bydgoszcz verpassen würde. Pan Mirek wollte sich losreißen, doch die Dame ließ nicht locker und stolperte durch drei Waggons neben ihm her. Endlich riss ihm der Geduldsfaden. »Wissen Sie eigentlich, wem wir die Bescherung zu verdanken haben? Ihnen! Weil Sie vermutlich heute Morgen Ihren Schlüpfer auf links angezogen haben!«

Ich selber fange still und heimlich an, mich nach der penetranten deutschen Schaffnerin zu sehnen. Zwar ging sie mir mit ihren Bagatellansagen auf die Nerven, aber immerhin zeigte sie wahrhaftes Interesse an ihren Passagieren. Zweifellos ist Kommunikation eine starke Seite von uns Deutschen. Kein Wunder, dass wir in fast jedem anderen Land der Welt in Tränen ausbrechen, sobald uns unsere schöne Kommunikation fehlt. Darauf muss man sich auch in Polen einstellen. Neben der Planungsunlust dürfte mangelnde Kommunikation der größte Kulturschock sein. Wer aus der Heimat daran gewöhnt ist, dass er sogar von einem kleinen Copyshop umgehendst angerufen wird, sobald sich die Erledigung eines Auftrags von 18.30 Uhr auf 19.15 Uhr verschiebt, wird in Polen über Nacht ergrauen. Schuld an der Kommunikationsmisere ist natürlich wieder einmal das ewige Misstrauen. Sobald man aus dem schützenden Kreis der Familie heraustritt, gibt es die Neigung, alle wichtigeren Informationen für sich selbst zu behalten. Bereits die kleine Nachbarschaftskommunikation leidet darunter. Niemand hängt vor einer Hausparty einen freundlichen Warnzettel ins Treppenhaus: »Morgen Abend feiere ich meinen Geburtstag. Es kann etwas lauter werden. Bitte fühlen Sie sich eingeladen.« Als kleine Entschädigung dafür fehlen allerdings auch die unfreundlichen Zettel, die einem in Deutschland das Leben verbittern, etwa wenn man morgens unter dem Scheibenwischer die Nachricht findet: »Sollten Sie weiterhin meinen

Stammplatz blockieren, werde ich das Ordnungsamt benachrichtigen.«

In polnischen Businesskreisen gilt die traurige Regel: Je weniger internationale Partner ein Projekt oder eine Firma hat, desto weniger Informationen gibt es, schon gar nicht für Leute, die in der Hierarchie niedriger stehen. Ein böses Kommunikationsmalheur passierte zum Beispiel dem bereits erwähnten polnischen Pianisten, der in Deutschland lebt. Nach langer Suche gelang es ihm endlich, ein kleines polnisches Orchester zu finden, das sich bereit erklärte, mit ihm zusammen eine Studio-CD einzuspielen. Monatelang handelte er mit dem Dirigenten die Vertragsbedingungen aus. Endlich war es so weit. Er flog nach Südpolen und betrat morgens um zehn Uhr die kleine Philharmonie. Dirigent und Orchester warteten schon, der Flügel war gestimmt, der Tontechniker saß am Mischpult. Als der Dirigent den Taktstock hob, stand plötzlich der Konzertmeister auf. Bevor es losgehe, sagte er, wolle man seitens des Orchesters doch mal gerne wissen, warum hier die ganzen Mikrofone herumstünden? Gebe es etwa eine CD-Aufnahme? Werde das Orchester am Erlös beteiligt? – Der Dirigent fauchte wütend herum, der Pianist fiel aus allen Wolken. Es stellte sich heraus, dass der Dirigent die gesamte Korrespondenz allein geführt und sein Orchester völlig im Unklaren gelassen hatte. Erst nach langem Palaver wurde die CD schließlich doch noch aufgenommen. (Auch das ist charakteristisch: Am Ende geht dann doch immer alles irgendwie gut.)

In unserem Eurocity, dem wichtigsten Auslandszug Polens, haben wir es noch verhältnismäßig gut getroffen. Hier werden gewisse Minimalstandards eingehalten. Pan Mirek meldet sich gelegentlich zu Wort, wenn auch meist mit belanglosen Schönwetterdurchsagen, die ihn keinerlei Mühe kosten: »Guten Tag, bitte achten Sie auf Ihr Gepäck. Breiten Weg!« In den meisten Inlandszügen hingegen, etwa von Warschau nach Katowice, gibt es überhaupt keine Schaffnerdurchsagen. Man kann dort den anarchischen Eindruck bekommen, dass es auch keinerlei Staat mehr gibt. Der Schaffner und sein Team knipsen rasch die Karten durch und verbarrikadieren sich dann für den Rest der Fahrt in ihrem Dienstabteil. Da könnte eine Bombe auf den Gleisen liegen, sie würden es niemandem weitersagen.

Hier versteckt sich ein weiterer Grund für den Europaenthusiasmus der Polen. Man klammert sich ängstlich an die westlichen Ankömmlinge, garantieren sie doch, dass die einheimischen Bürokraten sich um ein bisschen mehr Transparenz bemühen werden als normalerweise.

Während ich richtig nervös werde, bewahrt Big Arnie die Ruhe. Er steckt sich eine Zigarette in den Mund und wandelt gemessenen Schrittes zur Waggontür. Der Japaner wirft sein Mickiewicz-Epos hin und hastet süchtig hinterher. Sie wollen mal wieder an die frische Luft. Ich beobachte sie durchs Fenster. Man sieht einen picobello renovierten Bahnsteig (mit einer weiß-blauen Holztafel, die EU-Fördergelder anzeigt), auf dem ein paar Nahverkehrspassagiere warten und unruhig den Zug mustern, der hier normalerweise mit 160 Stundenkilometern durchbraust. Sie denken vielleicht darüber nach, ob dieser Zug extra für sie angehalten hat. Wartet hier die große Chance ihres Lebens? Eine ältere Frau, die auf der Bank sitzt, starrt Big Arnie so erwartungsvoll an, als wäre er der Lottobriefträger.

Irgendwann lässt sich endlich auch Schaffner Mirek auf dem Bahnsteig blicken. Er fuchtelt hektisch mit einem Walkie-Talkie herum. Und was hält er da noch in der Hand? Das sieht ja aus wie ein Schraubenschlüssel! So ist es recht. Statt den Passagieren den Schaden zu melden, repariert er ihn lieber stillschweigend selbst.

Ein Haus in Niederschlesien

Der Aufenthalt in Żychlin beträgt mittlerweile satte 15 Minuten. Big Arnie und der Japaner schmauchen auf dem Bahnsteig stumm ihre Fluppen. Ich steige ebenfalls aus und geselle mich zu ihnen.

»Co sie dzieje? – Was ist hier los?«, frage ich Big Arnie auf Polnisch.

Der große Mann mit dem knallengen lila T-Shirt und der Sonnenbrille im Haar mustert mich flüchtig und antwortet auf Deutsch: »Ich weiß nicht.«

Zu dritt beobachten wir aufmerksam Schaffner Mirek, der vorne neben dem Lokführer steht und mit dem Schraubenschlüssel gestikuliert.

Plötzlich scheint Big Arnie einen Geistesblitz zu haben. Er nimmt einen letzten Zug aus seiner Zigarette, dann schnippt er sie auf die Gleise und zieht sein Portemonnaie heraus. »Warten Sie …«

Er kramt aus dem Portemonnaie ein kleines, verknittertes Foto hervor und hält es mir hin. »Wollen Sie Haus kaufen?«

Ich gucke mir das Foto an. Man sieht ein schönes Holzhaus mit spitzem Giebeldach, das malerisch auf einem grünen Hügel liegt. »Schön!«, sage ich höflich.

»Sie können haben!«

»Wo ist das denn?«

»In Schlesien.«

»Gehört es Ihnen?«

Big Arnie zögert. »Ja.«

»Wirklich?«

»Es gehört zu eine Freund. Aber Sie können haben. Schön?«

»Ja, sehr schön. Was soll es denn kosten?«

»Sehr billig. Wunderschön.«

Ich bin etwas perplex, dass Big Arnie hier plötzlich mit schlesischen Ferienhäusern dealt. Zwar habe ich mich daran gewöhnt, dass man in Polen gerne mal zwischen Tür und Angel ein kleines Geschäft erledigt – aber sogar hier, auf dem Bahnsteig? Der Mann hat übrigens einen etwas flackernden Blick. Das wundert mich nicht. Seine Zuggeschäfte sind bislang nicht allzu gut gelaufen. Gut, dass der Japaner als eine Art Puffer neben uns steht.

Interes

Für diese kleinen Geschäfte zwischen Tür und Angel gibt es im Polnischen ein eigenes Wort. Es lautet »Interes« oder auch in der Verkleinerungsform »Interesik – Geschäftchen«. Das Wort hat nichts mit »Interesse« zu tun.

Das Erledigen kleiner Geschäfte ist natürlich keine polnische Erfindung, das gibt es auch in deutschen Segel-, Golf- oder Skatklubs. Architekten, Steuerberater oder Kieferchirurgen busseln sich breit grinsend durch die Weihnachtsfeier und verteilen ihre Visitenkarten.

Ziemlich polnisch ist aber, dass nicht nur auf der Weihnachtsfeier geschäftlich angebandelt wird, sondern gerne auch auf einem Bahnsteig unter freiem Himmel, und zwar mit wildfremden Menschen. Das erscheint Deutschen wie eine Belästigung ihrer Privatsphäre. Sie sind daran gewöhnt, ihre Geschäfte während der offiziellen Öffnungszeiten abzuwickeln, und stellen nicht mal ein Familienfoto auf den Büroschreibtisch. Für die meisten Leute ist es ja schon eine Zumutung, wenn sie in der Bahnhofshalle von einem Zeitungsakquisiteur angesprochen werden, der ihnen ein Gratisabo andrehen will. Die Vorstellung, dass der Zeitungsakquisiteur dann auch noch bei einer privaten Zugreise an sie herantritt, wäre schlechterdings unerträglich.

Im Polnischen gibt es ein eigenes Wort für einen Menschen, der scheinbar privat auf seine Mitmenschen zugeht, in Wahrheit aber einen materiellen Hintergedanken verfolgt. Er ist »interesowny«. Eine adäquate deutsche Übersetzung dafür ist mir bislang noch nicht eingefallen.

Big Arnie hat sich eine neue Zigarette in den Mund gesteckt und bittet den Japaner um Feuer. Dann tritt er einen Schritt näher an mich heran und startet einen zweiten Versuch: »Mögen Sie alte Bücher? Alte Bücher, siebzehnte Jahrhundert! Ein guter Freund hat solche alte Bücher, sehr wertvoll, sehr schön!«

Als er meine erschrockene Miene sieht, drückt er wieder stolz das Kreuz durch, nimmt einen tiefen Zug und guckt in die Ferne zu Schaffner Mirek. Plötzlich sagt der Japaner: »Ich mag Bücher. Erzählen Sie!«

Big Arnie wendet sich überrascht um. Dann zieht er seinen weißen Pullover enger um den Hals, macht eine hochwichtige Miene und greift zu seinem Handy. Er tippt auf ein paar Tasten herum und zeigt dem Japaner mehrere Fotos von in Leder gebundenen Folianten. Sie beugen sich geschäftig über das Display. Interessanterweise redet Big Arnie mit dem Japaner plötzlich Polnisch. Mit mir sprach er eisern auf Deutsch. Ich klettere beleidigt zurück in den Speisewagen.

Endlich schrillt eine Pfeife über den Bahnsteig. Pan Mirek macht den Rauchern Beine. Auch Big Arnie und der Japaner springen in den Zug zurück. Es geht weiter. Wir werden niemals erfahren, was der Grund für diesen Zwischenstopp in Żychlin war. Der Japaner nimmt wieder mir gegenüber Platz und steckt sich ein Kaugummi in den Mund.

»Wetten, dass« in Polen

Der Zug ist jetzt nur noch eine halbe Stunde von Warschau entfernt. Ohne anzuhalten fahren wir durch eine Kleinstadt namens Sochaczew. Hier beginnt die dritte große Landschaft unserer Reise. Nach dem Lebuser Land und Großpolen folgt nun Masowien, die flächen- und einwohnermäßig größte Woiwodschaft Polens. Ihr Territorium ist sogar größer als dasjenige Belgiens. Melancholisches Wahrzeichen der Landschaft ist der geduckte, knollige Weidenbaum, schön zu sehen in der romantischen Allee, die von Sochaczew ins nahe Żelazowa Wola führt, dem Geburtsort Fryderyk Chopins.

An größeren Städten passieren wir jetzt nur noch Pruszków. In den Neunzigerjahren genoss die Stadt den abenteuerlichen Ruf, eine Hochburg der Automafia zu sein. Doch die Bandenbosse sitzen längst hinter Gittern; die Kriminalität in Polen sinkt von Jahr zu Jahr. Wer Bandenkriege oder Schießereien auf offener Straße erleben will, muss einige Hundert Kilometer weiter gen Osten fahren.

Und nun tauchen wir auch schon in die peripheren Gebiete der polnischen Hauptstadt ein.

Langsam rollt der Zug am ehemaligen Traktorenwerk Ursus vorbei. Hier wurden jahrzehntelang Traktoren für den gesamten Ostblock gebaut. Noch bis in die späten Neunzigerjahre hinein leuchtete ein weithin sichtbarer Neontraktor vom Fabrikdach herunter; dann erlosch diese Reklame zusammen mit einigen Tausend Arbeitsplätzen. Heute sieht man nur noch verödete gelbe Produktionshallen.

Nicht weit von diesem Symbol des Verfalls liegt der prächtige Königreichsaal der Zeugen Jehovas. Hier, wo sich die Warschauer Ortsgruppe zu ihren Versammlungen trifft, blüht das Leben. Vom hohen Bahndamm aus kann man sehr gut den riesigen Parkplatz einsehen, der am Wochenende gerammelt voll ist mit japanischen, italienischen und tschechischen Mittelklassewagen. Es gibt mindestens 130 000 Zeugen Jehovas in Polen, und ihre Zahl steigt stetig an, obwohl sie im traditionellen Polen wahrlich kein leichtes Leben haben. Das fiel mir auf, als ich eines Tages eine Putzfrau hatte, die sich zu den Zeugen Jehovas zählte. Als ich ihr kurz vor Weihnachten beim Abschied den traditionellen Gruß »wesołych świąt – frohe Feiertage!« entbot, ging ein Zucken über ihr Gesicht. Statt mir, wie es üblich ist, den gleichen Wunsch zu sagen, hauchte sie mit letzter Kraft ein simples »dziękuję«. Ich fragte nach, ob sie krank sei und erfuhr, dass die Zeugen Jehovas Weihnachten und Ostern samt allen damit verbundenen Bräuchen rigoros ablehnen. Sofort konnte ich mir lebhaft vorstellen, was das im traditionellen Polen bedeutet; ein Berliner Veganerdasein ist dagegen das reinste Zuckerschlecken.

Als Nächstes rollt der Zug an einem merkwürdigen, fensterlosen Riesengebäude vorbei, das von hohen Bäumen fast verdeckt wird. In diesem Wellblechwürfel, der etwa vierzig Meter hoch ist und noch aus tief kommunistischen Zeiten stammt, werden bis heute elektrostatische Experimente zu Blitzeinschlägen auf Flugzeugtragflächen durchgeführt. Ich weiß es so genau, weil hier im Jahr 2005 die polnische TV-Version von »Wetten, dass« stattfand und ich das Vergnügen und die Ehre hatte, der erste und gleichzeitig vorletzte Moderator zu sein. Im Unterschied zu allen anderen internationalen Ablegern der deutschen Familiensendung (in Spanien, USA, Italien und den Niederlanden) war der polnische Ableger ein jämmerlicher Misserfolg. Nach 24 Sendungen wurde die Show schon wieder eingestellt. Grund? Der Moderator, das Konzept, die Gäste und noch mal der Moderator.

Trotzdem betrachte ich den Wellblechwürfel mit einiger Nostalgie. Dort lag ich mit nacktem Rücken auf Glasscherben, dort wurde ich auf eine Motorhaube gebunden und mit Tempo 100 durch eine brennende Wand gefahren, dort schritt ich mit nackten Füßen über 600 Grad heiße Kohlen.

Und jetzt kratzt es im Mikrofon: Schaffner Mirek erinnert die Aussteigenden mal wieder an ihr Gepäck. Mit einem Halbsatz entschuldigt er sich für die knapp 45-minütige Verspätung. Über etwaige Anschlusszüge verliert er kein Wort.

Warschau Downtown. Ganz rechts der Kulturpalast

Warschau-Sightseeing

Viele Warschautouristen werden spätestens jetzt nervös und möchten wissen, was sie sich in der Zweimillionenstadt anschauen sollen. Hier ist eine Liste der Sehenswürdigkeiten, die ich meinen Gästen immer für die ersten drei Tage mitgebe.

Warschau Sightseeing: Top Ten

1. Der Kulturpalast, das Wahrzeichen der Stadt. Wenn er in einer kalten Winternacht lila-orange angestrahlt wird, gibt es in Europa kein surrealeres Bauwerk. Von der Aussichtsplattform auf 150 Metern Höhe bietet sich das bestmögliche Stadtpanorama.
2. Der Stadtteil Muranów mit dem ehemaligen jüdischen Ghetto. Hier befindet sich auch das Denkmal, an dem Willy Brandt 1970 niedergekniet ist. Gegenüber steht das avantgardistische neue Museum der Geschichte der Juden in Polen.
3. Der ehemalige Königspark »Łazienki«, zusammen mit Chopin-Denkmal und Ujazdowski-Palast. Hier spazieren aristokratische Pfauen herum. Den ganzen Sommer hindurch finden sonntags

um zwölf und um 16 Uhr Chopinkonzerte unter freiem Himmel statt.

4. Die postmoderne Unibibliothek in der Ulica Dobra, mit einem parkähnlich begrünten Flachdach. Von hier oben aus kann man die nahe Weichsel beobachten oder aber durch gläserne Luken fast zwanzig Meter tief bis auf die Arbeitstische der Studenten hinuntergucken.

5. Der kreisrunde Zbawiciela-Platz im Warschauer Zentrum. Hier pulsiert abends das Leben, zum Beispiel in der Szenekneipe »Plan B«. Polens bekannteste Schauspieler geben sich nebenan, im »Charlotte«, die Klinke in die Hand.

6. Der Stadtteil Praga auf der östlichen Weichselseite. Hier findet man malerische alte Straßen und alternative Kneipen. In den Innenhöfen der Mietskasernen stehen manchmal noch bunte Madonnenaltäre, vor denen sich während des Warschauer Aufstands die Bevölkerung versammelte.

7. Das Wissenschaftsmuseum »Kopernik«, Warschaus neuestes, meistbesuchtes Museum, das auch als Kongresszentrum genutzt wird. Allein schon die (englische) Homepage ist sehenswert: http://www.kopernik.org.pl/en/

8. Das Grab des Unbekannten Soldaten am Plac Piłsudski, am Rand des Sächsischen Gartens. Hier, wo ausländische Staatsgäste ihre obligatorischen Kränze niederlegen, wird auf Gedenktafeln der wichtigsten Schlachten seit 966 gedacht. Ausländische Besucher stehen beeindruckt vor einem Geschichtsverständnis, das problemlos tausend Jahre umfasst.

9. Die alte kommunistische Milchbar direkt am Barbakan-Wehrturm in der Altstadt. Hier werden Eierkuchen, Spinat und Pflaumenkompott (ohne Pflaumen) von älteren Damen mit blauem Plastikhäubchen im Haar serviert, und zwar zu einem Spottpreis. Für die meisten Polen ein Graus, für Touristen herrliche Ostalgie.

10. Der jüdische Friedhof und der gleich daneben liegende Ehrenfriedhof Powązki, zwei riesige Nekropolen am nördlichen Rand des Zentrums. Hier liegt die Prominenz, darunter der Esperanto-Erfinder L. Zamenhof und der Nobelpreisträger Reymont.

Verabschiedung

Unsere Reise nähert sich ihrem Ende. Ich winke den Kellner heran und bitte um die Rechnung. Das heißt auf Polnisch: »Proszę o rachunek.« Das Wort »rachunek« kommt aus dem Deutschen, so wie unzählige andere polnische Wörter. Ich erwähne das hier als einen weiteren Anreiz zum Polnischlernen. Wenn die Sprache auch am Anfang schwierig und sperrig wirkt, entdeckt man nach einiger Zeit ungeahnte Ähnlichkeiten mit dem Deutschen. Vermutlich keine andere nicht germanische Sprache hat so viele Wörter aus dem Deutschen entlehnt, darunter »szturm«, »dach« oder »szyberdach«. (Übrigens möchte ich hier noch nachschieben, dass polnische Wörter bis auf Eigennamen und einige Ausnahmen grundsätzlich klein geschrieben werden, so wie in nahezu allen europäischen Sprachen.)

Der Kellner bringt mir die »rachunek« in einem schwarzen Lederheftchen und zieht sich dann diskret wieder zurück. Auch diese Diskretion ist in der deutschen Servicewüste unbekannt. Kellner sind in Berlin häufig kein Dienstleistungspersonal mehr, sondern wütende Politikstudentinnen, die in versnobten Cafés jobben müssen. Nach Überreichung der Rechnung bleiben sie stehen und warten genervt, bis der Kunde endlich sein Geld aus dem Portemonnaie gekramt hat.

Ich gebe zehn Prozent Trinkgeld, ernte ein routiniert-dankbares »dziękuję« und verabschiede mich dann von dem Japaner und Big Arnie, die sich gerade wechselseitig ihre Adressen aufschreiben. Sie wollen aber offensichtlich beide bis zum Ostbahnhof weiterfahren, der Endstation des Berlin-Warszawa-Express.

»Sayonara!«, sage ich, denn das ist alles, was ich von meinem dreiwöchigen Japantrip behalten habe.

Der Japaner guckt, wie immer, etwas irritiert. Dann sagt er auf Polnisch: »Do widzenia!« Sobald er Polnisch spricht, geht ein Strahlen über sein Gesicht wie beim Anzünden einer Zigarette.

Dem kauzigen Big Arnie werfe ich ebenfalls »Do widzenia« hin. Das bedeutet »auf Wiedersehen«. Er hebt kurz die Hand: »Alles Gute, mein Freund!«

Dann eile ich ins Abteil zurück, um mein Gepäck zu holen. Auf den Gängen stehen schon seit einer halben Stunde die Panikpassagiere, gestiefelt und gespornt. Ihre größte Furcht ist mal wieder, den Ausstieg zu verpassen. Ich freue mich insgeheim, dass Pan Mirek ihnen nicht die Freude machen wird, den »Ausstieg in Fahrtrichtung rechts« anzukündigen. Hier in Polen müssen sie bis zur letzten Sekunde in grauenvoller Ungewissheit ausharren. Ich schiebe mich zwischen ihnen hindurch und murmele immer wieder »Entschuldigung«.

Was hieß noch mal »Entschuldigung« auf Polnisch? – Przepraszam.

Als ich beim Abteil ankomme, erheben sich der alte Professor und seine strenge Gattin gerade von ihren Plätzen. Der Professor holt langsam und irgendwie resigniert den gemeinsamen Koffer von der Ablage herunter. Das sieht nach einem klassischen, dreitägigen Verwandtenbesuch aus. Gattin Maria hat einen weiten schwarzen Lodenmantel an und trägt eine durchsichtige Tüte, auf der »Staatsbibliothek zu Berlin« steht. Darin befindet sich eine runde Kuchenform.

Dodas Doppelgängerin und ihr Doderich sitzen noch aneinandergeschmiegt auf ihren Plätzen. Doda hat versonnen den Kopf an seine starken Schultern gelegt, zieht sich aber gleichzeitig mit einem Labellostift die vom Sprechen arg geschundenen Lippen nach und lugt dabei prüfend in ihr Spiegelbild gegenüber. Stumm hole ich mein Gepäck von der Ablage.

Nachdem der Zug ganz kurz am Westbahnhof angehalten hat, einem trostlosen Vorortbahnhof, wo kaum jemand aussteigt, fährt er weiter zum Zentralbahnhof. Die Eisenbahntrasse senkt sich in eine Unterführung, man erhascht gerade noch einen Blick auf die Warschauer Skyline. Es gibt hier mehr Wolkenkratzer als in Berlin und Köln zusammengenommen. Welch ein Kontrast zu den ärmlichen Bauernhöfen, die entlang der Zugtrasse lagen. Und nun geht es in einen langen Tunnel, der unter dem gesamten Warschauer Zentrum hindurchführt.

Entfernung: 5 km
Fahrzeit: 7 Minuten
Kulturschock: Pilze sammeln
Wort der Strecke: no ten

Zentralbahnhof

Eine alte Vorkriegsanekdote geht so: Eines Tages begegneten sich auf dem Warschauer Bahnhof ein Moskauer und ein Pariser. Sie tranken zusammen einen Kaffee und merkten während des Gesprächs: Sie waren beide zu früh aus ihrem Zug ausgestiegen. Der Russe dachte, er sei schon in Paris, und der Franzose dachte, er sei schon in Moskau. Beide hatten recht, denn Warschau galt bis 1939 als das Paris des Ostens. Und man darf wohl sagen, dass es seit einigen Jahren wieder auf dem Weg dahin ist, wo es zwischen den Weltkriegen schon einmal war.

Der »Dworzec Centralny« darf übrigens nicht mit »Hauptbahnhof« übersetzt werden. Einen »Hauptbahnhof« (»Dworzec Główny«) hat jede größere polnische Stadt, wir haben es in Poznań Główny gesehen. Aber einen »Zentralbahnhof« gibt es im ganzen Land nur ein einziges Mal. Der Ausdruck stammt aus kommunistischen Zeiten, als es auch noch ein Zentralkomitee gab (in dessen ehemaligem Gebäude sich heute ulkigerweise die polnische Börse befindet).

Die Gleise des Bahnhofs verlaufen unterirdisch; über der Erde erhebt sich nur die trapezartig geschwungene Bahnhofshalle, die noch in den Siebzigerjahren, wie eingangs erwähnt, ein kühnes, schönes Bauwerk war. Hier oben befinden sich die Ticketschalter und Kioske. Zu den Bahnsteigen gelangt man abwärts über Rolltreppen. Vor der Fußballeuropameisterschaft 2012 gab es Überlegungen, den Bahnhof komplett abzureißen. Aus Kostengründen wurde entschieden, es bei einer kosmetischen Aufhübschung zu belassen. Die Halle wurde hell gestrichen und mit blauen Hinweisschildern und allerlei Plastikelementen ausstaffiert. Die Presse schimpfte über Potemkinsche Dörfer. Nach der EM werde das alles rasend schnell vergammeln.

Während die öffentliche Hand es bei halbherzigen Kompromissen beließ, haben private Geschäftsleute Nägel mit Köpfen gemacht. Gleich neben dem Bahnhof befindet sich (mal wieder) ein hypermodernes Einkaufszentrum, mit avantgardistischen Wellen im Glasdach. Es heißt »Złote tarasy – Goldene Terrassen« und soll an eines der sieben Weltwunder erinnern, die Hängenden Gärten der Semiramis. Hier kann man an sieben Tagen in der Woche einkaufen, also auch am Sonntag. Manche Polenbesucher können sich gar nicht genug wundern, dass es in einem »tief katholischen Land« keine Sonntagsruhe gibt.

Kulturpalast

Gleich neben dem Zentralbahnhof liegt die wichtigste Kreuzung Warschaus, auf der sich die Nord-Süd- und die West-Ost-Achse schneiden. Als Verkehrsentlastung führt ein Schnellstraßen-

Der Warschauer Zentralbahnhof

viadukt über die Kreuzung, und diese autobahnähnliche Situation ruft im Neuankömmling momentweise Verwirrung hervor: Bin ich hier wirklich im Stadtzentrum gelandet oder vielleicht doch an einem Autobahnzubringer? Ein Blick zum Kulturpalast, Warschaus Wahrzeichen, schafft Klarheit: Ja, wir sind im Zentrum, denn der Kulturpalast ist das Herz der Stadt. In Deutschland hat kaum jemand je von ihm gehört, dabei war er bei seiner Einweihung im Jahr 1955 gleich nach dem Eiffelturm Europas zweithöchstes Bauwerk. In Moskau stehen sieben solcher Stalinpaläste, etwa die Lomonossow-Universität, aber keiner ist so schön wie der Warschauer Palast, zumindest nach meinem subjektiven Urteil. Das ist das Verdienst des Architekten Lew Rudniew, der den stalinistischen Zuckerbäckerstil mit allerlei Ornamenten auflockerte. Dadurch wirkt der Warschauer Palast trotz seines Volumens rank und schlank. In den weitläufigen Vorbauten befindet sich der berühmteste Konzertsaal Polens, daneben ist ein Schwimmbad. Oben im sechsten Stock hat sich das erfolgreichste private Theater der Hauptstadt installiert – und das will etwas heißen, denn Warschaus Theaterlandschaft boomt seit einigen Jahren. Fast jedes Jahr wird ein neues Theater gegründet.

In einer Höhe von etwa 150 Metern befindet sich die Aussichtsplattform. Sie ist infolge einer Selbstmordserie Ende der Fünfzigerjahre voll vergittert. Von hier aus hat man einen atemberaubenden Blick auf die Innenstadt und die Weichsel. Hinter dem Fluss erstrecken sich kilometerweit die alten Stadtteile Praga und Wawer. An klaren Tagen kann man sogar über das Häusermeer hinaus in die masowische Ebene schauen.

Hoch über der Aussichtsplattform hängt Europas zweitgrößte Uhr. Jedes der vier Ziffernblätter ist sechs Meter hoch.

Ankunft mit Blumen

Der Zug hält an. Auf dem Bahnsteig warten viele Menschen, darunter einige Ehemänner mit Blumen im Arm. Manche haben sogar zusätzlich noch einen Gehilfen angeheuert, der einen zweiten Blumenstrauß trägt. Das ist dann einer jener »Menele«, also einer jener Quasi-Obdachlosen, die auf dem Bahnhof eine Art

242

Der Kulturpalast in Warschau, daneben im Bau befindlich der neue Wolkenkratzer von Daniel Libeskind

inoffiziellen Gepäckträgerdienst versehen. Man gibt ihnen am Ende 10 Złoty (2,50 €). Wenn sie mehr Geld fordern, muss man sie fies angucken.

Nun quellen die Passagiere aus dem Zug, die Ehemänner überreichen die Blumen, und die beschenkten Polinnen stecken entzückt ihre Nasen hinein. Obligatorisch ist wiederum die Begrüßung mit drei Küsschen: links – rechts – links. Man küsst auch männliche Familienmitglieder oder alte Freunde.

Im Begrüßungsgewühl sehe ich aber auch eine traurige Szene. Eine aparte Passagierin mit einem kurzen schwarzen Mäntelchen hat ihren Mann erspäht und winkt ihm glückstrahlend zu, wird aber kalt abgebügelt. Er deutet schon von Weitem auf seine Armbanduhr und ruft in deutscher Sprache: »Komm schnell! Ich steh vor dem Bahnhof im Halteverbot!« Keine Blumen, nur ein flüchtiges Küsschen, und schon zieht er ihren Koffer im Karacho zur Rolltreppe. Hoffentlich hat die junge Frau ihre Kindheit in Deutschland verbracht, dann merkt sie gar nicht, welch schweres Unrecht ihr hier nach polnischen Begriffen geschieht.

Verwunderlicherweise wird unsere Doda Elektroda-Kopie ebenfalls von einem Mann erwartet. Als sie mit ihren Pantöffelchen im Trippelschritt die ach so steilen Stufen des Waggons herabschwebt, eilt ihr ein nicht mehr ganz junger Mann in blauem Mantel entgegen. Er hat angegraute, lange Haare, einen riesigen Nasenzinken und wirkt insgesamt etwas künstlerisch-altmodisch, so als wäre Fryderyk Chopin von seinem Denkmal im Łazienki-Park herabgestiegen.

Sie umarmen sich heiß und innig. Danach winkt Chopin einem Gehilfen, und schon tritt ein rührender Opa mit zerrissener Hose hinter der Fahrplantafel hervor, überreicht Doda einen riesigen Blumenstrauß und tritt bescheiden wieder zurück. Doda freut sich und steckt pflichtgemäß ihr Näslein in die Blumen.

Und das Seltsamste: Hinter ihr steht der Gorilla und strahlt über das ganze Gesicht. Ich hatte eigentlich erwartet, ihn aus einer anderen Tür aussteigen und klammheimlich im Menschengewühl verschwinden zu sehen, aber nein, er hat anscheinend rein gar nichts zu verbergen. Nun fällt er dem Chopin-Doppelgänger sogar in die Arme und küsst ihn links – rechts – links. Ja, verflixt noch mal, was wird hier gespielt? Ist er vielleicht ihr Leibwächter, ihr Tierarzt, ihr Cousin, ihr Bruder oder ihr Musikproduzent? Immerhin nannte sie ihn »misiek – Bärchen«, das habe ich genau gehört. Doch die Wahrheit werde ich leider nie erfahren. Zugreisen sind keine Hollywoodfilme, wo am Ende alle Verwicklungen aufgeklärt werden. Das ist vielleicht ihr einziger Nachteil. Nur raten darf man: Er war ihr Bruder!

Nun bewegt sich das Trio zur Rolltreppe, kommt aber nicht weiter, weil sich ein großer Menschenpulk gebildet hat. Irgendein Unglück ist geschehen. Ich ahne es schon von Weitem – die Rolltreppe ist kaputt. Alle Passagiere müssen hier am wichtigsten polnischen Bahnhof ihren Koffer eigenhändig die Stufen hinaufschleppen. Ein altes Mütterchen keucht dabei schwer; Rolltreppen haben steilere Stufen als normale Treppen. Eine Ausweichmöglichkeit gibt es aber nicht. Hier im Zentralbahnhof hat etwas vom modernistischen Technikwahn des Kommunismus überlebt: »Schluss mit den bürgerlichen Treppen! Für unsere lieben Proletarier ist die modernste Technik gerade gut genug.« Die Intention war gut, vergessen wurde dabei nur leider die Tatsache, dass Rolltreppen zwei Mal pro Woche kaputtzugehen pflegen; am neuen Berliner Hauptbahnhof ist das nicht anders. Für diese Fälle sollte eine spießige, bürgerliche Treppe bereitstehen. Seit fast zwanzig Jahren flüstere ich deshalb auf der Warschauer Rolltreppe einen mittelmäßig originellen Aphorismus vor mich hin, an dessen Autor ich mich leider nicht erinnern kann: »Nicht an seinen Idealen, sondern an seinen fehlenden Ersatzteilen ist der Sozialismus gescheitert.«

Diese kaputte Rolltreppe ist heute also der erste Eindruck in Warschau für westliche Ankömmlinge. Während ich hier zu Füßen der Rolltreppe zusammen mit den anderen Reisenden darauf warte, mein Köfferchen hinauftragen zu dürfen, versuche ich rasch aufzulisten, was die Stadt sonst noch an ersten Eindrücken bereithält. Da ich selbst für diese Art von Beobachtungen schon viel zu abgestumpft bin, habe ich einmal eine Gruppe von zwanzigjährigen Studenten aus Mannheim befragt, die sich seit genau drei Tagen in Warschau aufhielten. Die allermeisten davon waren zum ersten Mal in Polen. Meine Frage an sie lautete: »Was ist in Polen anders als in Deutschland?« Die Antwortzettel durften anonym abgegeben werden.

Erste Eindrücke in Warschau
Mehr Brautpaare
Kleinere Zimmer in den Studentenwohnheimen
Kleinere Autos
Die Röcke der Frauen sind kürzer und die Absätze höher
Bier in 0,5 L-Gläsern
Kleines U-Bahn-Netz
Alkohol in der Öffentlichkeit verboten
Frauen sind dünner
Kaffee süßer
Wochenmärkte größer
Servietten sind dünner
Spitzere Nasen
Im Wohnheim gibt es einen Portier, der als Sittenwächter fungiert
Bier ist billiger
Supermärkte sind größer
Bessere Männer

Labberige Brötchen
Weniger Multikulti
Wurstauswahl ist größer
Spielsalons heißen »Salon Gier«
Verhalten der Autofahrer am Zebrastreifen ist unmöglich
Mehr Religion und mehr Straßenschäden
Mehr Geduld in stressigen Situationen
Mehr Nationalstolz, Pathos
Honigbier
Bier mit Sirup, das man mit Strohhalmen trinkt
Dubbing-System im TV: alle Rollen werden von demselben Sprecher gesprochen
Riesige Reklame an den Häusern
KFC und McDonald's an jeder Ecke
Viele Hunde haben Maulkörbe
Bordellzettel hinter den Scheibenwischern

Eine Spielhölle (wörtlich: »Salon der Spiele«) in Warschau

Während sich der Menschenpulk im Gänsemarsch die Rolltreppe hinaufwindet, sehe ich Schaffner Mirek. Er steht breitbeinig neben dem Zug, die Trillerpfeife im Mund. Ich gehe zu ihm und verabschiede mich auch von ihm: »Do widzenia!« Lachend nimmt er die Pfeife aus dem Mund: »Do widzenia! Na, wann geht's wieder heim ins Reich?«

»In drei Tagen.«

»Wirklich? Drei Tage in Polen?« Er lacht dröhnend. »Powodzenia!« Das bedeutet: Viel Erfolg. Er meint es natürlich ironisch.

In diesem Moment stapfen auch die vier Musiker über die Rolltreppe nach oben. Sie tragen ihre Gitarrenkoffer und scheinen bester Laune zu sein. Kein Wunder, sie werden von zwei attraktiven Frauen in bunten Hippieklamotten mit Dreadlocks abgeholt. Schade, dass die Mädchen nicht gesehen haben, wie den coolen Typen im Schlaf der Sabber aus den Mundwinkeln lief.

Plötzlich sehe ich Big Arnie und den Japaner. Da der Zug immer noch nicht anfährt, klettern sie ein letztes Mal aus dem Speisewagen. Big Arnie hat sich sonderbarerweise seine Prada-Sonnenbrille aufgesetzt, vielleicht weil ihn hier auf dem unterirdischen Bahnsteig das künstliche Licht stört, vielleicht aber auch, weil er von irgendwelchen alten Freunden nicht erkannt werden will.

Einem plötzlichen Impuls folgend, gehe ich noch einmal zu meinen Reisebegleitern hin. Ohnehin gehört es zu einem ordentlichen polnischen Abschiedsritual, dass man noch einmal zurückkommt.

»Alles klar?«, fragt Big Arnie mich auf Deutsch, während er tief an seinem Glimmstengel zieht.

»Naja, die alte Armut.«

»In welches Hotel wohnen Sie?«

»Ich habe hier eine Wohnung, schon seit vielen Jahren.«

»Wirklich?«

»Ja.«

Er kramt eine Visitenkarte heraus und überreicht sie mir mit Gönnermiene.

»Hier. Kannst du mich anrufen. Polizeipräsident von Wrocław ist Taufpate von meine Tochter. Wenn du Probleme mit Gesetz hast, ruf an. So was braucht man in Leben.«

Auf der Karte steht: »William Geoffrey Krezzok, General Director.«

Ich sage: »Danke! Und jetzt, Pan William? Fahren Sie weiter zum Ostbahnhof?«

»Genau.«

»Sie auch?«, sage ich zu dem Japaner.

»Wie bitte?« Er saugt gierig an seiner Zigarette und guckt mich hinter der riesigen schwarzen Brille unsicher an. Seine Stirnponies sind, wie ich plötzlich ahne, nicht etwa gefärbt, sondern vom Dauerrauch seiner Zigaretten ausgebleicht worden.

»Fahren Sie auch zum Ostbahnhof?«

»Ja!« Er sagt es, wie immer, wenn er Deutsch spricht, ganz abrupt. Es ist lustig, wie unterschiedlich er Deutsch und Polnisch spricht, Polnisch eher weich und strahlend, Deutsch abgehackt und gestresst. Zum Umschalten benötigt er jedes Mal einige Sekunden, so wie der Lokführer am Nullpunkt zwischen Frankfurt und Rzepin ein paar Minuten benötigt.

Jetzt setzt Schaffner Mirek endgültig die Pfeife an die Lippen.

Im diesem Augenblick sage ich zu Big Arnie alias William Geoffrey Krezzok: »Ich fahre mit euch mit.«

»Warum nicht«, meint er knurrig. Das Misstrauen steht ihm ins Gesicht geschrieben.

Normalerweise fahre ich immer nur bis zum Zentralbahnhof, aber heute mache ich eine Ausnahme, und zwar aus Sorge um den Japaner. Es kommt mir komisch vor, dass Big Arnie mit zum Ostbahnhof fährt. Wer weiß, ob er sich nicht auch mit Menschenhandel von japanischen Doktoranden beschäftigt?

Pan Mirek pfeift gellend. Wir springen zu dritt in den fast leeren Zug zurück. Es geht ein letztes Mal gen Osten.

Vistula

Die Fahrt geht unterirdisch weiter. Etwas drei Minuten lang rollen wir unter dem Stadtzentrum von Warschau entlang. Endlich tauchen wir aus der Erde auf, und nun geht es bald auf eine lange Brücke, die über die Weichsel führt, den mit 1047 Kilometern längsten Fluss Polens. Auf polnisch heißt er »Wisła« (gesprochen: Wiswa), auf lateinisch »Vistula«. Auf der Landkarte sieht die

Weichsel aus wie eine Peitschenschnur, die sich zwei Mal wellt. Sie entspringt im Südwesten, fließt hinüber nach Ostpolen, schlingt sich zurück nach Westen und franst bei Danzig in ein großes Delta aus. Infolge starker Versandung gibt es heute so gut wie keinen Schiffsverkehr mehr, jedenfalls keine großen Lastkähne oder Ausflugsdampfer. Das ist schade, denn man könnte auf einer Weichselfahrt viele wichtige Städte Polens besichtigen, darunter Kraków, Sandomierz, Warszawa, Toruń und Gdańsk. Andererseits ist die Weichsel gerade dadurch, dass sie nicht begradigt und schiffbar gemacht wurde, an vielen Stellen wildromantisch. Mancherorts bildet sie inselartige Sandbänke aus, auf denen die Natur urwaldartig wuchert. Südlich von Warschau liegen solche Abschnitte, wo auf einer Länge von mehreren Kilometern nur die Vögel kreischen und einzelne Angler in der Abenddämmerung sitzen.

Der Japaner, William Geoffrey Krezzok und ich schauen hinunter ins gurgelnde Wasser unter der Brücke. Einmal schießt ein kleines Boot der Wasserpolizei vorbei. Zwei kleine Hotelschiffe ankern am Ufer, sie heißen »Aldona« und »Anita«. Der Japaner sagt uns, dass er auf der »Aldona« ein Zimmer reserviert habe. Big Arnie sieht ihn etwas verwundert an. Die Hotelschiffe stehen im Ruf von Billigklitschen. Eine Übernachtung dort kostet nicht einmal 40 Euro.

Am Westufer sehen wir die Warschauer Altstadt. Sie wurde im Zweiten Weltkrieg bis auf die Grundmauern zerstört. Touristen können es nicht glauben, aber tatsächlich sind sämtliche Häuser nach dem Krieg neu errichtet worden. Weil auch die restliche Stadt in Trümmern lag, gab es sogar Überlegungen, Warschau einige Kilometer weiter in der masowischen Ebene neu zu errichten. Doch am Ende siegten Trotz und Patriotismus, die Trümmer wurden abgetragen. Den Abschluss der Altstadtrenovierung bildete 1980 der Wiederaufbau des von den Deutschen gesprengten Königschlosses. Hier finden heute Ausstellungen, feierliche Preisverleihungen und Konzerte statt, und zwar ohne jede konservative Nostalgie. Berliner Schlossbefürworter fänden hier ein hervorragendes Beispiel dafür, dass eine solche Wiederbelebung im demokratischen Geist gelingen kann. Mir persönlich ist unverständlich, dass die Räume des Berliner

Schlossneubaus nach den derzeitigen Plänen überwiegend für ein Museum genutzt werden sollen. So ein Bau muss leben. Warschau hat also im neuesten Vergleich des Warschau-Berlin-Urstromtals wieder die Nase vorne.

Die beiden Uferseiten der Weichsel spiegeln im Kleinen den polnischen West-Ost-Gegensatz wider. Am westlichen Ufer, also auf der Altstadtseite, zieht sich eine lange Asphaltpromenade für Jogger und Fahrradfahrer entlang. Auf der anderen Seite der Brücke erwartet uns ein völlig anderer Anblick. Hier gibt es über viele Hundert Meter keinerlei Uferzivilisation, nur riesiges Schilfgras und dazwischen kurze Sandstrände. Das schafft, genau gegenüber der Wolkenkratzer-Skyline, die Illusion einer Urwildnis. Fast erwartet man, dass gleich ein Nilpferd aus dem Wasser auftaucht und ins Schilf tappt.

Das Nationalstadion

Und nun sind wir auf der anderen Seite angekommen und fahren direkt am neuen Nationalstadion vorbei. Es soll wohl an einen Weidenkorb erinnern, der aus den polnischen Farben Weiß und Rot geflochten ist und bietet Platz für 58 000 Zuschauer, allesamt Sitzplätze. Als einziges der polnischen Stadien ist es mit einem komplett ausfahrbaren Dach ausgerüstet.

An exakt der gleichen Stelle stand auch schon vor der Europameisterschaft ein großes Fußballstadion, allerdings war es verrottet und wurde zwanzig Jahre lang nur noch als Freiluftbasar genutzt. Von Mitternacht bis Mittag handelten hier Hunderte von Polen, Russen, Vietnamesen, Ukrainern oder Moldawiern mit Superkleber, Kalaschnikoffs und vorgestern gemalten Ikonen. Nur die Aussicht auf die Fußball-EM hat es vermocht, diesen Brückenkopf des Mittelalters um einige Kilometer weiter an den Stadtrand zu drängen. Keine Regierung hätte es geschafft, einen solchen Modernisierungsschub herbeizuführen, wenn nicht die Aussicht auf internationales Prestige oder auch eine internationale Blamage gewunken hätte.

Ja, Warschau ist durch die Fußball-EM wieder ein Stück westlicher geworden. Man kann das auch bedauern. Vorbei die Zeiten, als man mit der Straßenbahn innerhalb von zehn Minuten

Das neue Warschauer Nationalstadion erinnert an einen Weidenkorb zum Pilzesammeln.

auf die andere Weichselseite fahren und bei freundlichen Armeniern frisch gegrilltes Hammelfleisch kaufen konnte. Mehr und mehr übernimmt heute die Ukraine diese Funktion des Bindeglieds zwischen Ost und West.

Die polnische Fußballnationalmannschaft

Die Frage, die sich angesichts eines 500 Millionen Euro teuren Stadions aufdrängt, lautet natürlich: Hat sich das Geld gelohnt? Ist Polen überhaupt eine fußballverrückte Nation? Oder wird es so gehen wie in Südafrika, wo die wunderschönen Stadien schon unmittelbar nach der WM 2010 verödeten, oder gar in Portugal, wo man inzwischen einige Stadien der EM 2004 wieder abreißen will?

Polen ist definitiv kein fußballverrücktes Land – mehr. Dafür fehlen die nötigen Erfolge. Noch zu kommunistischen Zeiten war das anders. Zwei Mal, 1974 und 1982, eroberte die weiß-rote Mannschaft sogar den dritten WM-Platz. Nach Ansicht vieler Kommentatoren war sie bei der WM 1974 in Deutschland die beste Turniermannschaft überhaupt. Im Halbfinale kam es im

Frankfurter Waldstadion zur Wasserschlacht gegen Deutschland. Polen verlor 0:1 durch ein Tor von Gerd Müller. Sofort gab es Verschwörungstheoretiker, die behaupteten, Deutschland habe – aus Angst vor den technisch hervorragenden Stürmern Grzegorz Lato, Kazimierz Deyna und Włodzimierz Lubański – den Platz absichtlich unter Wasser gesetzt. »Quatsch«, antwortete mir dreißig Jahre später der hünenhafte Jan Tomaszewski, Torwart der damaligen Helden. »Die Deutschen hatten die gleichen Probleme mit dem Wasser wie wir, doch sie hatten einen Sepp Mayer. Er hat an diesem Tag vermutlich das beste Spiel seiner Karriere gemacht.«

In den Achtzigerjahren wurde Polens Fußball von Zbigniew Boniek dominiert, dem berühmten Sohn der Stadt Łódź. Zusammen mit Michel Platini war er der Star bei Juventus Turin und gewann mehrere europäische Pokale. Die italienische Sprache erlernte er so perfekt, dass er im dortigen Fernsehen heute noch ein gefragter Kommentator ist. Dann kam die politische Wende von 1989. Entgegen der schönen Phrase, dass die Freiheit Flügel verleiht, versank Polens Fußball in der Bedeutungslosigkeit. Zwar nahm man 2002 und 2006 noch an den Weltmeisterschaften teil, doch jeweils in der Gruppenphase war bereits Schluss. Bittere Witzchen machten die Runde. »Was tut ein Pole, wenn er die Weltmeisterschaft gewonnen hat? Er schaltet die Playstation aus und geht ins Bett.« Im Internet kursierte die Werbung eines koreanischen Elektronikkonzerns. Darauf war die polnische Nationalmannschaft zu sehen, mit dem Untertitel: »DVD-Überspielgeräte von LG – überspielen noch schneller, als unsere Nationalmannschaft verliert.«

Im Jahr 2007 übernahm der erfahrene holländische Trainer Leo Beenhakker die Nationalmannschaft, wurde anfangs wie der Messias gehandelt, gewann sogar ein Qualifikationsspiel gegen Portugal, konnte aber letztlich keine Erfolge bringen. Zur EM 2008 in der Schweiz und Österreich noch glorreich qualifiziert, beendete Polen das Turnier mit einem Punkt und einem Tor. Als Beenhakker dann auch noch die Qualifikation zur WM 2010 in Südafrika verfehlte, der kleine Nachbar Slowakei sie aber schaffte, war die Geduld der Verbandsbosse zu Ende, Beenhakker wurde gefeuert und verließ das Land im Unfrieden.

Im 21. Jahrhundert hat Polen bislang nur drei Weltklassefußballer hervorgebracht, und das Pech will, dass zwei davon für Deutschland spielen. Lukas Podolski – auf Polnisch schreibt man ihn »Łukasz« und spricht ihn »Wukasch« aus – und Mirosław Klose haben beide Deutsch sprechende Großmütter und antworten auf die Frage nach ihrer Nationalität am liebsten »Oberschlesier«.

Der dritte Weltklassemann ist Jerzy Dudek, der als Torwart des FC Liverpool das Champions League-Finale von 2005 entschied. Beim Elfmeterschießen verwirrte er die Schützen des AC Mailand durch seinen später so genannten Du-the-Dudek-Dance und parierte zwei Elfmeter. 2011 beendete er seine Karriere als Edelreservist bei Real Madrid.

Für die EM 2012 im eigenen Land musste Polen sich nicht qualifizieren. Den Trainerposten hat der bereits 62-jährige Franciszek Smuda erhalten, nicht zu verwechseln mit Władysław Żmuda, dem erfolgreichen Fußballer der Siebzigerjahre und Angehörigen der legendären Górski-Mannschaft. Franciszek Smuda war übrigens Anfang der Neunzigerjahre Trainer dreier deutscher Provinzmannschaften, Coburg, Herzogenaurach und Fürth. Er spricht daher fließend Deutsch.

In mehr als achtzig Jahren ist es der polnischen Nationalmannschaft noch niemals gelungen, die deutsche Mannschaft zu besiegen. Zuletzt kam es zu bitteren Turnierniederlagen bei der WM 2006 und der EM 2008 in Österreich. Das 2:2 im September 2011 beim Freundschaftsspiel zur Einweihung des Danziger Stadions wurde daher als ordentlicher Erfolg gewertet.

Klubfußball

Auf Klubebene sieht es noch finsterer aus. Seit 1997 ist es keinem polnischen Meister mehr gelungen, auch nur die Qualifikationsphase der Champions League zu überstehen.

Die der Ersten Bundesliga vergleichbare erste polnische Liga heißt »Ekstraklasa«. Sie umfasst 16 Teams. Ähnlich wie in Spanien geben seit Jahren zwei Klubs den Ton an: Wisła Kraków und Legia Warszawa. Sie sind wie alle übrigen Teams in der Hand von privaten Multimillionären. Meister des Jahres 2011 wurde zum 13. Mal Wisła Kraków. Dafür kann Legia Warszawa den teuersten

Spielertransfer der polnischen Liga für sich verbuchen. Der Kroate Ivica Vrdoljak, der von Dinamo Zagreb kam, kostete den Klub 1,5 Millionen Euro. Das ist eine astronomische Summe, wenn man die mit durchschnittlich 12 500 Euro vergleichsweise bescheidenen Monatsgehälter der Spieler berücksichtigt. Der bestbezahlte Trainer der Liga, Maciej Skorża von Legia Warschau, verdiente in der Saison 2011 etwa 20 000 Euro pro Monat.

Die Probleme des polnischen Liga-Fußballs sind schnell aufgezählt:

– Ein verknöcherter Verband, der sich wie ein Staat im Staat gebärdet, gegen Kritik immun ist und jegliche Eingriffe der Regierung erfolgreich abwehrt.

– Selbstherrliche Klubeigner, deren Ungeduld keine kontinuierliche Trainerarbeit zulässt.

– Die sogenannten Pseudofans, von denen es in den Stadien nur so wimmelt. Die polnischen Hooligans dürften sich in den letzten zwanzig Jahren den Ruf erarbeitet haben, zu den schlimmsten Chaoten Europas zu gehören. Die Chefs einiger Fanvereinigungen arbeiten nebenher als Erpresser, Autodiebe und Drogenhändler. Normale Familienväter haben keine Lust mehr, ihre Kinder einer eventuellen Tribünenschlacht auszusetzen. Kein Wunder, dass zu einem Spiel der höchsten Liga durchschnittlich nur 8000 Zuschauer kommen (in Deutschland sind es 42 700, in England 35 300, in Italien 24 300 Zuschauer pro Match). In der Saison 2010/11 wurde mit 36 000 Zuschauern ein absoluter Rekord erzielt – natürlich im ordentlichen Poznań, wo die Fans vergleichsweise harmlos sind.

Kein Wunder, dass Fußball als einstmals beliebteste polnische Sportart inzwischen von anderen Sportarten abgelöst wurde. Fast zehn Jahre lang gab es dank des mehrfachen Weltmeisters Adam Małysz einen Skisprung-Hype – in dessen Gefolge Sven Hannawald und Martin Schmid zu Superstars in Polen aufstiegen. Seit dem Karriereende von Małysz im Jahr 2011 ist die Sportart leicht abgesunken, zum Glück gibt es mit Kamil Stoch einen Nachfolger.

Auch die Formel 1 konnte dank des Fahrers Robert Kubica eine kurze Konjunktur verbuchen. Seit Kubica aber 2010 außerhalb der Rennstrecke einen schlimmen Unfall hatte, ist auch hier wieder Flaute. In die Lücke springen Handball, Volleyball und Basketball, gelegentlich auch Schwimmen. Sehr populär ist Speedway-Motorradfahren.

Doch sie alle kommen nicht an den eigentlichen Nationalsport heran, den saisonunabhängigen Evergreen, den eigentlichen Grund, warum das neue Nationalstadion die Gestalt eines Weidenkorbs hat.

Nationalsport

Was sind die drei Lieblingstätigkeiten eines Polen? – Erstens: Im Wald Pilze sammeln. Zweitens: Über Pilze aus dem Wald sprechen. Und drittens: Suppe aus selbst gesammelten Waldpilzen essen.

Wer in Polen an einem Wochenende zwischen Juni und September nicht mit einem Weidenkörbchen (!) durch die Wälder streift, ist so asozial wie ein Deutscher, der beim WM-Finale auf ARTE einen portugiesischen Schwarz-Weiß-Film guckt. Deutsche Babys bekommen in der zweiten Lebenswoche eine Rassel in den Farben ihres künftigen Lieblingsvereins geschenkt. Polnische Kinderchen bekommen stattdessen ein rot-weißes Pilzeimerchen in die Wiege gelegt. Schon bevor sie sprechen lernen, wissen sie, dass der Fliegenpilz ungenießbar ist. Wenn die Deutschen am Samstagnachmittag ins Fußballstadion pilgern, strömen die Polen in den Wald, allerdings ist »strömen« nicht das richtige Wort: Da sie nicht preisgeben wollen, wo die besten Pilzfundorte sind, sickern sie einzeln wie Guerillas ein und stromern dann in großen Abständen umher. Ab und zu werden unterdrückte Jubelrufe von den Stämmen zurückgeworfen.

Es ist mir unverständlich, dass es im polnischen Fernsehen noch keine Pilzshow gibt: »Jetzt gilt's, du Pilz!« Oder: »Na, du Witzpilz?« Promis kommen ins Studio als Pilze verkleidet, jeder seinem Typ entsprechend: Donald Tusk als harmloser Pfifferling, Jarosław Kaczyński als Spaltpilz, Erika Steinbach als Blutreizker.

Man könnte nun ganz nüchtern einwenden, dass Pilzesammeln seine Beliebtheit in Polen vor allem zwei Tatsachen verdankt, zum einen, dass es viele arme Leute gibt, und zum anderen,

Steuerfreies Straßengewerbe irgendwo in Westpolen

dass sämtliche Waldprodukte steuerfrei verkauft werden dürfen. Meine Steuerberaterin hat mir einmal vorgerechnet, dass ich nach Beendigung meiner Bühnenkarriere mit dem Verkauf von einigen Blaubeergläsern und zwei Körben Pilzen pro Tag locker auf 8000 Złoty, also 2000 Euro im Monat kommen könnte, die völlig abgabenfrei wären.

Doch auch in Deutschland gibt es arme Leute. Warum rennen sie nicht massenweise durch die Wälder? Liegt es tatsächlich daran, dass man Pilze in Deutschland nur bis zu einer Menge von 280 Gramm sammeln darf und alles, was darüber liegt, einen Gewerbeschein erfordert? Nein, Pilzesammeln passt einfach nicht zur deutschen Mentalität.

1. Beim Pilzesammeln ist Improvisation gefragt, denn Pilze lassen sich, bis auf wenige Ausnahmen, nicht künstlich anpflanzen, sind also nur interessant für Antiplaner, für Kurzentschlossene, die nach einem Juli-Regenguss neugierig in den Wald losstürmen. Ein Deutscher kommt immer zu spät, weil er sich gar nicht so schnell die Schuhe binden kann. Er jätet lieber monatelang seinen Garten und weiß dafür dann auch genau, wo und wann die Radieschen wachsen werden.

2. Pilzesammeln ist Kontakt mit der Natur und bildet damit ein ideales Gegengewicht zum mörderischen Kapitalismus, der seit 1989 durch Polen fegt und die Hälfte der Gesellschaft an den Rand gedrängt hat. Wenn sie Pilze sammeln, steigen sie aus der Gegenwart aus, hinein in die Zeitlosigkeit der Natur.

3. Pilzesammeln ist anarchisch, es passt zum Ideal des Selbstversorgers, der auch ohne den Staat auskommen kann. »Wozu brauche ich den Staat, solange ich meine Pilze habe?«

4. Pilzesammeln ist Hochkultur. Im bereits mehrfach erwähnten Nationalepos »Pan Tadeusz« von Adam Mickiewicz (erschienen 1834) wird im dritten Buch eine ausführliche Beschreibung des Sammelrituals gegeben, und zwar in makellos gereimter Form. Der Pilzesammler darf sich also mitten im Schoß der Tradition fühlen, so wie ein Deutscher, der beim Oktoberfest (gegründet 1810) seine Maß an die Lippen setzt.

Fazit: In einer polnischen Firma wird am Montagmorgen nicht über Bundesligaergebnisse oder Trainerwechsel gefachsimpelt, sondern über Pilzfunde vom Wochenende. Als deutscher Einwanderer kann man da meist nicht viel zum Gespräch beisteuern, da man Pilze bislang allenfalls sporadisch gesammelt hat. Deswegen folgt hier nun ein kurzer Small-Talk-Leitfaden. Auf der linken Seite steht als Orientierungshilfe ein traditionelles Fußballthema, auf der rechten Seite die Entsprechung aus dem Bereich Pilze.

Pilz-Talk

Fußball

Pilze

Grundwissen

Fußball ist eine Ballsportart, wurde in England erfunden, und am Ende gewinnen immer die Brasilianer.

Grundwissen

Pilze sind weder Tiere noch Pflanzen, sondern bilden ein eigenständiges Reich. Pflanzen »können« Photosynthese, Pilze nicht. Man darf sie daher als »Gewächse« bezeichnen, aber nicht als Pflanzen.

Fußball
Rekorde
Das längste Fußballspiel der Geschichte dauerte 35 Stunden und hatte mehr als 600 Tore. 333:293 lautete das Ergebnis einer Benefizpartie zwischen den Cotswold All Stars und Cambray FC in England.

Internationaler Überblick
Auf Platz eins der FIFA-Rangliste steht Spanien, danach folgen die Niederlande.

Polemik gegen Pseudo-experten
Das naive Gequatsche selbst ernannter Stammtischexperten geht dem wahren Kenner auf den Keks. Er kennt die wahren Hintergründe und erschreckt die Pseudos mit hoch provokativen Thesen: »Die Rolle des Trainers wird überschätzt. Moderner Fußball wird beim Aufwärmtraining entschieden.«

Pilze
Rekorde
Der Pilz ist nur die Frucht. Der eigentliche Pilz ist das Myzel (Wurzelgeflecht). Das kann im Extremfall so groß werden wie ein Dorf. Ein essbarer Hallimasch hatte ein Myzel, das 3000 Jahre alt war und so groß wie zwanzig Fußballfelder.

Internationaler Überblick
»Pilz« heißt auf Spanisch »hongo«, auf Niederländisch »Paddestoel« (also wörtlich »Krötenstuhl«).

Polemik gegen Pseudo-experten
Schluss mit den naiven Mythen: Der Fliegenpilz ist, entgegen vielen Gerüchten, nicht tödlich. Er ruft nur Halluzinationen und Magen-Darm-Probleme hervor. Richtig böse ist der Knollenblätterpilz, der sich gerne mit einem Wiesenchampignon verwechseln lässt und angeblich sehr gut schmeckt. Wenn der Magen nicht innerhalb von 24 Stunden nach Verzehr ausgepumpt wird, ist alles zu spät. Man stirbt an Organversagen.

Fußball
Volkstümliche Sprüche

Im Kontakt mit dem Fußvolk darf man sich nicht zu schade für Banalitäten sein: »Der Ball ist rund, und das Spiel dauert neunzig Minuten.« Es gibt immer irgendjemanden, der den Spruch noch nicht kennt.

Top Five

Die fünf erfolgreichsten Torjäger der Bundesliga sind:
Gerd Müller
Klaus Fischer
Jupp Heynckes
Manni Burgsmüller
Ulf Kirsten

Die Demut des Kenners

Wahre Experten erkennt man daran, dass sie vor dem Irrationalen die Segel streichen. »Der Pokal hat seine eigenen Gesetze.«

Pilze
Volkstümliche Sprüche

Der Standardgag der Pilzszene lautet: »Man kann grundsätzlich jeden Pilz essen – manche allerdings nur ein Mal.«

Top Five

Die fünf wichtigsten polnischen Pilzenamen sind:
Borowik – Steinpilz
Kurka – Pfifferling
Muchomor – Fliegenpilz
Pieczarka – Champignon
Maślak – Butterpilz

Die Demut des Kenners

Der wahre Pilzkenner weiß: »Pilze lesen keine Pilzbücher.« Es kann passieren, dass da im Frühjahr ein Pilz mit einem Hutdurchmesser von zwanzig Zentimetern neben einer Buche wächst, obwohl im Bestimmungsbuch angegeben ist: »Diese Sorte wird bis zu zehn Zentimeter groß und siedelt im Herbst bei Fichten«.

Fußball	Pilze
Angstgegner	**Angstgegner**
Jedes Team hat einen Angstgegner. Für Deutschland ist das ganz klar Italien. Es ist widerwärtig, mit welch krummen Tricks, Schwalben und Abseitsfallen die Makkaronis es immer wieder schaffen, aber Tatsache ist: Deutschland hat alle wichtigen WM-Spiele gegen sie verloren.	Im deutschen Wald gibt es für die Polen nur einen einzigen natürlichen Feind: die Russen. Sie kommen mit der ganzen Großfamilie und nehmen dampfwalzenartig alle Pilze mit, auch die giftigen. Im Plattenblock sortiert dann ein erfahrener Großvater die Beute. Ein polnischer Pilzekenner findet das barbarisch.
Doktortitel	**Doktortitel**
Der DFB ist der größte Fußballverband der Welt. Als Nationaltrainer ist Jogi Löw angestellt, doch in Wahrheit haben 82 Millionen Deutsche wesentlich mehr Ahnung als er. Man sollte ihnen den akademischen Titel »Dr.Fußi« verleihen.	Pilzekenner haben einen komplizierten Namen: »Mykologen«. 38 Millionen Polen dürfen sich ohne Angst vor Plagiatsvorwürfen den »Dr. myk« vor ihren Namen stellen. Das Land selbst könnte man in »Mykologien« umtaufen.

Zum Schluss noch ein Vorschlag: Um zu verhindern, dass die schönen neuen Fußballstadien nach der Europameisterschaft sang- und klanglos abgerissen werden, sollte man sie verfallen und vermoosen lassen und dann als Champignonfarmen nutzen. Tausende von Danzigern, Posenern, Warschauern und

Deutsche Immigranten in Polen kennen zu Beginn meist nur diesen Pilz.

Breslauern wären überglücklich. Samstagnachmittags könnten sie mit der ganzen Familie kommen und mit ihren Eimerchen zwischen den Sitzreihen und auf dem Spielfeld herumstreifen, um sich ein schmackhaftes Sonntagsmahl zusammenzupflücken.

Intuition

Der Eurocity »Berlin-Warszawa-Express« bewegt sich in langsamem Tempo auf seinen Endbahnhof zu. Die WARS-Crew verkauft nichts mehr, sondern zieht sich um. Der Oberkellner steht bereits in Zivil neben der Kasse und macht die Schlussabrechnung. In seiner dunklen Jeans und dem Star-Wars-T-Shirt sieht er nicht mehr so elegant aus. Umso sympathischer wirkt es, dass ihm das nichts ausmacht. Hat man je einen deutschen ICE-Kellner gesehen, der die Fahrt in Zivil beendet hätte? Der Verlust der Amtswürde wäre für ihn unerträglich.

Schaffner Mirek geht nicht mehr durch die Waggons, sondern sitzt in seinem Abteil und beschäftigt sich mit privaten Dingen. Vielleicht löst er Testbögen für die Mittelstufenprüfung des Goethe-Instituts Bonn. Big Arnie und der Japaner rauchen derweil eine Zigarette nach der anderen.

Kurz vor dem Bahnhof nimmt Big Arnie alias William Geoffrey Krezzok sein Handy aus der Tasche, geht einige Meter abseits und tätigt einen Anruf. Wir hören ihn über acht, neun Meter schreien, werden aber nicht schlau daraus, was da besprochen wird. Hier die wörtliche Mitschrift: »No będziemy ... no i ten ... teraz! Możecie mnie ... ? No ten ... no ... o o o o!«

In jeder Sprache gibt es Gefühlswörter, die sich nicht mehr sinnvoll übersetzen lassen. Das polnische Gefühlswort Nummer eins heißt »no«. Im Deutschen gibt es dafür nur im sächsischen Dialekt eine adäquate Übersetzung, nämlich »nu«. Das ist mehr als nur »na«. Darin steckt auch »ja freilich«, »eher nicht«, »lass mich in Ruhe« und noch vieles mehr. Es ist ein Grunzlaut, der aus den tiefsten Regionen kommt.

Außer den Gefühlswörtern gibt es noch die Füllwörter. Um Zeit zu schinden, sagt man im Deutschen »ähm ...«, auf polnisch sagt man »e ...« oder »no ten«.

Also lautet die dechiffrierte Version von Big Arnies Gespräch auf Deutsch: »Wir werden … na, ähm … jetzt! Könnt ihr mich …? … Ähm … Na … o o o o!«

Big Arnie alias William Geoffrey Krezzok steckt befriedigt sein Handy ein, verspürt also offenkundig die Genugtuung, von seinem Gesprächspartner genauestens verstanden worden zu sein. Bei dem viermaligen »o o o o!« am Ende handelt sich um einen Glücksausruf, den man ausstößt, wenn etwas gut geklappt hat. Auch Polen, die schon seit zwanzig Jahren in Deutschland leben, benutzen ihn unwillkürlich, zum Beispiel, wenn sie ein schönes Foto gemacht haben: »o o o o!«

Was mir bei Telefonaten wie diesem hier in Polen immer wieder auffällt, ist die überirdische Intuitionsgabe der Leute. Fast jedermann besitzt die Fähigkeit, die Absicht eines Sprechers im Flug zu erhaschen, am besten schon lange, bevor er zu Ende gesprochen hat. Einmal war ich in einem Krakauer Hausflur Zeuge, wie ein polnischer Ehemann zum Einkaufen aufbrechen wollte. Seine Frau rief ihm aus der oberen Etage zu:

«Maciek, kauf mir bitte einen neuen …no ten.. …«

»Und wo?«

»In dem …bei dem … no ten!«

»Wo ist denn der … no ten …?«

»Liegt auf dem … no ten!«

»O o o o!«

Für den Ehemann war damit alles klar. Gelassen nahm er – so wie es ihm seine Frau erklärt hatte! – das Portemonnaie vom Küchentisch und machte sich auf den Weg in den Supermarkt, um eine Stunde später mit einem wolligen Scheuerlappen zurückzukommen.

In Deutschland sind solche Kurzdialoge vermutlich nicht einmal zwischen eingespielten Zwillingsgeschwistern möglich.

»Kannst du mir mal aus dem Bad die… ähm… die Dings … bringen.«

»Könntest du dich bitte etwas präziser ausdrücken?«

»Im Bad stehen doch neben dem Waschbecken zwei Schränke.«

»Ja, sehe ich vor mir.«

»So, und im linken Schrank ist mein Kulturbeutel.«

»Im oberen oder im unteren Fach?«

»Ich glaube, im oberen. So, und im Kulturbeutel ist dieses Dings ...«

»Das Brillenetui?«

»Nein, die ... hach ... dieses Dings ...«

»Konzentrier dich!«

»Herrgott, die Wärmflasche!«

»Sag das doch gleich!«

Kein Wunder, dass es für Polen, die mit deutschen Geschäftspartnern am Verhandlungstisch sitzen, oft quälend langsam vorangeht. Für sie ist nach fünf Minuten alles klar, aber die deutschen Partner formulieren umständlich jeden Satz zu Ende. Nur aus Höflichkeit wird ihnen nicht die Cola ins Gesicht gekippt.

Grotesk ist auch das Verhältnis zwischen der Länge deutscher und polnischer SMS-Nachrichten. Als Faustregel würde ich sagen: Polen dürften mit der Hälfte der Wörter auskommen. Viele Deutsche (darunter ich) erklären die Dinge so ausführlich, dass mancher Pole beleidigt ist: »Hält der mich für blöd?«

Eine Polin aus Bielefeld führte die deutsche Schwerfälligkeit auf die deutsche Grammatik zurück. »Ihr müsst jeden Satz zu Ende sprechen, weil das wichtigste Wort, das Verb, erst am Ende des Satzes kommt. Im Polnischen steht das Verb meistens schon ganz vorne im Satz, sodass der Rest dann blitzartig klar ist.«

Ich persönlich bezweifle sprachliche Erklärungsmodelle. Die Wurzel der polnischen Intuition scheint mir eher in der bereits häufig bemühten emotionalen Intelligenz zu liegen: Zwei Augen neben der Nase – und ein unsichtbares im Hinterkopf.

Die wichtigsten polnischen Füllwörter

No – kann alles heißen, meist »na ja« oder »meinetwegen«.

O o o o! – Ja, ja, ja! Genau!

E ... e ... e ... – ähm ... ähm ... ähm

No ten ... – Na, der ...

Kurwa – eigentlich »Hure«, im Tagesgeschäft aber schon so abgenutzt, dass »tja« die beste Übersetzung ist.

Neue Deutschlandwitze

Nun sind es nur noch ganz wenige Meter bis zum Bahnhof Warszawa Wschodnia – Warschau Ost. Das »sch« in »Wschodnia« spricht man übrigens auf Polnisch getrennt aus: »ws-chodnia«.

Big Arnie ist seit dem Telefonat wie umgewandelt. Er presst sein riesiges Gesicht ans Fenster und schielt zum Bahnsteig voraus. Überhaupt ist erstaunlich, wie sich der finstere Hüne seit der Abfahrt aus Berlin schrittweise verändert hat. Anfangs sprach er nur Englisch, anschließend Deutsch – und jetzt sagt er plötzlich auf Polnisch, dass er uns einen Witz erzählen wolle. Zunächst fragt er den Japaner, wo die nächste Olympiade stattfinde.

Der Mickiewicz-Forscher weiß es nicht.

William Geoffrey Krezzok sagt triumphierend: »In London! Also, jetzt passt mal auf. Hört mir zu, hört mir genau zu! Hammerweitwurf bei der Olympiade 2012 in London. Als Erster wirft der Russe. Achtzig Meter, neuer Weltrekord. Der Stadionsprecher fragt: Wie haben Sie das gemacht? Der Russe antwortet: Ich bin Holzfäller in Sibirien. Ich trainiere jeden Tag mit der Axt im Wald. – Als zweiter wirft der Pole. Hundert Meter, neuer Weltrekord. Der Stadionsprecher fragt: Wie haben Sie das gemacht? Der Pole antwortet: Ich bin Bergmann in Oberschlesien. Ich trainiere jeden Tag mit dem Kohlepickel. – Als dritter wirft der Deutsche. Zweihundert Meter, unglaublicher neuer Weltrekord. Der Stadionsprecher fragt: Wie haben Sie das gemacht? Der Deutsche antwortet: Ich bin Arbeitsloser aus Berlin. Mein Vater ist arbeitslos, mein Großvater ist arbeitslos. Ich höre jeden Tag von Opa: Junge, wenn dir hier bei uns in Berlin mal jemand einen Hammer in die Hand drücken will – wirf ihn so weit weg wie möglich!«

Big Arnie lacht schallend, der Japaner guckt fragend, bis er endlich merkt, dass der Witz zu Ende ist, und ebenfalls lacht.

Nur ich kann nicht lachen. Wie haben sich die Zeiten verändert. 1993 waren es meine Freunde aus Berlin, die mir vor der Abfahrt die neuesten Polenwitze erzählten. Und jetzt muss ich mir hier in Ostpolen von einem Fertighaus- und Alte-Bücher-Verkäufer diesen Deutschlandwitz anhören. Das Schlimmste ist, dass der Witz viel realistischer sein könnte, als Big Arnie ahnt. Am 17. Februar 2010 fand ich im hochseriösen »Handelsblatt« eine bestürzende Prognose.

Der Chef eines renommierten Thinktanks aus Brüssel, Daniel Gros vom »Centre for European Policy Studies« (CEPS), prophezeite da, dass Deutschland bis zum Jahr 2040 wirtschaftlich absteigen und hinter Polen zurückfallen werde. Schuld daran seien die deutsche Reformscheu sowie fehlende Investitionen in die Bildung. Schon jetzt wachse die polnische Wirtschaft im Schnitt zwei Prozent schneller pro Jahr als die deutsche. Es gebe im deutschen Bildungssektor zu viele Schulabbrecher und zu wenige Uni-Absolventen. Das werde Deutschland in der nächsten Generation zum Land der Hilfsarbeiter machen. Verknüpfe man die Akademikerquote mit den Resultaten der Pisa-Studie, liege Warschau schon jetzt vor Berlin. Fast nirgendwo in Europa seien so wenige Arbeitskräfte in Kindergärten, Schulen und Universitäten beschäftigt wie in Deutschland. Jeder fünfte Jugendliche komme nicht über das Hauptschulniveau hinaus. »Die Facharbeitertradition und die Spezialisierung auf Industriegüter sind in der Krise ein Nachteil«, warnt Gros und fordert eine Bildungsreform. Deutschland müsse mehr Ingenieure und andere Akademiker ausbilden. »Die Prognose lautet: Deutschland wird im Jahr 2040 nur noch im unteren Drittel des EU-Rankings gelistet sein. Die Deutschen wurden nicht gezwungen, radikal umzudenken und damit an einem neuerlichen Aufschwung zu arbeiten. Sie werden selbstzufrieden absteigen und am Ende nicht verstehen, warum Polen besser dasteht.«

Polen 2040

Man darf also tatsächlich mit unbewegter Expertenmiene behaupten: Was sich jenseits der Oder abspielt, ist der Aufstieg einer neuen europäischen Supermacht. Mit meiner deutschen Konsequenzeritis-Phantasie male ich mir jetzt schon das Jahr 2040 aus.

Die Fahrzeit mit dem Eurocity-Zug von Berlin nach Warschau wird sich dank einer bereits heute in Planung befindlichen »Ypsilon«-Trasse, die nicht mehr über Kutno, sondern über Łódź führen soll, von sechs auf drei Stunden halbieren.

Maso-Schaffner Mirek wird glücklicherweise längst in Rente sein. Auf diese Weise muss er nicht mehr den Aufstieg Polens zur

Großmacht miterleben. Vor zehn Jahren, im Jahr 2030, hat er endlich seinen lang ersehnten Deutschkurs am Bonner Goethe-Institut absolviert. Dabei wurde er innerhalb einer einzigen Woche brutal von seiner Germanophilie geheilt. So viele Elendsgestalten wie auf den Bonner Straßen hat er in Polen nicht einmal auf den abgewracktesten Bahnhöfen gesehen.

Die *political correctness* hat sich im reichen Polen auf breiter Front durchgesetzt. Eine neue Generation ist herangewachsen, die auf Vegetarismus, Radfahren und Mülltrennung setzt. Das heißt aber auch: Emanzipation der Frau und Degradierung des Mannes. Schluss mit Komplimenten, Blumenbuketts und Küsschen. Nur nach Feierabend, in abgedunkelten Großraumbüros, wagen arme polnische Chefs noch, ihren deutschen Putzfrauen in den Po zu kneifen. Besonders schweinische Manager raunen ihnen sogar ins Ohr: »Wie viel nimmst du, Helga?«

VW und Opel haben ihre polnischen Werke in Polkowice und Gliwice auf Kurzarbeit gesetzt, weil die örtlichen Gewerkschaften viel zu unverschämt geworden sind. Man plant stattdessen neue Fabriken in Wuppertal und Krefeld, wo die letzten Einwohner inzwischen ihre unumschränkte Bereitschaft erklärt haben, Zwölfstundenschichten zu schieben.

An jeder großen Kreuzung Warschaus und Krakaus lungern arbeitslose deutsche Akademiker mit Wassereimern und Schwämmen herum. Bei Rotphasen stürzen sie auf die wartenden Elektroautos und putzen ruckzuck die Windschutzscheibe.

Die katholische Kirche Polens hat ein Drittel ihrer Gotteshäuser an verheiratete Expriester und schwule Wohnprojekte verkauft.

Blasierte polnische Wohlstandskinder wandern nach Kasachstan ab und rühmen die bodenständige kasachische Mentalität, wo es noch Patriotismus, Religiosität und postsozialistische Milchbars gebe.

Die deutsche Minderheit in Schlesien ist wieder auf knapp zwei Millionen Menschen angeschwollen. Nicht nur die einstigen Aussiedler sind zurück nach Zabrze, Bytom und Ruda Śląska gegangen, sondern auch viele Schwaben haben plötzlich in ihrem Stammbaum eine polnische Oma ausfindig gemacht, die im Zweiten Weltkrieg als Zwangsarbeiterin nach Stuttgart deportiert worden war. Als naturalisierte Polen tun sie nun in der Öffent-

Zur Begrüßung für Einwanderer: Hausschuhe am provisorischen Warschauer Ostbahnhof

lichkeit so, als würden sie kein Wort Deutsch können. Ihren Kindern singen sie zum Geburtstag das traditionelle Gratulationslied »Sto lat – Hundert Jahre« vor. Chef der deutschen Minderheit im Warschauer Sejm ist der knapp sechzigjährige Łukasz Podolski. Über seine Kölner Jahre spricht er nicht gerne, Interviews bestreitet er ausschließlich auf Polnisch.

Jan Wieslaw Kozerski

Und nun quietschen die Bremsen, die Fahrt ist zu Ende. Wir sind am Ostbahnhof angekommen. Big Arnie lässt die Tür aufzischen. Energisch hilft er dem Japaner, der wieder seinen Rucksack vor die Brust geschnallt hat, zwei Tragetaschen mit Sprachlexika hinauszutragen.

Wir sind auf einer Megabaustelle angekommen. Hier wird (mal wieder) ein komplett neuer Bahnhof gebaut, die gläsern-stählerne Eingangshalle ist schon fast fertig. Sie würde Meinhard von Gerkan zweifellos sehr gefallen. Ich persönlich bedaure es aber, dass Warschau sich Berlin damit wieder ein Stück angeglichen hat. Bis zur endgültigen Austauschbarkeit wird es zum Glück allerdings noch ein gutes Weilchen dauern. Während Ost-Deutschland, zwanzig Jahre nach der Wende, geschmackvoll gefliest und picobello asphaltiert ist und die Zinsen stabil bei

1,5 Prozent liegen, gibt es in Polen noch Basisarbeit zu leisten: Bahnhöfe zu bauen, Flüsse auszubaggern und Fertighausfirmen zu gründen. Da ist viel Arbeit für deutsche Einwanderer! Und sollte das Werk eines Tages abgeschlossen sein, nimmt man einfach den nächsten Zug und fährt weiter nach Lemberg oder Taschkent.

Zwei Frauen kommen aus der Unterführung herauf und winken Big Arnie schon von der Treppe aus zu. Er winkt ihnen heftig zurück: »O o o o!« Die eine ist jung, hat eine kurze Igelfrisur, eine rote Brille und trägt ein blaues Jeanskleid über einer beigen Hose, dazu weiße Sandalen. Sie ruft schon von Weitem enthusiastisch: »Tato!« Die ältere ruft nichts, scheint sich aber ebenfalls zu freuen. Sie ist etwas kleiner, hat blond gefärbte Haare und trägt ein beiges Kostüm und schwarze Stöckelschuhe. Beide Frauen haben sich sichtlich fein gemacht für ihren William Geoffrey Krezzok.

Er selbst, der trotzige Junge aus dem verrufenen Stadtteil Praga, ist nicht wiederzuerkennen. Er nimmt seine Prada-Brille ab, strahlt über das ganze Gesicht, umarmt beide Frauen mit einem einzigen Würgegriff und stellt sie uns vor. »Moja córka Agnieszka, moja żona Krystyna – meine Tochter Agnieszka, meine Frau Krystyna!« Wir küssen uns alle: links – rechts – links. Im Eifer des Gefechts bussle ich um ein Haar auch den Japaner ab.

Mir fällt auf: Die Ehefrau nennt ihren Big Arnie mehrmals »Wiesiu«.

Ich frage ihn: »Haben Sie mir auch wirklich die richtige Karte gegeben? Da stand doch drauf ›William Geoffrey Krezzok‹. Oder war es vielleicht aus Versehen die falsche Visitenkarte?«

Er guckt etwas nervös. »Ich bin Wiesław Jan Kozerski. In Amerika bin ich William Geoffrey Krezzok.« Dann liegt er sich wieder mit seinen beiden Frauen in den Armen. »Ich habe meine Familie schon seit zwei Monaten nicht mehr gesehen!«

»Ach, Sie wohnen in Amerika? Ich dachte, in Meerbusch.«

»Früher Chicago, heute Meerbusch.«

Während ich meine Zeit mit typisch deutschen Sachverhaltsklärungen verliere, entpuppt sich der Japaner, obwohl er zum ersten Mal im Land weilt, als ein erfahrener Polenprofi. Galant küsst er den beiden Damen die Hand, zuerst der Mutter, danach der hübschen Tochter: »Ich bin Mingliang.«

Und dann sagt er tatsächlich zur Tochter: »Jak tam?«

Sie verzieht das Gesicht. »Stara bieda!«

»Jakoś to będzie«, tröstet der Japaner höflich. Ich bin wirklich zutiefst beeindruckt. Er beherrscht nicht nur die Standardphrasen des *negative thinking* aus dem Effeff, sondern beweist sogar literarischen Schliff. »Jakoś to będzie« dürfte das berühmteste literarische Zitat der gesamten polnischen Literatur sein, natürlich von Nationaldichter Adam Mickiewicz. Auch diejenigen Polen, die sämtliche 11000 Verse des »Pan Tadeusz« vergessen haben, können immer noch diesen Halbvers auswendig. Er bedeutet zu Deutsch: »Irgendwie wird es schon werden.« Viele inländische Masochisten bezeichnen diesen Satz sogar als das polnische Nationalmotto.

Ich betrachte die Tochter. Ihr »Stara bieda« klang sehr süß. Und sie hat intelligente grüne Augen.

Doch der Japaner kommt mir schon wieder zuvor: »Super Brille!«

Die schöne Agnieszka schielt erfreut auf ihr rotes Brillengestell, macht aber anstandshalber »Eeeeee!«, so wie Schaffner Mirek, wenn er »Quatsch« sagen will. Aber man sieht ihr an, dass sie im siebten Himmel ist.

Big Arnie alias William Geoffrey Krezzok alias Jan Wiesław Kozerski öffnet die Arme und sagt zu uns: »Ich lade euch ein nach Hause! Ihr könnt auf dem Sofa schlafen!« Und für den Japaner fügt er lockend hinzu: »Morgen fahren wir nach Katowice, dort sind die alten Bücher, bei meinem Freund.«

Doch seine Frau scheint über diese Einladung nicht sonderlich erfreut zu sein. Sie nimmt ihrem Mann resolut den weißen Pullover vom Rücken und hängt ihn sich ungeduldig über den Arm. »Wiesiu, kogo ty znów zaprosiłeś do nas? – Wiesiu, wen hast du denn da schon wieder zu uns eingeladen?«

Er umarmt sie zuckersüß. »Krystyna! Nie zepsuj wszystkiego! – Mach nicht alles kaputt.«

Seine Frau seufzt. »Wiesiu, Wiesiu. Prestań kombinować. Ty masz odpocząć i nie załatwić jakichś interesów. Myjesz okna dla Niemców, ale za każdym razem zagadujesz jakichś pasażerów w pociągu.«

Jetzt wird es peinlich. Sie hat ihrem Wiesiu gesagt, er solle aufhören zu kombinieren und sich lieber erholen. Und dann hat sie gesagt, er putze Fenster für die Deutschen, quatsche aber jedes Mal Leute im Zug an. Wie meint sie das? Ist ihr Mann in Wahrheit Fensterputzer in Meerbusch?

Nun wendet sie sich bedauernd an den Japaner: »I am sorry. You can't come with us. Our appartment is too small.«

Der Japaner guckt sie verstört an.

Pani Krystyna schlägt sich an die Stirn und wiederholt auf Polnisch, dass er nicht kommen könne, weil sie leider über eine allzu kleine Wohnung verfügten.

Jetzt strahlt der Japaner, wie immer, wenn Polnisch geredet wird. Oh, sagt er, das mache gar nichts aus! Er freue sich trotzdem sehr, in Polen zu sein, wo die schönsten Frauen der Welt wohnten.

Man sieht, dass Pani Krystyna ihre Absage plötzlich bedauert. Aber nun ist es zu spät. Sie und Tochter Agnieszka klemmen sich den Papa, den großen, massigen Big Arnie, in ihre Mitte und schreiten mit ihm zur Bahnsteigtreppe. Tochter Agnieszka wirft dem Japaner noch einen funkelnden Blick über die Schulter zu. Er winkt ihr hinterher. Auf dem obersten Treppenabsatz dreht sich auch Big Arnie noch einmal um und ruft: »Ich melde mich morgen.« Und mir schärft er noch einmal auf Deutsch ein: »Wenn du Probleme hast, ruf mich an. Polizeipräsident von Wrocław ist mein Cousin!«

Und damit verschwindet die kleine Familie in der Bahnhofsunterführung. Sehr sympathisch, sehr schade.

Mingliang

Der Eurocity ruckt an und verlässt den Ostbahnhof. Ich sehe die Schlussleuchte des letzten Waggons im Gleisgewirr verschwinden. Pan Mirek hat gar nicht mehr groß gepfiffen. Warum auch? Er und sein Kollege sind zusammen mit den Kellnern des Speisewagens die letzten Menschen im Zug. Sie fahren ins Bahnbetriebswerk, wo die Waggons gereinigt und fertig gemacht werden für die Rückkehr nach Berlin. Noch heute am frühen Abend geht es zurück. So ein Pendlerleben im Zug wäre etwas für mich; man ist ständig in Bewegung und muss sich bis zur Rente für keine der beiden Seiten entscheiden.

Nun schaue ich mich nach dem Japaner um. Er braucht Hilfe für seine beiden dicken Tüten voll mit Lexika, scheint sich aber gar keine Sorgen darum zu machen. Mit in die Hüfte gestemmten Armen steht er auf dem Bahnsteig und betrachtet durch seine riesige schwarze Brille begeistert die Wolkenkratzer-Silhouette auf der anderen Weichselseite.

Ich frage ihn auf Polnisch: »Was führt Sie eigentlich hierher nach Polen?«

»Ich habe ein Ferienstipendium der Polnischen Akademie der Wissenschaften bekommen. Ich bin endlich in Polen. Das erste Mal!«

»Können wir uns vielleicht duzen? Wir sind hier doch beide Ausländer.«

»Gerne! Ich heiße Mingliang. Ich komme aus Tianjin, das ist nicht weit von Bejing.«

Er schüttelt mir die Hand. Dann umarmen wir uns herzlich. Ich bin so verwirrt, dass ich vergesse, mich vorzustellen.

»Aus Tianjin, nicht weit von Peking? Ach so, ich dachte … Haben Sie … hast du vielleicht längere Zeit in Japan gelebt?«

»Nein!«

»Aha …«

»Und du? Hast du in Japan gelebt?«

»Nein nein, ich habe dort nur drei Wochen lang Urlaub gemacht. Du bist also Chinese … Als du vorhin im Speisewagen geschlafen hast, dachte ich, dass das typisch japanisch ist. Aber Japaner und Chinesen kann man wahrscheinlich generell leicht verwechseln, nicht wahr?«

Mingliang protestiert energisch. »Nein, kann man nicht! Japaner sind ganz anders!«

»Komm komm, von Europa aus gesehen seid ihr euch doch ziemlich ähnlich.«

»Nein, nicht! Deutsche und Polen – ja, die sind sich sehr ähnlich! Berlin oder Warschau, sehr ähnlich! Aber Chinesen und Japaner sind ganz anders. Japaner sind sehr aggressiv, Chinesen sehr friedlich. Wir haben nie Krieg angefangen!«

»Ach, weißt du was, Mingliang, lassen wir das. Am besten nehmen wir für dich ein Taxi. Zu deinem Hotelschiff fahren nämlich weder Busse noch Straßenbahnen.«

Und nun hebe ich seine beiden Lexikontüten hoch und schleppe sie die Treppe hinunter. In der Unterführung befindet sich inmitten von Baugerümpel nur noch ein einziger Verkaufsstand. Zwei ältere Frauen verkaufen Berge von Hausschuhen. Eine schöne Begrüßung für alle Immigranten! Wer seine Hausschuhe leichtsinnig in Deutschland zurückgelassen hat, kann sich hier reichlich eindecken.

Mein Bruder

Wir gelangen über einen Baustellenpfad aus der Unterführung hinaus auf den Bahnhofsvorplatz. Dort stehen derzeit provisorische Fahrkarten-Container und mindestens drei Kioske, es herrscht Basarstimmung. Über allem scheint die Mittagssonne. Kaum zu glauben, dass es dieselbe Sonne wie in Berlin ist, kaum zu glauben, dass seit unserer Abfahrt von dort erst sieben Stunden vergangen sind. Der Japa ... der Chinese guckt sich glückstrahlend die Kioske an. Plötzlich fällt mir siedendheiß etwas ein.

»Entschuldige bitte, Mingliang, ich habe ganz vergessen, mich vorzustellen. Ich heiße ...«

»Stefan Müller!«

»Woher weißt du das?«

»Ich habe in Heidelberg immer im Auslandssender TV Polonia deine Serie geguckt! So habe ich Polnisch gelernt! Ich habe dich schon in Berlin auf dem Bahnsteig erkannt, aber ich hatte nicht den Mut, dich anzusprechen. So viele Stunden saßen wir am selben Tisch, es war für mich eine unglaubliche Erfahrung. Ich habe keinen Ton herausgekriegt und immer so getan, als wenn ich Mickiewicz lese.«

Es sprudelt nur so aus ihm heraus. Ich bin gerührt. Nachdem ich meine beiden letzten Fans an Doda Elektroda abtreten musste, habe ich jetzt einen neuen Fan in ... äh, China dazugewonnen.

Vor dem Bahnhof steht eine Reihe parkender Taxis. Der Fahrer des ersten Wagens hat uns schon gesehen, steigt behäbig aus und hilft uns beim Verstauen des Gepäcks, allerdings ohne großen Eifer. Er trägt einen altmodischen Schnurrbart und sieht dadurch sofort nach einem ausgebufften Kombinator aus, der gleich den Taxometer auf doppelte Geschwindigkeit einstellen wird. Es ist verrückt: Kaum bin ich in Warschau, werde ich misstrauisch wie ein echter Pole. Vielleicht ist der Fahrer ja in Wahrheit ein unsicherer deutscher Einwanderer, der erst vor Kurzem ins Land gekommen ist und sich einen Schnurrbart stehen lässt, weil er das für typisch polnisch hält?

Nun tausche ich mit dem Chinesen die Telefonnummern aus, umarme ihn links – rechts – links, und dann steigt er ins Taxi ein. Ich rufe: »Und sei morgen auf der Hut vor diesem Jan Wiesław Kozerski!«

Er kurbelt das Fenster herunter: »Ja!« Und dann fragt er noch mit ehrlicher Sorge: »Stefan, wie geht es deinem Bruder?«

»Es geht ihm gut, Mingliang. Er ist in seiner Hundehütte.«

»Do widzenia, Stefan!«

»Do widzenia! Breiten Weg, Mingliang, szerokiej drogi! Ich melde mich mal in den nächsten Tagen!«

Und nun fährt das Taxi ab. Ich winke hinterher.

Brot

Erst als das Taxi schon vom Bahnhofsvorplatz verschwunden ist, fällt mir ein, dass ich jetzt in Polen bin und eigentlich die Pflicht gehabt hätte, meinen letzten Fan Mingliang, der fremd in Warschau ist, zu mir nach Hause einzuladen. Stattdessen muss er nun auf diesem schäbigen Hotelschiff »Aldona« schlafen, wo Duschen Glückssache sind und in den Nächten zweifelhafte Bordpartys laufen. Verflixt! Sieben Stunden lang, die ganze Reise über, habe ich über Kulturdifferenzen geschwafelt – und jetzt dieses Fettnäpfchen. Es liegt daran, dass ich in Warschau immer erst einige Stunden brauche, ehe ich zum richtigen Polen mutiere. Morgen werde ich den Fehler gutmachen, indem ich Mingliang auf einen Kaffee einlade und die gesamte Rechnung bezahle.

Ich laufe in Richtung Targowa-Straße zur Bushaltestelle.

An einem Kiosk kaufe ich mir eine Dreitageskarte für den öffentlichen Nahverkehr. Die Kioskfrau hinter dem kleinen Fensterchen hat keinen guten Tag erwischt. Sie löst gerade ein Sudoku, hat aber Probleme mit ihrem Kuli. Er schreibt nicht richtig. Während sie mir mürrisch meine Dreitageskarte hinschiebt, schüttelt sie mit der anderen Hand den Kuli.

»Zepsuty – kaputt?«, frage ich. In den ersten Stunden nach meiner Ankunft habe ich immer eine geradezu peinliche Lust, mit wildfremden Leuten ins Gespräch zu kommen.

Sie guckt erstaunt auf, hat nämlich sogar an diesem einen Wort »zepsuty« meinen ausländischen Akzent erkannt.

»Eeeeee!«, sagt sie dann. »Ist einfach nur ein polnisches Gerät.«

Ich ändere plötzlich meine Pläne. »Ach wissen Sie was, geben Sie mir bitte eine Wochenkarte. Ich bleibe vermutlich doch eine ganze Woche in Polen.«

»Freiwillig?«, fragt sie grimmig.

Fast rutscht mir ein »ja« heraus. Ich hätte sogar Lust, ihr eine Lobeshymne auf Polen zu singen, etwa in der Art, dass ich es hier auch deswegen so schön finde, weil die Leute sich nicht so hundertprozentig wohl in ihrer Haut fühlen. Aber zum Glück verbeiße ich mir derartige Sentimentalitäten. Um Himmels willen jetzt keine *positive thinking*-Einlage. Stattdessen schweige ich vielsagend. Soll die Kioskfrau das Schweigen doch als zynische Verneinung ihrer Frage interpretieren.

Sie nimmt die Dreitageskarte zurück und gibt mir eine Wochenkarte. Ihre Laune ist jetzt plötzlich ganz hervorragend. »Do widzenia«, ruft sie mir durch das winzige Fensterchen hinterher.

»Do widzenia«, murmele ich und gehe über die Fußgängerampel zur Bushaltestelle.

Schon nach einer Minute sehe ich, dass vom Rondo Wiatraczna her ein Bus in den Warschauer Farben rot-gelb kommt. Es klingt albern, aber mir geht beim Anblick dieses blöden Niederflur-Gelenkbusses das Herz auf. Er wird mich jetzt bis fast direkt vor meine Haustür bringen. Ich muss noch Brot kaufen.

Tägliche Zugverbindungen von Berlin nach Warschau

Abfahrt Berlin Hauptbahnhof	Ankunft Warszawa Centralna
06.40 Eurocity	12.17
09.40 Eurocity	15.17
14.40 Eurocity	20.17
17.40 Eurocity	23.16
04.28 Nachtzug (nur Schlafwagen)	10.55

Alles Gute in Ihrem neuen Leben!

Dank

Ich möchte allen danken, die mir bei den Recherchen zu diesem Buch geholfen haben, besonders:

Anonymus – für ungeschminkte Einblicke ins polnische Gesundheitssystem;

Robert Bajczuk und Arne Millauer – für technische Auskünfte zum Berlin-Warszawa-Express;

Izabella Cech – für einen gemeinverständlichen Abriss des polnischen Steuersystems;

Andreas Drahs für die Autodiebstahls-Grafik;

Magdalena Grzybecka-Szczepańska und Arkadiusz Szczepański – für die Gabel-Fotos;

Aldona Kowalczyk, Karolina Pastuszak und Hans Maltz – für Auskünfte zum Thema Landkauf in Polen;

Anna Leidinger – für den Bericht ihres polnischen Weihnachtsfestes;

Dominika Rzepka für viele »Dolski«-Beispiele;

Marek Spławiński – für Fakten zu Schulsystem, Abitur und Deutschunterricht;

Marcel Vega – für eine Privatlektion zum Thema Pilze und viele andere Tipps.

Außerdem danke ich:

Bettina Feldweg und Renate Müller-Wolff – für die geduldige Lektorierung des Buches;

Diana Stübs, Sören Sieg und Martin Faber – für ihre gründliche Durchsicht des Manuskripts

sowie

Petra Eggers – für ihre unermüdliche Begleitung als Buchagentin.

Widmen möchte ich dieses Buch meiner Mutter Sigrun.
Hoj, lululululu, kolebka z marmuru, choć urody nie mam.

PIPER

Radek Knapp
Gebrauchsanweisung für Polen

160 Seiten. Gebunden

Polen ist immer noch sehr katholisch, das ist klar. Wo sonst
hieße einer der einflussreichsten Sender des Landes Radio
Maria? Wussten Sie aber, dass das polnische Nationalgetränk
nicht mehr der Wodka ist? Oder dass das polnische Nationalgericht Bigos heißt? Und dass es für diesen nahrhaften Ein-
topf mindestens ebenso viele Rezepte wie Köche gibt? Besuchen Sie Polen! Ein Land, das nicht nur den Kommunismus
besiegt hat, sondern auch über das skurrilste Bärengehege
der Welt verfügt. Und in dem der gebürtige Pole Radek Knapp
auf einer polnischen Hochzeit nicht weniger als zwölf Ge-
richte kosten musste, bevor er mit der Braut tanzen durfte.

01/1919/01/R

PIPER

Antje Rávic Strubel

Gebrauchsanweisung für Potsdam und Brandenburg

256 Seiten. Gebunden

Alleen und Wasserstraßen, Lustschlösser und Zeltplätze, Weißstörche und saure Gurken. Fürst Pückler und der Alte Fritz, leere Dörfer, Millionäre und eine unaufgeregte Landeshauptstadt: Die Potsdamer Autorin Antje Rávic Strubel geht den Klischees und Wahrheiten über Brandenburg auf den Grund. Sie erzählt vom Alltag zwischen Lausitz, Schorfheide und Spreewald, Havelland und Hohem Fläming, Stechlin und Senftenberger Seenplatte; vom Leben am »märkischen Amazonas« und dem bestgeschützten Immigranten, dem Wolf. Davon, wie eine verbotene Stadt zum begehrten Villenviertel wurde. Warum es im Brandenburgischen so viele Erlebniswege gibt. Und weshalb man für den Humor ihrer Landsleute beide Beine fest auf der Scholle haben sollte.

01/2007/01/R

Hape Kerkeling

Ich bin dann mal weg

Meine Reise auf dem Jakobsweg. 352 Seiten mit 35 Fotos im
Text und einer Karte. Gebunden

»Was, um Himmels willen, hat mich eigentlich dazu getrieben,
mich auf diese Wanderung zu begeben? Ich könnte jetzt zu
Hause auf meinem Lieblingssofa liegen. Stattdessen beginnt
hier und heute meine persönliche Pilgerreise auf dem Jakobsweg...« Es ist ein nebelverhangener Junimorgen, als Hape
Kerkeling endgültig seinen inneren Schweinehund besiegt
und voller Respekt und Unternehmungslust aufbricht. Sechs
Wochen Fußmarsch auf dem legendären Camino Francés
liegen vor ihm, allein mit sich und seinem elf Kilo schweren
knallroten Rucksack bis nach Galicien zum Grab des Apos-
tels Jakob, seit über 1000 Jahren Ziel für Gläubige aus der ganzen Welt. Mit Humor und Blick für das Besondere erschließt
Kerkeling sich die fremden Regionen, lernt er die Einheimischen ebenso wie moderne Pilger und ihre Rituale und Ei-
genarten kennen. Er schildert den Reiz jeder einzelnen Etappe,
erlebt Einsamkeit und Stille, Erschöpfung und Zweifel, aber
auch Hilfsbereitschaft, Freundschaften und Momente, die für
alle Entbehrungen entlohnen – und eine ganz eigene, über-
raschende Nähe zu Gott.

02/1071/01/R

MALIK

Andreas Kieling mit Sabine Wünsch

Ein deutscher Wandersommer

1400 Kilometer durch unsere wilde Heimat. 304 Seiten mit 52 farbigen Fotos, 12 Schwarz-Weiß-Fotos und mit einer Karte. Gebunden

Andreas Kieling bereiste die ganze Welt und kam exotischen Tieren so nahe wie sonst niemand. Die emotionalste »Expedition« aber war für ihn, der mit sechzehn aus der DDR geflohen war, seine Deutschlandwanderung. Mit seiner Hündin Cleo ging Andreas Kieling entlang der ehemaligen innerdeutschen Grenze. Vom Dreiländereck bis an die Ostsee; 1400 Kilometer durch acht Bundesländer in sieben Wochen. Er schloss Freundschaften, fand die Wildnis mitten in Deutschland und stieß auf atemberaubende Tier- und Pflanzenarten: Flussperlmuscheln in der bayerischen Regnitz, prächtige Eisvögel in den Saale-Auen, scheue Wildkatzen im Frankenwald und imposante Mufflons im Thüringer Schiefergebirge. Orchideen in den Hörselbergen, den größten deutschen Laubwald im Hainich und das geheimnisvolle Schwarze Moor der Rhön. Wanderfalken im Eichsfeld, vom Aussterben bedrohte Birkhähne in Hessen, charismatische Luchse im Harz sowie Biber und Wildpferde im Drömling. Mächtige Seeadler auf dem Schaalsee – und schließlich sogar angriffslustige Nandus am Ratzeburger See.

02/1125/01/R

Ryszard Kapuściński

Notizen eines Weltbürgers

Aus dem Polnischen von Martin Pollack. 304 Seiten.
Piper Taschenbuch

Diese Blütenlese des großen polnischen Reporters Ryszard Kapuściński besteht aus Beobachtungen, Episoden, Einfällen, Notizen und politischen Voraussagen. Und es geht um die großen Themen, die Kapuściński immer wiederkehrend beschäftigt haben: die Auswirkung der Globalisierung, die wachsende Kluft zwischen Arm und Reich, die Interpretation historischer Entwicklungen, Afrika, Europa und seine Heimat Polen. Ein Muss für alle Weltenbürger und jene, die es werden wollen!

»Die Stärke dieses Erzählers liegt in der Genauigkeit; der Engel, nicht der Teufel steckt im Detail: Die Bilder sind nicht verschwommen, sie bleiben lange im Gedächtnis ...«
Frankfurter Allgemeine Zeitung

05/2556/01/R